KLASSIKER DER KRITIK

HERAUSGEGEBEN VON EMIL STAIGER

AUGUST WILHELM SCHLEGEL

KRITISCHE SCHRIFTEN

AUSGEWÄHLT, EINGELEITET

UND ERLÄUTERT

VON EMIL STAIGER

ARTEMIS VERLAG ZÜRICH
UND STUTTGART

©

1962 ARTEMIS VERLAGS-AG ZÜRICH

SATZ UND DRUCK GDZ ZÜRICH

PRINTED IN SWITZERLAND

EINLEITUNG

In jenem Freundeskreis, der sich um 1795 in Jena und Berlin auf eine so wunderbare Weise zu bilden begann und den die Literaturgeschichte als ‹Frühromantik› oder ‹Romantische Schule› zu bezeichnen pflegt, ist August Wilhelm Schlegel als Gestalt am schwierigsten zu bestimmen. Er zeigt nur einen blassen Widerschein von der genialischen Frechheit, in der sich sein Bruder Friedrich gefällt; der Dämon Langeweile, der Ludwig Tieck von einem literarischen Abenteuer zum andern jagt, scheint ihn nicht heimgesucht zu haben; die mystische Stille und Tiefe eines Novalis, auch die Frömmigkeit Wackenroders, ist ihm durchaus fremd; mit Schleiermachers dialektischem Scharfsinn kann er sich nicht messen; und Fichtes spekulativem Vermögen ist er vollends nicht gewachsen. Dennoch nimmt dieser Mann, den vorerst lauter Negationen bezeichnen, mit seiner seltsamen Indifferenz einen hohen, schwer zu bestimmenden Rang in der deutschen Geistesgeschichte ein und sind seine Wirkungen zwar nicht tiefer, aber, genau besehen, allgemeiner als die seiner Gefährten.

Die Frage nach seiner Herkunft führt uns weit in die Vorgeschichte der Goethezeit zurück, in die Epoche der ‹Bremer Beiträger› nämlich, die, um die Mitte des achtzehnten Jahrhunderts, nach Gottscheds allzu pedantischer Reform des deutschen Bildungswesens, dem dichterischen Schaffen einen größeren Spielraum anzuweisen versuchten und in den Komödien Gellerts und dann zumal in Klopstocks ‹Messias› ihre schönsten Triumphe feiern durften. Zu den Bremer Beiträgern gehörte Johann Elias Schlegel, Verfasser bedeutender kritischer Schriften und einiger

Lust- und Trauerspiele, die schon auf Lessing hinzuweisen scheinen, und Johann Adolf Schlegel, der wenigstens seinen Zeitgenossen mit Gedichten, meist religiösen Inhalts, und Fabeln zu
imponieren verstand. Die Söhne Johann Adolfs waren August
Wilhelm und Friedrich; August Wilhelm, der ältere, 1767 in
Hannover geboren. Es ist nicht erstaunlich, daß er sich in einem
so literarischen Haus schon früh als Verseschmied hervortat und
daß er in Göttingen, als Student, sich alsbald alles anzueignen
versuchte, was nur irgendwie mit Literatur zusammenhing.
Zwei Persönlichkeiten sehr verschiedener Art gewannen für ihn
die höchste Bedeutung, Christian Gottlob Heyne und Gottfried
August Bürger: Heyne, Philologe und Archäologe, einer der
großen Begründer der modernen historischen Forschung, Weg-
bereiter der deutschen Klassik, von unermeßlichem Einfluß auf
die akademische Jugend, zu der, neben August Wilhelm und
Friedrich Schlegel, auch Humboldt, Voß und Wolf gehörten,
von den meisten seiner Schüler später mehr oder minder ver-
leugnet und angefochten in seinem Werk, auf dem doch alle
weiterbauten; Bürger, der Schöpfer der ‹Lenore› und anderer
sprachgewaltiger Balladen, Verkünder einer neuen, nach The-
men und Formen volkstümlichen Poesie, damals noch als einer
der ersten deutschen Dichter anerkannt, wenngleich bereits
durch peinlichste private Verhältnisse bloßgestellt und seinem
Ruhm nicht mehr gewachsen. Schlegel trat schon früh in Heynes
philologisches Seminar ein, beteiligte sich an der Edition Vergils
und zeichnete sich als Verfasser einer Geographie Homers aus.
Bürger aber hieß ihn willkommen als «Lieblingsjünger, dessen
Meister er gern heißen möchte, wenn solche Jünger nicht ohne
Meister fertig würden», und als «poetischen Sohn, an welchem
er Wohlgefallen habe», und feierte ihn in einem Sonett, der
Kunstform, deren er sich in den späteren Jahren mit Vorliebe
befliß, die dann, zumal durch den Gefeierten selber, zu einer be-
vorzugten Form der deutschen romantischen Lyrik wurde:

An August Wilhelm Schlegel

Kraft der Laute, die ich rühmlich schlug,
  Kraft der Zweige, die mein Haupt umwinden,
  Darf ich dir ein hohes Wort verkünden,
  Das ich längst in meinem Busen trug.

Junger Aar! Dein königlicher Flug
  Wird den Druck der Wolken überwinden,
  Wird die Bahn zum Sonnentempel finden,
  Oder Phöbus' Wort in mir ist Lug.

Schön und laut ist deines Fittichs Tönen,
  Wie das Erz, das zu Dodona klang,
  Leicht und stark dein Aufflug sonder Zwang.

Dich zum Dienst des Sonnengotts zu krönen,
  Hielt' ich nicht den eignen Kranz zu wert;
  Doch – dir ist ein besserer beschert.

Wir meinen allerdings, Phöbus' Wort sei diesmal wirklich Lug
gewesen. August Wilhelm Schlegel hat sich, ganz im Gegensatz
zu Bürger, mit keinem einzigen seiner Gedichte der Nachwelt
einzuprägen gewußt. ‹Leicht› und ‹sonder Zwang› sind seine
Verse freilich, aber nie ‹stark›. Bürger imponierte, was ihm selber noch einige Mühe machte, die Wendigkeit in Reimen und
Metren, und übersah, daß alles fehlte, worin seine eigene Größe
bestand, die Macht der Evokation, die elementare Gewalt und
der Schwung, der den einfachen Mann nicht minder als den gelehrten Kenner und Kritiker hinriß. Wir lassen dieses ganze Feld
von Schlegels Schaffen auf sich beruhen und kümmern uns weder um die unter Bürgers Einfluß entstandenen Jugendgedichte
noch um den ‹Pygmalion›, den ‹Prometheus› und den ‹Arion›,
die später in dem Musenalmanach Schillers erschienen, auch

nicht um den ‹Ion›, die Nachdichtung des Euripideischen Trauerspiels, die, von Goethe inszeniert, in Weimar einen Erfolg er-
zielte. Denn alle diese poetischen Werke sind einzig um ihrer
äußerlich-formalen Vollendung willen bedeutsam. So auch die
Sonette und Distichen, die Terzinen und Ottave Rime. Der
Dichter hatte nichts zu sagen; aber er sagte es wunderbar. Und
wie er es sagte, das wirkte nach. August Wilhelm Schlegel ist
keine individuelle Gestalt in der Geschichte der deutschen Lyrik,
aber er hat den Schatz der Formen geäufnet und unwegsame
Pfade geebnet, nicht selten freilich auch mit seinen Beckmesser-
Eitelkeiten die natürliche, freie Entwicklung gestört und manchem, der sonst gesungen hätte, wie der Vogel singt, das Dichten in den geheiligten Maßen verleidet. Selbst Goethe ließ sich
irremachen und seine ganz dem deutschen Sprachgeist gemäßen
Hexameter durch Schlegel korrigieren. Das Ergebnis war in den
meisten Fällen ein häßlicher Kompromiß – einige Goethe-Aus-
gaben stellen die ersten Lesarten wieder her – und was noch
schlimmer war: Goethe verlor darüber die Lust an Formen, die
der philologisch Verbildete und dem angeborenen Rhythmus
Entfremdete zu erschweren für nötig hielt. Wie viele herrliche
Distichen mögen von Schlegel in das Dunkel des Ungesagten
zurückgescheucht worden sein?

Doch damit greifen wir vor. Einstweilen ist Schlegel noch in
Göttingen tätig. Und da beginnt denn – neben seinen philologischen Studien, die uns heute nicht mehr interessieren, und neben
seinen poetischen Exerzitien, die wir frostig finden – bereits die
Tätigkeit, in der er es zur höchsten Meisterschaft brachte, die
des Kritikers und Rezensenten. Eine der ersten Arbeiten ist der
‹Göttlichen Komödie› Dantes gewidmet. Schlegel übersetzt in
Auswahl und führt den Leser in einer gründlichen Untersuchung
in den Geist der damals noch fast unbekannten, trotz den früheren Bemühungen Bodmers als ungeheuerlich, schwierig und
abstrus verschrieenen Dichtung ein. Ein respektables Gesellen-

stück, wohl aber doch nicht mehr als dies, in der Geschichte der Literaturkritik ein bemerkenswertes Ereignis, indes an Kunstsinn und Eleganz mit den späteren Schriften kaum vergleichbar.

Die erste Rezension, die veröffentlicht wurde, betraf die ‹Künstler› Schillers. Wir finden auch da noch nicht den subtilen, beweglichen Geist, der uns später entzückt. Auffällig aber – im Rahmen der damals üblichen Kritik – war doch die Empfindlichkeit für sprachliche Dinge und das Verständnis für die Eigenart der didaktischen Poesie. Schiller jedenfalls zeigte sich beglückt und lud den jungen Autor zur Mitarbeit an seinem Musenalmanach und an den eben erst gegründeten ‹Horen› ein. Damit begannen Beziehungen, die für beide bald unangenehm werden sollten, in denen uns August Wilhelm in dem unerfreulichsten Licht erscheint.

Er war unterdessen in einem vornehmen holländischen Haus Hofmeister geworden und wurde, wie sein Bruder Friedrich behauptete, «durch die Weiber verzärtelt». Wir brauchen auf diese Geschichten nicht einzugehen; sie haben in Schlegels Leben und Werk keine bleibende Spur hinterlassen – mit Ausnahme freilich *einer* Begegnung, die ihm zum Schicksal wurde (sofern es bei einem so wenig entschiedenen Menschen angezeigt ist, von ‹Schicksal› zu sprechen), der Begegnung mit Caroline, der Witwe eines Dr. Böhmer und Tochter des Begründers der historisch-kritischen Erforschung des Alten Testaments, des Göttinger Orientalisten Michaelis. Schlegel hatte Caroline schon in Göttingen kennengelernt und seither in lebhafter Korrespondenz an ihren Geschicken Anteil genommen. Nun mußte er erfahren, daß sie im Zusammenhang mit den Wirren der Französischen Revolution politisch verdächtigt und in Frankfurt gefangen genommen worden war – in höchst bedenklicher Lage zudem, die nicht mehr zu verbergen war. Die Art, wie Schlegel für sie sorgte, wie er sie aus dem Gefängnis befreite, sich ihres unehelichen Kindes annahm und schließlich sein vorurteilsloses

Betragen noch dadurch krönte, daß er sich mit der kompromit-
tierten Frau vermählte, könnte man als Beweis einer wahrhaft
ritterlichen Gesinnung bewundern, wenn Caroline ihm – wie
soll man sagen? – an seelischer Genialität nicht weit überlegen
gewesen wäre und wenn die Sache nicht ein für ihn so bedenk-
liches Ende genommen hätte: Er war nicht der Mann, der die
Weite ihres Herzens auszufüllen vermochte. Bald verließ sie ihn
wieder und folgte dem zwölf Jahre jüngeren Schelling. Auch da
benahm er sich tadellos und wahrte durchaus die gute Miene.
Doch seltsam, was man jedem andern als edelste Haltung anrechnen würde, nimmt sich bei ihm fast wesenlos aus und nötigt
uns wenig Teilnahme ab. Wir glauben nicht, daß er ein echtes
Leiden zu überwinden hatte, und sehen ihn nur schattenhaft auf
seinen schwierigen Pfaden wandeln.

Zunächst aber war er mit seiner so sonderbar zusammengesetzten Familie dringend auf Broterwerb angewiesen. Er siedelte
nach Jena über und entfaltete dort eine riesige literarische Tätigkeit als Übersetzer und Rezensent, in zwei Bereichen also, zu
denen er sich, nach den bereits erstatteten Proben, berufen fühlen durfte, in denen ihm alles zustatten kam, was uns sonst an
seiner Person befremdet oder mit Unbehagen erfüllt, gerade
auch seine Indifferenz, sein unbestimmtes und ebendeshalb so
überaus leicht bestimmbares und für fremde Töne empfäng-
liches Wesen.

Auch wo es sich nur um den Kritiker handelt, muß doch mit
einigen Worten von seinem deutschen Shakespeare die Rede
sein. Lessing hatte noch im ersten Band der ‹Hamburgischen
Dramaturgie›, im Jahre 1767, bitter darüber Klage geführt, daß
sich die Deutschen so wenig um den britischen Dichter kümmern wollten, obwohl er doch in einer zwar nicht vortrefflichen,
aber immerhin achtbaren Übersetzung zugänglich sei. Er meinte
damit die ‹Theatralischen Werke Shakespeares›, übersetzt von
Wieland, die 1762 bis 1766 erschienen waren. Wenige Jahre spä-

ter folgte – als erste vollständige deutscher Sprache – die Übersetzung Eschenburgs. Und gleichfalls in den siebziger Jahren
war Herder mit der Verdeutschung einiger Lieder und Mono-
loge beschäftigt. Alle diese Bemühungen haben heute nur noch
historischen Wert. Niemand wird auf den Gedanken kommen,
jemals wieder auf Herder, Eschenburg oder Wieland zurückzu-
greifen. Herder scheidet für die Bühne ohnehin aus, da er nie
die Geduld aufbrachte, ein ganzes Stück zu verdeutschen, und
es, nach seiner Art, bei glanzvollen Höhepunkten bewenden
ließ. Wieland und Eschenburg ebneten den ganzen Shakespeare
in Prosa ein. Doch ob Vers oder Prosa, alle müssen verstummen,
wenn Schlegel den Plan betritt und seinen Shakespeare-Ton an-
schlägt. Vergleichen wir Hamlets Monolog! Wieland übersetzt –
wir können es nur noch mit einem freundlichen Lächeln zur
Kenntnis nehmen – folgendermaßen:

«Sein oder nicht sein – – das ist die Frage – – Ob es einem edlen
Geist anständiger ist, sich den Beleidigungen des Glücks geduldig zu unterwerfen oder seinen Anfällen geduldig ent-
gegenzustehen und durch einen herzhaften Streich sie auf
einmal zu erledigen? Was ist Sterben? Schlafen – das ist
alles – – und durch einen guten Schlaf sich auf immer vom
Kopfweh und allen andern Plagen, wovon unser Fleisch Erbe
ist, zu entledigen, ist ja eine Glückseligkeit, die man einem
andächtiglich zubeten sollte – Sterben, schlafen – – Doch vielleicht ist es was mehr – – – wie, wenn es träumen wäre?

– – Da steckt der Haken – – was nach dem irdischen Ge-
tümmel in diesem langen Schlaf des Todes für Träume folgen können, das ist es, was uns stutzen machen muß. Wenn
das nicht wäre, wer würde die Mißhandlungen und Staupen-
schläge der Zeit, die Gewalttätigkeiten des Unterdrückers,
die verächtlichen Kränkungen der Stolzen, die Qual verschmähter Liebe, die Schikanen der Justiz, den Übermut der
Großen ertragen, oder welcher Mann von Verdienst würde

sich von einem Elenden, dessen Geburt oder Glück seinen ganzen Wert ausmacht, mit Füßen stoßen lassen, wenn ihm freistünde, mit einem armen, kleinen Federmesser sich Ruhe zu verschaffen?»

Eschenburg vermeidet die Koketterien des aufgeklärten Verstandes und weiß sich gewichtiger auszudrücken:

«Sein oder nicht sein? Das ist die Frage. Ob es edelmütiger ist, sich den Schleudern und Pfeilen des zürnenden Schicksals bloßzustellen oder gegen ein ganzes Meer von Unruhen die Waffen zu ergreifen, ihnen Widerstand zu tun, und sie so zu endigen? Sterben – schlafen – nichts weiter? und, durch einen Schlummer, der Herzensangst, der tausendfachen Qualen der Natur loswerden, die des Fleisches Erbteil sind – das ist eine Vollendung, der brünstigsten Wünsche wert. Sterben, schlafen, schlafen, vielleicht auch träumen. Ja, daran stößt sich's! Denn was in jenem Schlaf des Todes, wenn wir dieses sterblichen Getümmels entledigt sind, für Träume kommen mögen, das verdient Erwägung! Das ist die Rücksicht, die den Leiden ein so langes Leben schafft. Denn wer ertrüge sonst die Geißel und die Schmähungen der Welt, des Unterdrückers Unrecht, des Stolzen Schmach, die Qual verschmähter Liebe, die Zögerungen der Gesetze, den Übermut der Großen und die Verhöhnung des leidenden Verdienstes von Unwürdigen, da er sich mit einem bloßen Dolch in Freiheit setzen könnte?»

Herders Übersetzung verrät die nervöse Gewaltsamkeit, die der Sammler von Volksliedern und Verkünder der Morgenröte der Menschheit so oft mit einer wahrhaft ursprünglichen Kraft verwechselt:

«Sein oder nicht sein? – das ist nun die Frage!
Ob's edler, im Gemüte fortzudulden

des Schicksals Tückepfeil und Hohngeschoß?
wie oder aufzustehn den Trübsalsstürmen
und widerstehnd sie enden! – Sterben! – Schlafen!
Nicht mehr? Und schlafend sagen können: aus ist
das Herzach, aus die tausend Erdenstöße,
die Fleisch wir erbeten! – So ist's Vollendung,
andächtig recht zu wünschen – Sterben! – schlafen! –
Nur schlafen? – wohl auch träumen! Ah! da liegt's!
Denn in dem Schlaf des Todes was für Träume
da kommen, wenn nun aus ist Lebenslärm,
das macht uns Halt! – Und die, die Rücksicht ist's,
die Jammer macht so langen, langen Lebens.
Denn wer ertrüg's, die Hieb' und Streich' des Unfalls,
Gewalt des Drückers! stolzer Narren Schmach,
den Stich verschmähter Liebe! der Gesetze
Betrugverzögerung – Staatsmanns Hoffart! Spott
den's leidende Verdienst vom Bub empfängt –
kann man sich selbst je los und ledig machen
mit bloßem Dolchstich –»

Bei August Wilhelm Schlegel heißt es:
       «Sein oder Nichtsein, das ist hier die Frage:
       Ob's edler im Gemüt, die Pfeil' und Schleudern
       Des wütenden Geschicks erdulden, oder,
       Sich waffnend gegen eine See von Plagen,
       Durch Widerstand sie enden? Sterben – Schlafen –
       Nichts weiter –! Und zu wissen, daß ein Schlaf
       Das Herzweh und die tausend Stöße endet,
       Die unsers Fleisches Erbteil – 's ist ein Ziel,
       Aufs innigste zu wünschen. Sterben – Schlafen –
       Schlafen! Vielleicht auch träumen! – ja, da liegt's:
       Was in *dem* Schlaf für Träume kommen mögen,
       Wenn wir den Drang des Ird'schen abgeschüttelt,

Das zwingt uns still zu stehn, das ist die Rücksicht,
Die Elend läßt zu hohen Jahren kommen.
Denn wer ertrüg' der Zeiten Spott und Geißel,
Des Mächt'gen Druck, des Stolzen Mißhandlungen,
Verschmähter Liebe Pein, des Rechtes Aufschub,
Den Übermut der Ämter und die Schmach,
Die Unwert schweigendem Verdienst erweist,
Wenn er sich selbst in Ruhstand setzen könnte
Mit einer Nadel bloß?»

So kennen wir es von Jugend auf, und deshalb, könnte man vermuten, scheint es uns einzig richtig zu sein. Doch besser sagen wir umgekehrt: Weil es so einzig richtig ist, deshalb kennen wir es von Jugend auf, hat es sich Heimatrecht erworben.

Selbstverständlich hat man auch an Schlegels Shakespeare herumgemäkelt und ihm philologische Fehler und Mißverständnisse vorgeworfen. Wer aber weiß, was Übersetzen eigentlich heißt, ist sich klar darüber, daß damit nichts Wesentliches berührt wird. Sprachliche Fehler kann jeder – um mit dem unmutigen Herder zu reden – ‹ziegenbärtige Grammatiker› finden; sie lassen sich auch leicht verbessern. Was aber nur der Meister in dem uferlosen Reich der Möglichkeiten zu entdecken und in die Wirklichkeit überzuführen vermag, die angemessene und zugleich in eigenem Leben blühende Sprache, das ist es, was schließlich allein den künstlerischen Rang einer Übersetzung bestimmt.

Nun hat man allerdings hin und wieder auch bestritten, daß Schlegels Sprache die Shakespeare angemessene sei. Man findet sie oft zu weich, zu lyrisch, zu stimmungsvoll und vermißt die starken Akzente des Dichters der Renaissance. Ist dies nun aber ein gültiger Einwand? Er läuft zum Teil auf den freilich unwiderleglichen Satz hinaus, daß Schlegels Shakespeare in deutscher und nicht mehr in englischer Sprache abgefaßt ist. Wie darf man

da immer noch eigensinnig die Vehemenz des konsonanten-
mächtigen Originals erwarten oder gar darauf bestehen, daß die
Aura der deutschen Vokabeln der Aura der englischen überall
gleich sei? Selbst davon aber noch abgesehen: Keine Übersetzung kann sich ganz dem Urtext unterordnen; in jeder findet
eine Begegnung entfernter Zeiten und Räume statt. Einen fremden Dichter aneignen heißt darum immer auch, ihn mit dem
Geist der eigenen Sprache, der eigenen geschichtlichen Situation
versöhnen. Das hat mit der allzu beliebten Frage nach der Wört-
lichkeit oder Freiheit der Übersetzung wenig zu schaffen. Schlegel hat sich in einem ganz erstaunlichen Maß an den Wortlaut
gehalten und sogar bei den schwierigen Anspielungen und Wortspielen oft genug eine restlos befriedigende Lösung gefunden.
Aus einer Präsenz des Vokabulars, die über alle Begriffe geht,
ergeben die Reime sich ihm von selbst – von der syntaktischen
Wendigkeit des Vielbelesenen ganz zu schweigen. Dennoch
liegt über seinem deutschen Shakespeare ein leiser romantischer
Hauch, ein Etwas, das an die Stimmungskünste seines Freundes
Tieck erinnert oder von fern an die Zuspitzungen des idealisti-
schen Denkens gemahnt. Und eben damit hat sich ereignet, was
sich im glücklichsten Fall bei diesem Unternehmen ereignen
konnte: Shakespeare ist in den Bereich des deutschen Herzens
und Geistes eingedrungen; Herz und Geist der Deutschen sind
zu Shakespeare hin erweitert worden. Niemand wird August
Wilhelm Schlegel auf diesem Gebiet den Rang ablaufen. Die
siebzehn Stücke, die er übersetzt hat, sind, in der weltlichen
Literatur, vielleicht überhaupt das gewaltigste Wunder, das je
von einem Übersetzer deutscher Sprache vollbracht worden ist.
Die Schwierigkeiten waren größer oder doch mannigfaltiger als
bei dem Vossischen Homer. Und was wäre sonst zu nennen?
Weder Vergil noch Dante, weder Calderón noch Racine sind
uns jemals so vertraut geworden wie Shakespeare durch Schlegel, Homer durch Voß. Beide, Voß und Schlegel, haben dar-

über hinaus noch das Verdienst, mit ihren Übersetzungswerken die deutsche Sprache bereichert und den künftigen Dichtern neue bedeutende Möglichkeiten gewiesen zu haben. Jedermann weiß, wie tief sich Goethe in ‹Hermann und Dorothea› Johann Heinrich Voß verpflichtet fühlte, wieviel ihm Schiller im ‹Spaziergang›, Hölderlin im ‹Archipelagus› und Mörike in seinen Elegien und Epigrammen schulden. Weniger bekannt ist, wie sehr der Schlegelsche Shakespeare die Sprache der deutschen Dramatiker von Kleist bis Hebbel und Otto Ludwig mitbestimmt. Schiller bleibt noch unberührt. Die Späteren aber sind so fasziniert von den unwiderstehlichen Versen, daß sie sich, es geschehe bewußt oder unbewußt, offensichtlich bemühen, nicht nur ihre Reize, sondern auch ihre Schwächen nachzuahmen, zum Beispiel die häufigen Apostrophe und Elisionen, zu denen Schlegel – infolge der Einsilbigkeit so vieler englischer Wörter – gezwungen war («Was für ein Schurk’ und feiger Sklav’ bin ich!»). In Otto Ludwigs zahllosen Fragmenten nimmt sich dies manchmal fast komisch aus – als Zeugnis einer Hörigkeit, die schließlich alle Produktivität in eigenem Namen erstickte. Aber auch Grillparzer shakespearisiert – auf bezaubernde Art; seine Sprache gewinnt eine leichte britische Patina. Er scheint nur geistreich auf den unerreichbaren Größten anspielen zu wollen.

Bedenken wir, daß Schlegel überdies aus dem Lateinischen, Griechischen, Französischen, Italienischen, Spanischen, Portugiesischen übersetzt hat – immer gewandt und mit sicherem Geschmack, wenngleich nie wieder mit so viel Glück und so unbedingtem Erfolg wie bei Shakespeare –, so werden wir uns allmählich seiner ungeheuren Begabung bewußt und wird uns klar, wie sehr die Nachwelt Anlaß hat, sich auf ihn zu besinnen.

Das Amt des Übersetzers gleicht in mancher Hinsicht dem des Kritikers. Beide beschäftigen sich mit fremden Texten und

erheben den Anspruch, sie zu verstehen und der Öffentlichkeit
gehörig zu präsentieren. Wenn man das Übersetzen mit Recht
ein Interpretieren nennt, so darf man das Rezensieren fast mit
gleichem Recht ein Übersetzen nennen, insofern wenigstens, als
es sich hier wie dort um eine Aneignung handelt, um das Bemühen, zwischen einem geschriebenen Wort und dem eigenen
Geist und dem der Öffentlichkeit zu vermitteln. Nicht für alle
Kritiker trifft dies freilich in gleicher Weise zu. Man könnte sogar behaupten, erst mit August Wilhelm Schlegel fange diese
Art der Darstellung an und erst durch ihn sei sie im deutschen
Sprachgebiet verbreitet worden. Lessing, ein halbes Jahrhundert
früher, setzte sich noch ganz andere Ziele. Soweit er sich auch
von Gottsched entfernte, er glaubte noch an die ‹Kritische
Dichtkunst›, das heißt die Möglichkeit, Gesetze des Dichterischen ausfindig zu machen und das Falsche vom Richtigen mit
mehr oder minder zuverlässigen Argumenten zu unterscheiden.
Demnach hielt er fortwährend Gericht. Er brach den Stab über
Weißes Trauerspiele und lobte Diderots Stücke. Er anerkannte
Klopstocks ‹Messias›, wünschte jedoch einen anderen Anfang.
Er machte die genauesten Vorschriften, wie eine Fabel beschaffen sein müsse, und verbat sich alles bloße Beschreiben in der
epischen Dichtkunst. Bei dieser ganzen unruhevollen und unermüdlichen Tätigkeit geht es eigentlich nie um das, was wir
heute ‹Einfühlung› zu nennen pflegen. Wie es dem Dichter zu-
mute ist, bekümmert Lessing überhaupt nicht; und gar das An-
sinnen, die Begriffe des Schönen den Intentionen der fraglichen
Werke selber zu entnehmen, jedem also auf seine besondere Art
historisch gerecht zu werden, hätte er zweifellos abgelehnt
Wenn er zugab, daß Shakespeare auf andere Weise vollkommen
sei als die Griechen, bezog er diese wie jenen doch auf eine Idee
der Tragödie, von der er meinte, daß sie als eine einzige und ein-
heitliche, wandellose ermittelt werden könne. Und so bezog er
noch alles auf Maße. Was sein *soll*, das schwebte ihm immer vor

Augen. Wie wäre ihm da der offene Blick vergönnt gewesen für alles, was sein *kann,* für den unübersehbaren Reichtum, den die Geschichte der Menschheit birgt?

In Herder scheint er sich aufzuschließen. Mit den Fragmenten ‹Über die neuere deutsche Literatur› und den ‹Kritischen Wäldern›, die Ende der sechziger Jahre erschienen, wird in der deutschen Kritik das historische Verstehen begründet. Herder ist durchdrungen davon, daß jede Epoche in ihrem eigenen Schwerpunkt aufgefaßt und jede Individualität als einzigartiges Leben gewürdigt werden müsse. Nicht auf Beurteilung nach allgemein gültigen Maßstäben kommt es ihm an – an solche glaubt er gar nicht mehr –, sondern einzig auf Teilnahme, Einfühlung. Er will sich gleichsam verwandeln in die Zeit, in den Genius, der ihn beschäftigt, heute in Pindar, morgen in Balde und übermorgen in Ossian. So wenigstens lautet die Theorie. In der Praxis nimmt sich bei Herder alles noch etwas anders aus. Zu mächtig ist er erregt von der Macht einer lange vergessenen Tradition, zu ungeheuer aufgewühlt von den Sagen und Bildern alter Völker, als daß er den Texten, die er auslegt, gehörig Zeit ließe, sich zu entfalten. Der individuelle Charakter, den er doch herauszuarbeiten bemüht ist, verschwindet sozusagen noch in den Schwaden der Subjektivität, der Emotionen des Interpreten; er wird mit Ausrufezeichen erstickt. Dazu kommt, daß Herder den größten Erscheinungen seiner eigenen Zeit gegenüber völlig ratlos ist. Konnte oder wollte er Goethes und Schillers Bedeutung nicht erkennen? Verschloß er sich böswillig den zauberhaftesten Botschaften der Romantik oder hatte er kein Organ für sie? Schwer zu sagen! Er war ein schwieriger, grämlicher, unzuverlässiger Herr. Und allzu tief hatten sich seinem Gemüt die literarischen Entzückungen seiner Jünglingszeit und seiner Kinderjahre eingeprägt, als daß er für neue Eindrücke jederzeit empfänglich geblieben wäre. So wird man seine Literaturkritik zwar immer wieder bewundern, doch kaum je in ihr heimisch werden. Es gibt da allzu viel zu verzeihen und aus der ungünstigen Lage einer seltsamen Existenz zu erklären.

In einer ganz anderen Situation begegnet uns August Wilhelm Schlegel. In der Mitte der neunziger Jahre, in der Zeit, in der seine literarische Tätigkeit großen Stils beginnt, sind solche Kolumbusfahrten in unentdeckte Gebiete, wie sie noch Herder unternommen, schon kaum mehr nötig. Die größten Erscheinungen wenigstens des europäischen Schrifttums werden umworben und scheinen darauf zu warten, in den Besitz der Menschen deutscher Sprache überzugehen. Die deutsche ‹Ilias› Stolbergs ist schon 1778 erschienen, die Vossische ‹Odyssee› in erster Fassung 1781. Auf Dante hat schon Johann Jakob Bodmer hingewiesen, ebenso auf die mittelhochdeutsche Lyrik; in Göttingen, in den Jahren von August Wilhelm Schlegels Studium, ahmt man eifrig, wenn auch noch in etwas kindischer Weise, die Minnesänger nach. Wie man seit Wieland um Shakespeares Bühnenwerke ringt, ist uns deutlich geworden. In Weimar hat Bertuch Ende der siebziger Jahre den ‹Don Quixote› des Cervantes ins Deutsche übertragen. Wilhelm Heinse bemüht sich um den ‹Rasenden Roland› Ariosts. Auf Tasso wies das 1790 erschienene Schauspiel Goethes hin. Alle diese Dichter sind dem unermüdlichen Leser August Wilhelm Schlegel früh vertraut. Und es versteht sich für ihn von selbst, daß er die Spuren weiter verfolgt, von Dante also etwa zu Bocaccio und Petrarca gerät, von Tasso zu Guarini, von Cervantes zu Lope und Calderón. Das heißt: zu seinem Wachstum schon, zu seiner Bildung in den entscheidenden Jahren des Reifens gehört ein Überblick über die Fülle der Poesie und Prosa aller Jahrhunderte, der Lessing trotz ruhelosesten Fleißes noch versagt blieb und der für Herder noch ein Erlebnis von so überwältigender Größe war, daß er kaum Atem zu schöpfen und es nicht zu bewältigen vermochte.

Seinen bedeutendsten Vorgängern gegenüber erscheint uns August Wilhelm Schlegel als verwöhnter Erbe. Es ist ihm selbstverständlich, von ungeheuerem Reichtum umgeben zu sein und sozusagen täglich Schriftsteller ersten Ranges ausfindig zu machen oder bereits entdeckte in ein Licht zu rücken, das ihren hohen Wert erst ganz erkennen läßt. Das sichert ihm im Umgang mit der Tradition die Leichtigkeit und Eleganz, die wir bewundern, das Mühelose, das – in diesem Fall gewiß mit Recht – den Eindruck von höchster Souveränität erweckt.

Nun kommt zu alledem noch die Begegnung mit dem Schrifttum der Gegenwart. In Göttingen ist zu seiner Zeit die Blüte einer neuen, bedeutenden Lyrik zwar bereits verwelkt. Hölty ist tot, der Wandsbecker Bote Matthias Claudius entschwindet in einen undichterischen Mystizismus, Voß wird immer mehr zum Gelehrten. In Bürger aber lebt noch ein Zeuge der vergangenen Größe, und Schlegel weiß genau, was er an ihm hat. Er wird durch das Werk seines hochverehrten Meisters gegen die Trivialitäten der Aufklärung geschützt, die überall, nach dem kläglichen Ausgang der Genieperiode, die literarische Walstatt einstweilen wieder behaupten. So kommt er nach Jena, mit geschärften Sinnen und erprobtem Geschmack. Und da widerfährt ihm nun das größte Glück, das einem Kritiker seiner Art überhaupt widerfahren kann: er findet sich von Neuerscheinungen höchsten Ranges, die wahrzunehmen und zu würdigen sind, überhäuft. 1787 bis 1790 hat Goethe eine erste Sammlung seiner Werke herausgegeben, die außer dem allbekannten ‹Werther› und dem ‹Götz› die ‹Iphigenie›, den ‹Tasso› und ‹Faust, ein Fragment› enthält. Die neunziger Jahre bringen den ‹Wilhelm Meister› und ‹Hermann und Dorothea›, dazu eine Fülle neuer Gedichte. Schiller wendet sich nach langer Pause wieder der Dichtung zu. Zu den ersten Schöpfungen seiner Meisterjahre gehören die Gedichte ‹Das Ideal und das Leben› und ‹Der Spaziergang›. In den letzten Jahren des Jahrhunderts entsteht der ‹Wallenstein›. Wir müssen ermessen, was dies für einen jungen Menschen wie Schlegel bedeutet. Er hat sich bis jetzt das Beste aus fernen

Zeiten und Räumen zusammengesucht und es gegen die Unzulänglichkeit des deutschen Schrifttums ausgespielt. Nun glänzen ihm unüberbietbare Werke in seiner eigenen Sprache entgegen. Die ganze Lage ist plötzlich verändert. Goethe und Schiller selber haben in den ‹Xenien› dafür gesorgt, daß das Vergangene, Überalterte seine Stimme nicht wieder erhebt. Was aber ist von der Zukunft zu hoffen? Die Aussichten scheinen unbegrenzt. So wenigstens meinen August Wilhelm Schlegel, sein Bruder und beider Freunde, Novalis, Tieck, auch Schelling, der in diesen Jahren in Jena einzieht und allein schon mit seiner von Wagemut und gesundestem Selbstbewußtsein strahlenden Persönlichkeit die Gunst der geschichtlichen Stunde bestätigt. Ein literarisches Wohlgefühl, von dem wir uns kaum mehr einen Begriff machen können, durchrieselt dies ganze Geschlecht und steigert seine Arbeitskraft für einige Zeit ins Unerhörte. Tieck schreibt den Roman ‹William Lovell›, die ‹Schöne Magelone›, die Märchennovellen und -dramen, die Literaturkomödien, ‹Leben und Tod der heiligen Genoveva› und findet sich mit Wackenroder in jener Kunstandacht zusammen, die über Jahrzehnte für weite Kreise gebildeter Deutscher maßgebend wird. Novalis dichtet seine von Poesie und Geheimnis erfüllten Romanfragmente, die ‹Hymnen an die Nacht› und die ‹Geistlichen Lieder›. Friedrich Schlegel experimentiert in einer historisch-philosophischen Konstruktion der Literatur, versprüht im ‹Athenäum›, der von den Brüdern gegründeten Zeitschrift, seine oft jäh erhellenden, oft auch nur paradoxen, verblüffenden Aphorismen und zeichnet sich durch einige kritische Schriften von bleibender Geltung aus, so die Kritik des ‹Wilhelm Meister›, so die Charakteristik Lessings.

Was August Wilhelm Schlegel betrifft: er übersetzt und rezensiert. Nahezu dreihundert Rezensionen hat er in viereinhalb Jahren verfaßt. Ununterbrochen – es scheint überhaupt nicht anders möglich – liest und schreibt er, liest mit überwachem, von

der Zustimmung der Geschichte belebtem, seiner Erleuchtungen
sicherem Geist und schreibt mit der gründlichsten Sachkennt-
nis – Liebhaber, Kenner und Fachmann zugleich in einer so
glücklichen Mischung, wie man sie in Deutschland nie mehr
findet.

Ist es möglich, seine Kunst der Rezension zu charakterisieren?
Im Unterschied zu seinem Bruder Friedrich, den die ästhetischen Schriften Schillers und Fichtes ‹Wissenschaftslehre› in
Atem halten, ist August Wilhelm ein durchaus unphilosophi-
scher Kopf. Natürlich kann er sich dem allgemeinen spekula-
tiven Klima von Jena gleichfalls nicht entziehen. Er kennt sich
in den neuesten Kategorien und Ideen aus und weiß, wie sich
die Weltgeschichte im Lichte des Kritizismus und eines unter
seinen Augen entstehenden universalen Systems darstellt. Wenn
aber Friedrich Schlegel ungeduldig vom Einzelnen zum Allgemeinen, Abstrakten übergeht und alle Gegenstände in ein Ge-
füge von Funktionen einspannt, wenn Schelling gar sich eigentlich nur für den Stellenwert einer Erscheinung in der geistigen
Ordnung interessiert, geht August Wilhelm auf fast naive Weise
in umgekehrter Richtung: er bedient sich der philosophischen
Errungenschaften nur, um einen Text zu charakterisieren,
unbekümmert darum, ob seine Begriffe wirklich zusammen-
stimmen oder unvereinbar und verschiedenartigster Herkunft
sind. Wer seine Schriften auf ihren philosophischen Wert hin
untersucht, wird finden, er habe es mit einem vagen Eklektiker
zu tun. Und wer sich darauf einläßt, Schlegels Begriffe unter die
Lupe zu nehmen, wird zu dem Urteil gelangen, sie seien un-
scharf und eines Denkers nicht würdig. Doch darum geht es
hier auch gar nicht, ebensowenig wie um kritische Richtersprü-
che in Lessings Manier. Angesichts einer solchen Fülle von Möglichkeiten der Poesie und Prosa, wie sie Schlegel vorlag, wie sie
ihm aus vergangenen Jahrtausenden und Jahrhunderten und der
eigenen Zeit entgegentrat, verbot sich der Gedanke an einen

Kanon des Dichterischen, an unbedingt verbindliche Muster
von selbst. Dennoch scheint ein Urteil, eine Bestimmung des
Werts seit alters zum Geschäft des Kritikers zu gehören. Darüber, ob eine solche möglich sei, ob sich nicht alles in historische
Bezüge auflösen müsse, macht sich Schlegel so wenig klare und
befriedigende Gedanken wie über die philosophische Relevanz
seiner kritischen Terminologie. Vielmehr beginnt gerade mit
ihm jene eigentümliche Zweideutigkeit, mit der die Kritiker ihr
Geschäft bis auf den heutigen Tag betreiben: Einerseits sind sie
historisch gebildet und überzeugt von dem Wort, daß in unseres
Vaters Haus viele Wohnungen sind, also bereit, jeden Dichter
auf seine Fasson selig werden zu lassen. Andrerseits sagen sie Ja
und Nein und rühmen und schmähen und zucken die Achseln,
wie wenn sie sich noch auf ein festes Koordinatensystem berufen
könnten. Wie beides nebeneinander möglich sei, bleibt ihnen
dunkel, und sie scheinen nicht einmal ein Bedürfnis zu haben,
darüber ins klare zu kommen. So schon August Wilhelm Schlegel! Und gerade er, der erste, ist nun auch der gültigste Zeuge
dafür, daß dieser Zustand im Grunde nur für den Systematiker
und Logiker unerträglich ist, nicht aber für die Leser, an die sich
die Kritiker wenden, für jene also, die von ihnen erfahren wollen, was von einem Buch, einem Dichter allenfalls zu erwarten
und wie er in den verschwimmenden Horizont der Bildung ein-
zuordnen sei. Mit andern Worten: ebenso wie die philosophischen Kategorien, haben in Schlegels Kritik auch die Urteile
keinen eigenständigen Sinn. Jedenfalls sind sie nie ganz so ernst
zu nehmen wie etwa bei Schiller und Lessing. Sondern sie haben
gleichfalls nur das Ihrige beizutragen zu dem einen, worum es
Schlegel überall geht und was ihm am Herzen liegt: zur literarischen Charakteristik. Charakterisieren, sich vortasten in die noch
unbestimmten Bereiche einer künstlerischen Natur, spüren, wie
sich alles, für den Begriff nicht faßbar, aber für den feineren
Sinn sehr wohl verständlich, in dem Geheimnis einer schöpferi-

schen Individualität zusammenschließt, dieses Geheimnis – nicht
entblößen und damit entwürdigen, aber es andeuten und erraten
lassen, zeigen, wie es historisch bedingt und dennoch wieder un-
erklärlich und ein Geschenk des Himmels ist: darin bewährt sich
August Wilhelm Schlegels erstaunliche Meisterschaft und müßte
man ihn noch heute, wenn in solchen Fragen Gerechtigkeit statt
Vorurteilen walten würde, auf seinem Feld als einen der Größten
deutscher Sprache anerkennen.

Damit scheint er sich am meisten der Weise Herders anzunähern. Dem Jüngeren aber gelingt nun, was der Ältere mehr nur
zu fordern vermochte. Die Nebel eines aufgewühlten, immer auf
Empfindung und Reiz erpichten Gemüts zerteilen sich. Die literarische Landschaft liegt in frischem Duft und Schimmer da.
Gerade weil August Wilhelm Schlegel als Persönlichkeit neben
dem genialischen, revolutionären Denker und Seher gar nicht
in Betracht kommt, weil es ihm weder erlaubt ist, sich mit der
Weite noch mit der Intensität von Herders geistiger Welt zu
messen, weil er einer entschiedenen eigenen Menschlichkeit zu
entbehren und ein unbeschriebenes Blatt zu sein scheint, gerade
deshalb wird er zu einem so reinen Spiegel der Literatur.

Hier zeigt sich nun auch die innere Verwandtschaft mit dem
Kreis der Frühromantiker, dem man ihn zunächst allein aus biographischen Gründen, nicht aber nach seiner Wesensart zugesellt. Gewiß, es ist wenig wahrzunehmen, was sich mit den un-
heimlichen Hintergründen von Friedrich Schlegels Witz und
Ironie und forcierter Lust am Interessanten vergleichen ließe,
wenig von dem Schwindel der Leere, der Ludwig Tieck so oft
befällt und aus dem er sich durch den Zauber seiner Stimmungskünste zu retten versucht. Die Gabe der Verwandlung jedoch,
die histrionenhafte Wendigkeit des Kritikers und Übersetzers,
der sich in alles einzufühlen, jeden Ton zu charakterisieren und
manchen nachzuahmen vermag, beruht bei August Wilhelm
Schlegel auf ähnlichen Voraussetzungen wie die Talente seiner

Gefährten: auch sein Gemüt wird leicht gestreift von jenem nihilistischen Hauch, der durch die Blätter des ‹Athenäums›, aber sogar in Märchen wie ‹Der blonde Eckbert› und in Komödien wie ‹Der gestiefelte Kater›, ‹Prinz Zerbino›, ‹Die verkehrte Welt› weht.

Als Romantiker erweist sich August Wilhelm Schlegel nun auch in einer eigentümlichen Beschränkung seiner kritischen Einsicht. Er, der befähigt ist, Dante ebenso zu würdigen wie Homer, der Shakespeare ebenso zu schätzen vermag wie die attischen Tragiker, der auch den Zeitgenossen gegenüber oft überaus tolerant ist, er bringt es nicht über sich, ein freundliches Wort über einen Text zu sagen, der irgendwie nach Aufklärung schmeckt. Denn ‹Aufklärung›, das heißt für diese ganze Jugend von vornherein: Langeweile, Prosa, Banausentum. So für Novalis, so für Tieck und so für Friedrich und August Wilhelm Schlegel. Wie ungerecht urteilt er über Pope! Wie gar nichts weiß er mit einem Geist wie Samuel Johnson anzufangen! Und was viel schwerer ins Gewicht fällt und allem Anschein nach seinen europäischen Ruhm noch heute begrenzt: wie ahnungslos ist er oder gebärdet er sich gegenüber Racine und Corneille und andern großen französischen Dichtern – offenbar nur deshalb, weil diese in der von der Aufklärung bestimmten Welt kanonisches Ansehen genossen. Man hat es ihm in Paris, wie nicht anders zu erwarten war, nie verziehen. Noch in der Vorrede zu den kritischen Schriften vom Jahre 1828 kommt er darauf zu sprechen und zitiert die Verse Vergils:

> manet alta mente repostum
> iudicium Paridis spretaeque iniuria formae.

Mit seinen Gefährten teilt August Wilhelm nun alsbald auch den Haß gegen Schiller. Wir haben gehört, daß Schiller es gewesen war, der ihn gebeten hatte, an den ‹Horen› mitzuarbeiten. Eine

Folge von Ereignissen, die sich kaum mehr entwirren läßt, bei
der wir insbesondere kaum mehr in der Lage sind, sachliche und
persönliche Gründe zu unterscheiden, führten im Jahre 1797
zum unwiderruflichen Bruch. Friedrich hatte sich böse Bemerkungen über Schillers Lyrik gestattet. Schiller schlug in den
‹Xenien› zurück. Er traute Friedrich ohnehin nicht; sein ganzes
flackriges, ruheloses und dreistes Wesen war ihm fatal. Und als
nun der ‹Laffe›, wie er ihn in einem Brief an Goethe nannte, in
einer Rezension die ‹Horen› rügen zu müssen glaubte, weil sie
zu oft Übersetzungen brächten, teilte er August Wilhelm mit:

«Es hat mir Vergnügen gemacht, Ihnen durch Einrückung
Ihrer Übersetzungen aus Dante und Shakespeare in die Horen
zu einer Einnahme Gelegenheit zu geben, wie man sie nicht im-
mer haben kann, da ich aber vernehmen muß, daß mich Herr
Friedrich Schlegel zu der nämlichen Zeit, wo ich Ihnen diesen
Vorteil verschaffe, öffentlich deswegen schilt und der Überset-
zungen zu viele in den Horen findet, so werden Sie mich für die
Zukunft entschuldigen.

Und um Sie, einmal für allemal, von einem Verhältnis frei zu
machen, das für eine offene Denkungsart und eine zarte Gesinnung notwendig lästig sein muß, so lassen Sie mich überhaupt
eine Verbindung abbrechen, die unter so bewandten Umständen gar zu sonderbar ist und mein Vertrauen zu oft schon kom-
promittierte.»

Man könnte nun meinen, August Wilhelm sei das unschuldige
Opfer von Schillers Groll gegen Friedrich Schlegel gewesen.
Dem ist aber durchaus nicht so. Zu jenen tückischen Witzen
über Schillers Gedichte hatte er selber einen der übelsten beige-
steuert. Er spielte seit langem ein doppeltes Spiel. Nach außen
war er höflich und ehrerbietig. Im engeren Kreis und wenn er
keine Konsequenzen glaubte befürchten zu müssen, fiel er genau
so wie Friedrich über Schiller her. Man fragt sich, warum. Es
lag nicht nur an Schillers römisch-rhetorischer Art, mit der er

wenig anfangen konnte, die seinem von Nuancen und feineren Reizen verwöhnten Gaumen fremd blieb. Schiller hatte 1791 eine scharfe Kritik von Bürgers Gedichten publiziert. Das trug ihm Schlegel, seiner Göttinger Jahre eingedenk, immer noch nach. Und so verschlingen sich achtunggebietende und bedenkliche Motive zu einem unauflöslichen Knäuel. Wir haben uns hier nicht weiter damit zu befassen. Genug, wenn sich die verworrene Lage in grobem Umriß darstellt und wenn uns einige sonst nicht leicht begreifliche Hintergründe von Schlegels Schaffen deutlich geworden sind.

Auch die Schwierigkeiten, die sich um die Jahrhundertwende innerhalb der romantischen Schule ergaben und ihre Kampfgemeinschaft sprengten, gehören nicht zu unserem Thema. August Wilhelm ging nach Berlin und hielt dort in den Wintersemestern 1801 bis 1804 seine glanzvollen Vorlesungen über schöne Literatur und Kunst, in denen er, eklektisch noch immer, geschmeidig und elegant, seine eigenen Konzeptionen und die seiner Freunde zu einem breiten Gemälde des geistigen Lebens auszuführen begann. Als Kritiker – im engeren Sinne des Wortes – tritt er damit beiseite. Er hat in den späteren Jahren nur noch wenige Rezensionen verfaßt. Die Nötigung von außen, durch die Lebensumstände, fiel dahin. Die Zeit des Aufbruchs, der Unersättlichkeit und Neugier, deren ein Rezensent so großen Stils als eines belebenden Elements bedarf, war für ihn und für seinen Bruder verstrichen. Mehr und mehr entwickelt er sich zu jenem an einen Diplomaten erinnernden vornehmen Herrn, als der er uns aus dem bekannten Gemälde anblickt.

Am meisten trug dazu sein Eintritt in das Gefolge der Frau von Staël bei. Von 1804 bis zu ihrem Tod im Jahre 1817 finden wir ihn fast immer in ihrer Nähe, in einer schwer zu umschreibenden, seiner nicht ganz würdigen, jedenfalls oft nicht würdig genug gespielten Rolle, als ‹literarischen Berater› – wenn es dergleichen überhaupt gibt –, als in Distanz gehaltenen Freund, der sich selber als Sklaven und Anbeter fühlt. Der Schauplatz ist Coppet am Genfersee und sind die vielen europäischen Städte, die Madame de Staël bereist. Der Wortführer der Romantik beginnt in dieser Zeit französisch zu schreiben und gibt sogar eine kleine Sammlung ‹Œuvres écrites en Français› heraus. Man täuscht sich aber, wenn man daraus auf einen Gesinnungswandel schließt. Die Abhandlung über Euripides' ‹Hippolytos› und die ‹Phèdre› Racines beharrt noch immer auf den schweren Zweifeln an der französischen Klassik. Und in den ‹Vorlesungen über dramatische Kunst und Literatur›, die Schlegel 1808 in Wien «vor einem glänzenden Kreise von beinahe dreihundert Zuhörern und Zuhörerinnen» zu halten Gelegenheit hatte, kann man folgende Sätze lesen:

«Wenn die Franzosen schon in den Lobeserhebungen auf ihre Tragiker aus Nationaleitelkeit und Unbekanntschaft mit fremden Geisteswerken sehr übertrieben sind, so überbieten sie sich vollends im Preisen Molières auf eine Weise, die aus allem Verhältnisse mit dem Gegenstande heraustritt. Voltaire nennt ihn den Vater des echten Lustspiels, und für Frankreich kann man dies gelten lassen. Nach Laharpe sind Molière und das Lustspiel zwei gleichbedeutende Namen, er ist der erste aller Moralphilosophen, seine Werke sind die Schule der Welt. Chamfort nennt ihn den liebenswürdigsten Lehrer der Menschheit seit Sokrates und meint, Julius Cäsar, der den Terenz einen halben Menander nannte, würde den Menander einen halben Molière genannt haben. Ich zweifle.»

Nach dem Tode Frau von Staëls kehrt Schlegel nicht etwa in das freiere Literatenleben zurück. Er schreitet in der Richtung auf ein allgemein anerkanntes, offiziell geehrtes Dasein weiter. Seit 1814 hatte er sich, dem Beispiel seines Bruders folgend, ausgiebig mit Sanskrit beschäftigt. 1818 erhielt er eine Professur in Bonn und wurde nun dort zum eigentlichen Begründer der akademischen Indologie. Damit entschwindet er völlig aus dem

Gesichtskreis, den das Unternehmen ‹Klassiker der Kritik› bezeichnet. 1845 ist er, achtundsiebzigjährig, gestorben.

Die Auswahl aus seinen Schriften, die hier vorgelegt wird, bedarf vielleicht einer kurzen Rechtfertigung. Es werden nur Texte dargeboten, die nicht allein für den Literarhistoriker, sondern für einen weiteren Kreis von Lesern von Interesse sind. Weggelassen habe ich deshalb etwa die Studie über Dante, da sie August Wilhelm Schlegel noch nicht auf der Höhe der Meisterschaft zeigt, aber auch die ausführliche, gründliche Würdigung des Vossischen Homer, weil diese sich allzusehr auf philologische Detailfragen, die heute niemand mehr beschäftigen, einläßt und überdies in den mit größtem Behagen erörterten metrischen Fragen den bekannten rigorosen, allzu antikischen Standpunkt vertritt, der längst nicht mehr zur Diskussion steht. Daß von den ungezählten Rezensionen verschollener Gedichtsammlungen und Romane, mit denen August Wilhelm Schlegel sein Brot verdienen mußte, keine aufgenommen wurde, dürfte sich wohl von selbst verstehen. Andrerseits galt es, die Weite seiner Kenntnisse, seiner Belesenheit, seiner Urteilskraft ins Licht zu setzen. Den Anfang machen, wie billig, die beiden großen Studien über Shakespeare, von denen die erste, ‹Etwas über William Shakespeare bei Gelegenheit Wilhelm Meisters›, unter Schlegels sämtlichen Schriften die bedeutendste und erstaunlichste sein dürfte. Wie vieles vereinigte sich, um diese glänzende Schrift hervorzubringen: das neue Verständnis für Shakespeare, die profunde Erfahrung des Übersetzers, die Faszination durch Goethes Roman und nicht zuletzt durch den von Wilhelm Meister mit so viel Einfühlungsgabe analysierten Charakter Hamlets, in dessen Lähmung durch Erkenntnis sich die ganze romantische Jugend im voraus verstanden und dargestellt fand. Es folgen Betrachtungen über die deutsche Literatur, die ältere, die Geßner, Bürger und Herder vertreten, die Klassik, die durch die

‹Horen› und ‹Hermann und Dorothea› repräsentiert wird, und
schließlich Tieck und Wackenroder als Vertreter der Frühromantik. Die weltliterarische Kompetenz bezeugen die Studien
über den ‹Don Quixote› und über den ‹Rasenden Roland›.
Unter den Würdigungen französischer Schriften kamen einzig
das Porträt Chamforts und die aus späteren Jahren stammende
Rezension von Madame de Staëls ‹Corinne› in Betracht. Nimmt
man nun noch die kleine Invektive gegen eine billige Popular-
philosophie dazu (‹Briefe ästhetischen Inhalts›) und schließlich
die mehr grundsätzlichen Ausführungen über den Sinn der Kritik, die, wie in den sämtlichen Werken so auch in unserm Aus-
wahlband, den Platz einnehmen, der einer Einleitung zukommt,
so dürfte August Wilhelm Schlegel genügend sichtbar sein, um
unsere Bewunderung zu gewinnen und uns zu bestimmen, ihm
den hohen Rang zu gönnen, der ihm gebührt.

AUGUST WILHELM SCHLEGELS
KRITISCHE SCHRIFTEN

Der Kritiker, aus dessen Schriften man hier eine Auswahl gesammelt findet, stand in seinen jüngeren Jahren in üblem Ruf.
Man schilderte ihn wie einen Wüterich, einen Herodes, der an
einer Menge unschuldiger Bücher nichts Geringeres als einen
bethlehemitischen Kindermord verübt habe. Nachdem dieses
Geschrei in Deutschland schon ziemlich verschollen war, erhob
es sich von neuem im Auslande, besonders in Frankreich, auf
Veranlassung einer kleinen französischen Schrift über die Phädra
des Racine und gewisser Vorlesungen über die dramatische
Kunst. Ein Pariser Journalist nannte den Kritiker den Domitian
der französischen Literatur, welcher wünsche, sie möge nur *ein*
Haupt haben, um es mit einem einzigen Streiche abzuschlagen.
Der gelehrte Kunstrichter hatte den Domitian mit dem Caligula
verwechselt, denn diesem wird ja bekanntlich jener grausame
Wunsch zugeschrieben. Indessen traf er es vielleicht besser, als er
selbst wußte. Die Lieblingsunterhaltung des Domitian, Fliegen
zu spießen, möchte ein ganz passendes Bild für eine scharfe Kritik sein, welche an kurzlebige Erzeugnisse der literarischen Be-
triebsamkeit, die einen Augenblick im Sonnenschein des Mode-
geschmacks herumgaukeln, verschwendet wird.

Jetzt, nach so viel verflossenen Jahren, kann ich die Schriften
dieses Kritikers wie die eines Fremden lesen; und ich darf es
wohl sagen: man hat, wie mich dünkt, dem Manne Unrecht
getan. Er hat sein lästiges Amt nicht nur redlich und gewissenhaft, sondern auch mit Mäßigung und Schonung verwaltet.
Man würde finden, er habe oft bei weitem zu viel gelobt, wenn
alle seine Beurteilungen aus verschiedenen literarischen Blättern

hier wieder abgedruckt wären. Dies ist aber nicht geschehen, weil die Schriften, zu unbedeutend, um eine ernsthafte Würdigung zu verdienen, von der nächsten Welle des Zeitstromes verschlungen worden sind. Es ist eine törichte Gutmütigkeit gegen die Schriftsteller und das Publikum, Zeit und Kräfte an etwas zu setzen, das von selbst erfolgen muß. Wo es achtungswerte Namen galt, zeigt sich eine nicht geringe Sorgfalt, die Pille des Tadels zu vergolden. Es ist wahr: wenn eine gemeine, platte Denkart sich in die idealische Poesie breit und bequem hineinlagerte, wenn die Erschlaffung aller sittlichen Grundsätze sich mit edeln Gefühlen brüstete, so wandelte ihn wohl einmal der Unwille an; und wenn er sich nicht weiter zu helfen wußte, so nahm er seine Zuflucht zu einem lustigen Einfall oder einer Parodie. Dies hat man ihm am meisten verargt, und es war doch gerade das Unbedenklichste. Was Gehalt und Bestand in sich hat, mag der Scherz umspielen, wie er will: es verfängt nicht. Nur wenn der Spott auf den Grund der Wahrheit trifft, kann er der Sache, gegen die er gerichtet ist, den Garaus machen.

Im Ernst zu reden, ich besorge vielmehr, meine heutigen Leser möchten hier und da die nötige Würze vermissen, als daß ihnen die Speise versalzen und überwürzt dünken sollte. Die jüngeren Zeitgenossen, denen viele Aufsätze eben deswegen neu sein werden, weil sie vor einer schon beträchtlichen Anzahl von Jahren in Zeitschriften erschienen und, seitdem nicht wieder abgedruckt, aus dem Umlaufe gekommen sind; die nur durch das Gerücht vernommen haben, daß damals die kritischen und satirischen Wagnisse eines Kreises von jungen Dichtern und Literatoren, zu welchem auch ich gehörte, in Deutschland großes Aufsehen erregt haben; daß von den Verteidigern des literarischen Herkommens der öffentliche Unwille gegen diese gefährlichen Neuerer aufgerufen worden; – die jüngeren Zeitgenossen, sage ich, werden vielleicht finden, diese Wirkung sei außer Verhältnis mit ihrer Ursache gewesen. Was meinen persönlichen

Anteil an jenem gegebenen oder genommenen Ärgernisse betrifft, so würden sie einen hinreichenden Grund auch in den kritischen Aufsätzen, welche in diese Sammlung nicht aufgenommen sind, und in einigen parodischen Gedichten, wozu ich mich genannt, wohl vergeblich suchen. Der Geschmack und die Schätzung des Wertes mancher literarischen und künstlerischen Erzeugnisse hat sich seitdem stark verändert, und zwar in der damals angedeuteten Richtung; wobei ich weit entfernt bin, mir irgend etwas anderes zuzuschreiben als ein früheres, unabhängig gefälltes Urteil und die Voraussicht, daß es diese Wendung nehmen werde. Durch den bloßen Wechsel und, wie ich behaupten möchte, den Fortschritt der Zeiten bin ich, ohne meinen Standpunkt zu verändern, aus einem als revolutionär verschrienen ein völlig konstitutioneller Kritiker geworden. Sogar in Frankreich zeigen sich Symptome, daß die Sinnesart des Publikums meinen Ansichten von dem bisher für klassisch geltenden tragischen Theater, welche die nationale Eigenliebe anfangs so heftig empört haben, sich wohl einigermaßen entgegen neigen möchte. Im allgemeinen gilt freilich dort noch das Virgilische:

> manet alta mente repostum
> iudicium Paridis, spretaeque iniuria formae.

Als einige mir gewogene Gelehrte in Paris mich wegen meiner indischen Arbeiten zum auswärtigen Mitgliede der dritten Klasse des Instituts vorgeschlagen hatten, soll ein Mitglied meine Schilderung des französischen Theaters aus der Tasche gezogen und sich gegen die Verbindung mit einem des Verbrechens der beleidigten Nation schuldigen Fremden nachdrücklich aufgelehnt haben. – Die Gunst des englischen Publikums hatte ich vom Anfange an durch meine Charakteristik Shakespeares gewonnen, wiewohl, was ich über Dryden, Pope und Addisons Cato geäußert, einige Kunstrichter der alten Schule ziemlich verschnupft haben mag. Ein Engländer von sehr gebildetem Geschmack, ein

berühmter Parlamentsredner, sagte mir, ich sei in der Richtung
der nationalen Vorliebe zu weit gegangen, und er könne nicht
umhin, mich für einen Ultra-Shakespearisten zu erklären. – Die
Nationaleitelkeit der Italiener ist beinahe noch reizbarer als die
der Franzosen; die Alpen sind für sie meistens die Grenze der
literarischen Welt: wenn einmal zufällig ein transalpinisches Urteil nach Italien gelangt, so erregt es eben deswegen die Aufmerksamkeit um so stärker. Da nun das Theater die schwache
Seite der italienischen Literatur ist, so mußte ich dort lebhaften
Widerspruch finden. Selbst mein Übersetzer, Gherardini, hat
sich nicht enthalten können, an Gründen schwache, aber im Ton
ziemlich unhöfliche Widerlegungen beizufügen. Ein Florenti-
ner, Pagani-Cesa, bestreitet in einer eignen Schrift über das tragische Theater der Italiener meine Lehren sozusagen auf allen
Blättern. Einzelne sind meiner Ansicht beigetreten: junge talent-
volle Männer, was immer das wirksamste ist, auf ausübende
Weise. Die Zeit dürfte wohl kommen, wo meine Bildnisse von
Metastasio und Alfieri in Italien nicht mehr so unverzeihlich
scheinen werden als jetzt.

Bei neuen Hervorbringungen von Schriftstellern, die zum
ersten Male auftreten, hat der Kritiker am wenigsten zu befürchten, daß die Leser gegen ihn Partei nehmen werden. Da die
öffentliche Meinung sich noch nicht festgesetzt hat, so betrachten sie ihn nur als einen vorläufigen Berichterstatter und behalten sich allenfalls die Revision des vorgeschlagenen Urteilsspru-
ches vor. Gleichwohl darf gerade hierbei Eifersucht und eigen-
nützige Parteilichkeit am sichersten ihr Spiel treiben. Eine einseitige Schilderung kann durch künstlich ausgewählte Proben
scheinbar bestätigt werden und dem noch unberühmten Talent
auf eine Zeitlang den Zutritt zur Mitwerbung um den öffentlichen Beifall versperren.

Das gewagteste Unternehmen der Kritik scheint der Widerspruch gegen eine durch lange Verjährung befestigte Meinung

über Kunst- und Geisteswerke zu sein: denn hier hat der einzelne, dem Anschein nach, unzählbare Tausende von Stimmen gegen sich. Aber das längst Vergangene erregt selten lebhafte Leidenschaften. Wenn vollends das fragliche Werk sich zugleich aus einem entfernten Zeitalter und von einer fremden Nation herschreibt, so läßt man sich den Widerspruch wohl gefallen. Die Zeitgenossen sind für das gangbare Urteil nicht verantwortlich: sie haben es schon fertig übernommen, haben es auf Glauben gelten lassen und werden nun erst zu einer selbsttätigen Prüfung aufgefordert. Auch liegen ja in der Geschichte des Geschmacks die Beispiele des auffallendsten Wechsels zwischen Bewunderung und Herabsetzung zutage: in den bildenden Künsten und in der Musik noch mehr als in der Poesie. In jenen hat man so manches ehemals beinahe vergöttert, was uns jetzt nur flüchtig anzusehen oder anzuhören schon zur Qual gereicht. Auf der andern Seite sind vermöge derselben Ausartung des Geschmacks die erhabensten Werke des menschlichen Geistes verkannt und vernachlässigt worden. Hat es nicht eine Zeit gegeben, wo Pietro da Cortona für einen ganz andern Maler galt als Raphael? wo man jenem die schöpferische Kraft und Fülle zuschrieb, diesen kalt und steinern nannte? wo der hohe Sinn der Antike, die man nur als antiquarische Seltenheit schätzte, gegen die sinnlichen Bestechungen Berninis für nichts geachtet ward? Und solche Urteile sind im Angesicht der Meisterwerke gefällt worden. Mit der schönen Literatur ist es etwas andres: sie ist national und an den Entwicklungsgang einer Sprache gebunden. Man nimmt vorlieb, bis man etwas Besseres kennengelernt hat. In einem Lande, wo der Kaffee noch nicht bekannt geworden wäre, würde vielleicht ein Kaufmann Glück machen, der mit Zichorien handelte und sie für den echten Mokka ausgäbe. Doch hat man auch Rückfälle und Ausartungen der Literatur und des Geschmacks darin erlebt, und zwar nicht bloß vom Großen und Einfachen zum Überladenen, Üppigen und Verkünstelten, was

sich am leichtesten begreift, sondern auch zum Flachen, Gemeinen und Geistlosen. Der Kunstrichter wäre übel daran, der die
Zeiten nach der Reihe befragen wollte: er würde statt eines Ora-
kels nur ein vervielfältigtes, verworrenes und mißlautendes Echo
vernehmen. Er darf und soll sich allerdings an der Geschichte
orientieren, seinen Sinn durch Vergleichungen schärfen: aber
sein Urteil muß sein eignes sein; das Urbild der Vollkommenheit muß seinem Geiste inwohnen: sonst fehlt ihm ein zuver-
lässiger Maßstab für die Arten und Grade der Annäherung.

Das Mißlichste von allem ist, eine scharfe Kritik gegen ältere
Zeitgenossen zu richten, die schon seit geraumer Zeit im Besitz
des Beifalls und des Ruhmes waren. Hier mischt sich in die Teilnahme des zuschauenden Publikums ein moralisches Gefühl, das
an sich löblich ist, aber durch ein Mißverständnis auf literarische
Vorfälle übertragen wird. Es ist, als ob ein angesehener Mann
seiner Ämter und Würden entsetzt werden sollte, ohne förmlichen Rechtsgang und ohne daß eine bis jetzt verheimlichte
Schuld entdeckt worden wäre. Ich habe dergleichen Kritiken
eigentlich niemals abgefaßt: aber man hat geglaubt, ich mache
Miene dazu, und das hat mir schon Anfeindungen genug zugezogen. Ein nun längst vergessener Schriftsteller von ziemlich eil-
fertiger Feder bediente sich des liebreichen Ausdrucks: «Ich
strebe in meinem gemachten Mutwillen, die wohl erworbenen
Lorbeern von Wielands grauem Haupte zu reißen»; und indem
er eine solche Beschuldigung anonym in der gelesensten Zeitschrift vorbrachte, wußte er sich noch viel mit seiner Moralität.
Man wird in allen meinen kritischen Schriften kaum ein Dutzend Zeilen finden, welche Wieland betreffen: was konnten
diese gegen einen so weit verbreiteten und auf der Grundlage
von fünfzig Bänden aufgebauten Ruhm ausrichten? Wenn die
Lorbeern seitdem heruntergefallen sind, so kam es vermutlich
daher, daß sie welk und mürbe waren. Soviel ich weiß, ist noch
keine gründliche Kritik der Wielandischen Werke vorhanden,

worin gezeigt würde, wie er das Idol des deutschen Publikums geworden und zwanzig bis dreißig Jahre geblieben und, was er für die Ausbildung der Sprache, des Versbaues, der Formen unserer Poesie wirklich geleistet habe. Es wäre wohl an der Zeit, von der allzu großen Vernachlässigung dieses von manchen Seiten liebenswürdigen Schriftstellers abzumahnen.

Wiewohl das meiste in den folgenden Bänden Enthaltene aufgehört hat, in Deutschland paradox zu sein, so schmeichle ich mir dennoch, daß es darum nicht trivial geworden ist. Die Aufgabe der literarischen und Kunstkritik ist ja nicht, wie es von der philologischen und historischen Kritik allerdings gilt, die scharfsinnige und gelehrte Führung eines schwierigen Erweises. Die Bemühung des Kritikers verliert dadurch nichts an ihrem Wert, daß das Urteil unverbildeter, unverwöhnter und vorurteilsfreier Leser des Gedichtes oder Betrachter des Kunstwerkes schon im voraus mit dem seinigen übereinstimmt. Man suchte nur einen Sprecher der gemeinsamen Empfindungen, weil die Mitteilung und Verständigung darüber den Genuß erhöht. Die Aufgabe ist, für den Gesamteindruck, der aus einem unendlich feinen Gewebe einzelner Eindrücke zusammengesetzt ist, den angemessensten Ausdruck zu finden; diese Wirkung des Kunstwerkes aus den Anlagen der menschlichen Natur, aus den Forderungen des äußern Sinnes, der Einbildungskraft, des Geschmacks, des Verstandes und des sittlichen Gefühls befriedigend zu erklären; und überall von dem besonderen Fall auf allgemeine Wahrheiten und Grundgesetze zurückzuweisen. Man schätzt die Verbindung des philosophischen Geistes mit der praktischen Einsicht, wie dieses oder jenes anders und besser hätte gemacht werden können, oder warum das Ganze, so wie es ist, vollendet erscheint. Denn mit abstrakten und hohlen Theorien ist wiederum nichts ausgerichtet.

Unter allen Aufgaben der Kritik ist keine schwieriger, aber auch keine belohnender, als eine treffende Charakteristik der großen Meisterwerke. Wie die schöpferische Wirksamkeit des Genius immer von einem gewissen Unbewußtsein begleitet ist, so fällt es auch der begeisterten Bewunderung schwer und, je echter sie ist, um so schwerer, zu besonnener Klarheit über sich selbst zu gelangen. Am besten wird es damit gelingen, wenn die Betrachtung nicht vereinzelt wird, sondern vielmehr den menschlichen Geist in dem Stufengange seiner Entwicklung bis zu dem Gipfel hinauf begleitet. Mit einem Worte, die Kunstkritik muß sich, um ihrem großen Zwecke Genüge zu leisten, mit der Geschichte und, sofern sie sich auf Poesie und Literatur bezieht, auch mit der Philologie verbünden. Mein Versuch über die dramatische Kunst ist bisher der einzige in dieser Art geblieben. Jetzt wünschte ich, mehr dergleichen unternommen, meine Kräfte nicht am Einzelnen und zuweilen am Unbedeutenden verwendet zu haben. Aber in den nicht vollen neun Jahren, vom Sommer 1795 bis zum Frühling 1804, wo ich mich ausschließend dem Schriftstellerberufe widmete, während welcher Zeit das meiste hier Gesammelte, dann meine Nachbildungen des Shakespeare, des Calderon und einzelner Stücke von italienischen und spanischen Dichtern zustande gekommen sind, hatte ich mit mancherlei Schwierigkeiten und Beschränkungen zu kämpfen; und die Anforderungen des Augenblicks ließen mir nicht freie Muße genug, um Gegenstände von großem Umfange zur Behandlung zu wählen und dazu die vorbereitenden Studien zu machen. Es war längst mein Vorhaben, eine Geschichte der bildenden Künste in ähnlicher Weise auszuführen, wie ich die Geschichte des Theaters entworfen; bei Betrachtung der europäischen Kunstschätze, wovon ich die meisten zu sehen Gelegenheit hatte, war dies mein beständiges Augenmerk; und einige kürzlich in Berlin vor einer kunstsinnigen Zuhörerschaft gehaltene Vorlesungen über diesen Gegenstand gaben mir dazu eine neue Anregung.

Unter meinen früheren kritischen Aufsätzen habe ich eine Auswahl getroffen. Was in die beiden jetzt zugleich erscheinenden

Bände und in den dritten, welcher demnächst folgen wird, nicht aufgenommen ist, soll nach meiner Absicht nicht von neuem durch den Druck verbreitet werden. Wenn ein Autor seine zerstreuten Schriften weder selbst gesammelt noch sonst darüber verfügt hat, so läßt es sich allenfalls mit der guten Meinung entschuldigen, daß nach seinen Lebzeiten, wie zu geschehen pflegt, alles zusammengerafft wird, was jemals seiner Feder entflossen. Nach der obigen Erklärung würde ein künftiger Herausgeber durch das gleiche Verfahren dem Publikum einen schlechten Dienst leisten und gegen mich ein wahres Unrecht begehen. Wie unvollkommen auch in Deutschland das Eigentum des Schriftstellers anerkannt, wie wenig es durch Gesetze gesichert ist, so wird man ihm doch das Recht nicht abstreiten, sein eigner Beurteiler zu sein, an seinen Hervorbringungen zu ändern, wo möglich zu bessern und, was ihm nicht mehr gefällt, ihn nicht mehr befriedigt, ganz beiseite zu schieben. Vergeblich würde man hoffen, durch die Aufsuchung des hier Weggelassenen eine Ausbeute des Anstößigen zu gewinnen. Ich mag in diesem oder jenem Stücke meine Meinung geändert haben, manche meiner früheren Äußerungen jetzt einseitig und übertrieben finden; aber ich habe nie etwas drucken lassen, das ich verheimlichen müßte.

ÜBER KRITISCHE ZEITSCHRIFTEN

Deutschland ist unstreitig jetzt die erste unter den schreibenden Mächten Europas, wenn man auch noch so viel darauf abrechnet, daß sich aus der Anzahl der gedruckten Artikel kein sichrer Schluß auf die Masse des Gedruckten ziehn läßt, weil eben die Menge von Mitwerbern die Stärke der Auflagen vermindert. Das viele Schreiben, sagt man, kommt vom vielen Lesen, und dies ist auch bis auf einen gewissen Punkt sehr richtig; aber darüber hinaus möchte beides in umgekehrtem Verhältnisse gegeneinander stehn. Wer viel schreibt, hat desto weniger Zeit zum Lesen. So wie niemand gehört wird, wo alle sprechen, so würde auch, wenn sich einmal alle Leser zu Schreibern konstituierten (eine Revolution, zu der wir keinen so großen Schritt zu tun haben, als man vielleicht denkt), jeder darauf beschränkt sein, von sich selbst gelesen zu werden; er würde in seiner eignen Person Schriftsteller, Beurteiler und Publikum, die ganze literarische Welt im Kleinen, vorstellen müssen. Die damit verknüpfte Langeweile und sonstigen Unbequemlichkeiten würden eine neue Epoche herbeiführen, wo man gar nichts schriebe, um recht viel und mit gutem Bedacht zu lesen.

Bis dieser Kreislauf vollendet ist, bei der jetzigen Lage der Dinge, da es noch ziemlich viele gibt, die nicht bloß schreiben, sondern mitunter auch lesen, ja sogar einige, die bloß lesen, ohne zu schreiben, ist das Rezensieren ein notwendiges Übel. Man würde seine ganze Zeit und Mühe darauf wenden müssen, um zu erfahren, was und wie geschrieben worden ist, wenn es keine Anstalten gäbe, die darüber amtliche Berichte erteilen. Die früheste, kürzeste und also auf gewisse Weise die beste aller

Rezensionen ist der Meßkatalog. Ihm wird aber Schuld gegeben, man könne sich auf seine Nachrichten nicht sonderlich verlassen: unter andern erfahre man nicht einmal mit Sicherheit daraus, ob ein Buch wirklich existiert; ein Umstand, der freilich zuweilen schwer genug auszumachen ist. Es läßt sich eine Rezensionsanstalt denken, wobei diese Mängel vermieden würden und die doch mit dem Meßkatalog beinah gleichen Schritt halten könnte. Man schnitte nämlich aus jedem zur Messe gebrachten Buche aufs Geratewohl einige Blätter heraus, ließe sie nebst den Titeln zusammen drucken, und so wäre die Sache für das halbe Jahr mit einem Male abgetan. Dies ist im ganzen genommen die Methode der englischen Journalisten bei bloß literarischen Erscheinungen, die keinen Bezug auf politische Parteien haben: sie pflegen zwar des Wohlstands wegen die abgedruckten Blätter mit einer Vorerinnerung oder einem Nachrufe zu begleiten; aber gewöhnlich sind dies nur unwesentliche Zutaten, die unbeschadet der Vollständigkeit der Rezensionen wegbleiben könnten. Bei der gewissenhaften deutschen Umständlichkeit ist es auch in den umfassendsten Instituten unvermeidlich, daß nicht viele Anzeigen verspätet werden oder gar unterbleiben sollten. Noch nie hat man es erlebt, daß ein literarisches Tageblatt innegehalten hätte, weil einmal alles fertig rezensiert gewesen wäre; sie sind vielmehr wie Menschen, die nur eben das Kinn über dem Wasser halten und, wenn sie einen Augenblick abließen zu rudern, in der großen Flut untergehn würden. Dies ist auch wohl der Grund, warum noch niemand darauf gefallen ist, ungeschriebne Bücher zu rezensieren, was sonst Gelegenheit gäbe, viel Neues zu sagen und das ziemlich trockne Geschäft ein wenig genialisch zu machen.

Das Leben ist kurz und die Bücher sind lang: was Wunder also, wenn man sich so geschwind mit ihnen abzufinden sucht, als man weiß und kann? Viele fleißige Leser kritischer Zeitschriften würden es eine sehr unbillige Zumutung finden, erst die Rezension und dann noch hinterdrein die Schrift selbst zu lesen. Sie betrachten jene vielmehr als eine für sich verständliche Abbreviatur von dieser und den Rezensenten als einen lebendigen Storchschnabel, der ihnen die weitläuftigen Umrisse ins Feine und Kleine bringt. Auch läßt sich hiegegen nicht viel einwenden, da die Beurteiler ja selbst beschuldigt werden, daß sie oft bei den Physiognomien der Bücher stehn bleiben. Mit einiger Übung muß man in diesem Studium wirklich etwas leisten können. Ein Blatt vorn und ein Blatt hinten geben schon viel Licht; besonders aber sind die Vorreden von unschätzbarem Wert. Gäbe es literarische Reichstage, so würde gewiß von seiten der Beurteiler der Vorschlag zu einem Gesetze geschehn, daß es erlaubt sein solle, eine Vorrede ohne Buch, aber nicht ein Buch ohne Vorrede zu schreiben. Zwar wenn alle Schriftsteller so redlich und naiv zu Werke gingen wie Jean Paul, so könnte man sich mit den bloßen Titeln begnügen. Aber leider haben die mancherlei Kunstgriffe der verderbten Welt auch aus diesem Teile der Schriftstellerei die Unschuld verbannt. So wenige Titel gehören dem Verfasser oder zu seinem Werke. Wer einen Aufmerksamkeit erregenden ersinnt, hat einen außerordentlichen Fund getan, der ihm aber durch den Druck sogleich entgeht und ein Gemeingut wird. Die trostlose Schwierigkeit, neu zu sein, kann gerade hier auch den Besten, wenn er noch nicht Ruhm genug hat, um fremder Hülfsmittel zu entraten, aus seinem Charakter heraustreiben.

Ein Hauptnachteil der allgemeinen kritischen Institute ist es, daß sie die verschiedenartigsten Dinge auf einerlei Fuß behandeln müssen. Zuerst die guten Bücher und die schlechten. Von jenen muß dargetan werden, daß sie gut, und von diesen, daß sie schlecht sind. Wie sehr dies auch dem heiligen Grundsatze der Gleichheit gemäß scheint, so kann die Gerechtigkeit doch niemals verpflichten, etwas Überflüssiges zu tun. Entweder man nimmt an, daß alle Bücher schlecht sind, bis das Gegenteil erwiesen ist; so wird man sich bloß mit dem Vortrefflichen beschäftigen und das übrige mit Stillschweigen übergehn. Eine solche Zeitschrift haben wir nicht, und sie würde sich aus mancherlei Ursachen nicht lange halten können. Oder man nimmt an, daß alle Bücher gut sind, bis das Gegenteil erwiesen ist, und daraus wird das umgekehrte Verfahren entstehn. Diesen demütigen Grundsatz scheint die Allgemeine Deutsche Bibliothek (die das erste Beiwort wohl nur noch pleonastisch für Gemein führt) im Fache des Geschmacks zu befolgen, indem sie bloß bemüht ist, die armseligsten Produkte noch tiefer herunter zu reißen, von den Meisterwerken aber, die den Fortschritt der Bildung bezeichnen, gar keine Notiz nimmt. Man sieht, daß diese Kritik dem Wesen nach viel milder ist, als man nach ihren finstern Gebärden glauben sollte, daß vielleicht gar eine stille Selbsterkenntnis der Rezensenten dabei zum Grunde liegt, die nur so die Überlegenheit behaupten zu können meinen, welche fälschlich als das notwendige Verhältnis zwischen dem Beurteiler und dem Beurteilten angenommen wird. Aber auch in Zeitschriften, die zuweilen Meisterstücke der Kritik liefern, muß die Abfertigung des Schlechten und Unbedeutenden einen viel zu großen Raum anfüllen und dadurch die Würdigung dessen beengen, was die Wissenschaft oder die Kunst weiter bringt. Nachbarlich berühren sich hier Schriftsteller und Werke, die sich ewig nicht kennen, sondern in ganz getrennten Sphären ihr Wesen treiben: Alles wird nur durch die Begriffe Buch und Rezension zusammengehalten. Manche Rezensionen sind die Grabschriften der angezeigten Bücher; andre können für nichts als Taufscheine gelten. Nimmt man nun noch die vorwärts gekehrten Taufscheine der Buchhändler (ihre Ankündigungen nämlich) und das Geschrei der Antikritiken dazu, so hat man ein Konzert, worin bei allen Dissonanzen doch im ganzen eine ziemliche Einförmigkeit herrscht.

Man hat für das Bedürfnis der verschiednen Fächer durch besondere Zeitschriften gesorgt; selbst für die unlängst mit Tode

abgegangnen schönen Wissenschaften hat man dergleichen gestiftet. Hier findet der Gelehrte dasjenige schon aus der chaoti-
schen Masse gesondert, was ihn angeht, und der beschränktere
Plan läßt bei dem einzelnen mehr Ausführlichkeit zu. Allein es
liegt in der Natur der Sache, daß solche Anstalten bei gleicher
Güte in allem, was zum Gebiet des Schönen und der Kunst gehört, doch weit weniger befriedigend sein können als für eigentliche Gelehrsamkeit und Wissenschaft. Hier reicht oft ein treuer
und mit Einsicht gemachter Auszug vollkommen hin; dort ist
die Form des Urteils ebenso wichtig als der Gehalt: denn sie ist
gleichsam das Gefäß, worin allein sich die flüchtige Wahrnehmung auffassen läßt. Der Genuß schöner Geisteswerke darf nie
ein Geschäft sein; sie treffend charakterisieren, ist ein sehr schweres, aber es muß nicht als solches erscheinen; und wie ist dies anders zu vermeiden als dadurch, daß es nach Lust und Liebe und
losgesprochen von dem Zwange äußrer Verhältnisse, getrieben
wird? Sobald man rezensiert, ist man in der Amtskleidung: man
redet nicht mehr in seinem eignen Namen, sondern als Mitglied
einer Körperschaft. Das Pronomen der ersten Person ist aus solchen Zeitschriften, wo Anonymität die erste Bedingung ist,
gänzlich verbannt: entweder der Pluralis maiestatis oder der abstrakte Sigla ‹Rez.› muß dessen Stelle vertreten. Wer eigentümlichen Geist hat, muß ihn dem Zweck und Ton des Instituts unterordnen; und es fragt sich, ob durch die Teilnahme an der
Würde desselben die Aufopferung ersetzt werden kann, da es
mit einem kollektiven Geist immer eine verwickelte Bewandtnis hat. Hieraus entsteht gar leicht etwas Steifes und Zunftmäßi-
ges, das mit jener beseelten Freiheit, welche das gemeinschaftliche Element der bildenden Kraft und der Empfänglichkeit für
ihre Schöpfungen ist, im Widerspruche steht. Überdies liegt in
diesem förmlichen Vortrage ein Anspruch auf allgemeine Gültigkeit, den nur die wissenschaftliche Anwendung wissenschaftlicher Wahrheiten zu machen hat, der aber keinesweges auf Ge-

genstände ausgedehnt werden kann, die erst in der Seele des Betrachtenden durch ein wunderbares Spiel der innern Kräfte ihre
Bestimmung erreichen. Ein Kunstrichter zu sein, nämlich der
über Kunstwerke zu Gericht sitzt und nach Recht und Gesetz
Urteil spricht, ist etwas ebenso Unstatthaftes als Unersprieß-
liches und Unerfreuliches. Mit einem Worte, da die Wahrnehmung hier immer von persönlichen Bedingungen abhängig
bleibt, so lasse man ihren Ausdruck so individuell, das heißt so
frei und lebendig sein wie möglich.

ETWAS ÜBER WILLIAM SHAKESPEARE

BEI GELEGENHEIT WILHELM MEISTERS

Unter tausend verstrickenden Anlockungen für den Geist, das
Herz und die Neugierde, unter manchem hingeworfnen Rätsel
und mancher mit schalkhaftem Ernst vorgetragnen Sittenlehre
bieten ‹Wilhelm Meisters Lehrjahre› jedem Freunde des Theaters,
der dramatischen Dichtkunst und des Schönen überhaupt eine
in ihrer Art einzige Gabe dar. Die Einführung Shakespeares, die
Prüfung und Vorstellung seines Hamlet ist ein ebenso lebendiges Gemälde für die Phantasie, als sie den Verstand lehrreich
beschäftigt und ihm Gegenstände des tiefen Nachdenkens mit
den flüchtigsten Wendungen zuspielt. Sie kann keinesweges als
Episode in diesem Roman angesehen werden. Nichts wird von
dem Erzähler in seinem eignen Namen abgehandelt: die Gespräche, die er seine Personen darüber halten läßt, werden auf
das natürlichste durch ihre Lagen und Charaktere herbeigeführt;
alles greift in die Handlung ein, und endlich wird durch die geheimnisvolle Erscheinung eines bekannten Unbekannten, eines,
wie man denken sollte, nichts weniger als entkörperten Geistes
in eben der Rolle, welche der wackre Meister William Shakespeare selbst zu spielen pflegte, ein neuer Knoten geschürzt. Mit
einem Wort, das Lob und die Auslegung des größten dramatischen Dichters ist auf die gefälligste Weise dramatisiert. Es wird
keine Standrede an seinem Grabe gehalten, noch weniger ergeht
ein ägyptisches Totengericht über ihn. Er ist auferstanden und
wandelt unter den Lebenden, nicht durch irgend eine peinliche
Beschwörung gezwungen, sondern willig und froh stellt er sich
auf das Wort eines Freundes und Vertrauten in verjüngter Kraft
und Schönheit dar.

Armer Shakespeare! durch welches Fegefeuer kunstrichterlicher
Beurteilungen hast du gehen müssen!

I could a tale unfold, whose lightest word –

Nie wurde ein Sterblicher mehr vergöttert als du, aber auch nie
einer alberner bewundert und lästerlicher geschmäht. Dies mag
nun vielleicht daher kommen, weil du, wie der sinnreiche Pope
zierlich bemerkt, wie besser, so auch schlechter als jeder andre
Dichter geschrieben. Allein durch welche Versündigungen an
der Natur hattest du Warburtons Erläuterungen und Voltairens
Nachahmungen verdient? Von dem Briefe des letzten an die
französische Akademie schweige ich: er hätte dir vielleicht keinen
zu verwerfenden Dienst geleistet, wenn er die Übersetzung ins
Französische dadurch hätte hintertreiben können. Noch viel mehr
zweifle ich, du werdest es selbst übel empfunden haben, daß gewisse deutsche Rezensenten in gewissen schönen Bibliotheken
so eifrig gegen die Übersetzung deiner Werke in unsre Sprache
protestierten*, als der selige Gottsched aus billiger Besorgnis für
seine tragischen Reimereien nur immer hätte tun können, wenn
er dies Herzeleid noch erlebt hätte. Hättest du aber gewisse Kom-
mentatoren, Nachahmer und Rezensenten erlebt, welch einen
Stoff zu lustigen Szenen würden sie dir geliefert haben!

Man muß gestehen, auch die echtere Kritik, wie nützlich und
notwendig sie sein möge, gehört, für sich betrachtet, keinesweges unter die ergötzlichsten Dinge auf dieser Erde, wenn sie

---

* Dies ist vor etwa dreißig Jahren bei Gelegenheit der Wielandischen und
wiederum vor ungefähr zwanzig Jahren bei Gelegenheit der Eschenburgi-
schen Übersetzung geschehen. Aber der Ton und Geist (man verzeihe den
unschicklichen Gebrauch dieses Wortes) einiger Zeitschriften bleibt sich in
einem langen Zeitraume bei veränderten Verfassern so ähnlich, daß man
nicht umhin kann, eine Art von Seelenwanderung dabei anzunehmen und
zu glauben, daß diese Kritiker beim Absterben einander ihren ‹Geschmack›
vermachen. Sie meinen es unstreitig gut mit ihren Nachfolgern, und doch
möchte es schwerhalten, unter ihren Habseligkeiten ein Erbstück von geringerem Werte auszufinden.

schon nicht immer ein so fürchterliches Antlitz hat wie Doktor Samuel Johnson, der alle Welt richtete. Der Genuß edler Geisteswerke ist unabhängig von ihr, denn er muß ihr vorangehn; sie kann ihn eigentlich nicht erhöhen, wohl aber ihm vieles abziehen, aufs höchste ihn zergliedern und erklären. Ihr rühmlichstes Geschäft ist es, den großen Sinn, den ein schöpferischer Genius in seine Werke legt, den er oft im Innersten ihrer Zusammensetzung aufbewahrt, rein, vollständig, mit scharfer Bestimmtheit zu fassen und zu deuten und dadurch weniger selbständige, aber empfängliche Betrachter auf die Höhe des richtigen Standpunktes zu heben. Dies hat sie jedoch nur selten geleistet. Warum? Weil jenes nahe und unmittelbare Anschauen fremder Eigentümlichkeit, als wäre sie mit im eignen Bewußtsein begriffen, mit dem göttlichen Vermögen, selbst zu schaffen, innig verwandt ist und weil dieses sich immer lieber mit den Gegenständen zunächst zu tun macht als mit den Begriffen davon, den Hülfsmitteln einer unvollkommenen Erkenntnis, wodurch die Klarheit der seinigen nichts gewinnen kann. Nur das, was man selbst auf dem Umwege des Nachdenkens gefunden, was man gelernt hat, kann man andere durch eben dieses Mittel lehren und sie durch Beweise davon überzeugen. Was uns hingegen schon vermöge unsrer Anlagen so gegeben ist, daß es nur einer äußern Berührung bedarf, um es ohne unser weiteres Zutun auf einmal in uns zur Wirklichkeit zu bringen, das offenbaren wir eigentlich nur; wir sagen: «So ist es», und fordern von andern Wesen, bei welchen wir ähnliche Anlagen voraussetzen, Glauben für unsre Aussage. So verhält es sich mit der anschaulichen Erkenntnis vom Dasein und der Beschaffenheit sinnlicher Gegenstände. Wie sehr auch darin die Menschen wegen der Verschiedenheit ihrer Organe von einander abweichen, solange sie die Richtigkeit ihrer Empfindungen nicht zu einer Angelegenheit des Verstandes machen, werden sie niemals mit Gründen darüber streiten, sondern sich durchaus nur auf die Wirklichkeit berufen.

Von der wesentlichen Beschaffenheit menschlicher Gemüter, ihrer unsichtbaren Gestalt, wenn ich so sagen darf, fallen nur die äußerlichen Wirkungen, kundgegebne Gesinnungen und Handlungen, in die Sinne. Die Fertigkeit, auch die feineren unwillkürlichen Äußerungen des innern Menschen zu bemerken und die durch Erfahrung und Nachdenken herausgebrachte Bedeutung dieser Zeichen mit Sicherheit anzugeben, macht den Menschenbeobachter; der Scharfsinn, hieraus noch weiter zu schließen und einzelne Angaben nach Gründen der Wahrscheinlichkeit zu einem bündigen Zusammenhange zu ordnen, den Menschenkenner. Die auszeichnende Eigenschaft des großen dramatischen Dichters ist etwas hievon noch ganz Verschiednes, das aber, wie man es nehmen will, entweder jene Fertigkeit und jenen Scharfsinn in sich faßt oder ihn (zwar nicht für das wirkliche Leben, aber für die Ausübung seiner Kunst) beider überhebt. Es ist ein Blick, ein wunderbarer Blick in die Seelen, vor dem sich das Unsichtbare sichtbar enthüllt, verbunden mit der Gabe, die vermöge einer so außerordentlichen Sehkraft gesammelten Bilder wiederum auf die Oberfläche des geistigen Auges zurücksenden und sie andern darin wie in einem klaren Spiegel erscheinen lassen zu können. Wenn also ein großer dramatischer Dichter Werke eines ihm verbrüderten Geistes nach ihrem Gehalt und Wesen prüft, so wird er auch hier seine Art nicht verleugnen und nicht sowohl beweisen, was er denkt, als darstellen, was er sieht. Sehr unsinnlichen Begriffen wird er das Einleuchtende sinnlicher Wahrheit und Gegenwart zu geben wissen, und was er sagt, wird vielmehr der Kunst selbst als ihrer Theorie anzugehören scheinen.

Die Gedanken, welche Wilhelm Meister über Shakespeares Hamlet vorträgt, sind so einzig treffend, sie umfassen das Ganze mit einem solchen Seherauge, daß man vielleicht den Einwurf machen könnte, er gehe dabei zu weit über seinen bisherigen Kreis hinaus, wie vieles auch schon von seinen Talenten vorgekommen sein mag, und sein Geschichtsschreiber habe ihm zu reichlich aus eigner Fülle geliehen, was er nicht wieder im Handel und Wandel anbringen könne, ohne durch Bild und Überschrift der Münze den wahren Eigentümer zu verraten. Aber der Held des Romans ist grade in den Jahren der entscheidendsten Entwickelung; diese geht nicht immer gleichförmig vor sich: wie sie zuweilen stillsteht, so tut sie auch wohl plötzlich einen Riesenschritt, wenn ein ungewöhnlicher Anlaß schlummernde Kräfte weckt, und ein solcher Anlaß ist eben für Wilhelmen die mit dem großen Dichter gestiftete Bekanntschaft. Auch ist durch einige Bemerkungen Aureliens über ihren Freund jener Einwendung schon hinlänglich vorgebeugt.

Hamlet ist von jeher vielleicht das bewundertste und gewiß das mißverstandenste unter allen Stücken Shakespeares gewesen. Wie verträgt sich dies beides miteinander? Woher die große Popularität eines Schauspiels, das den Denker in trostlose Labyrinthe der Betrachtung verstrickt und in dessen Gange die Armut an Handlung auch einem gemeinen Blick schwerlich entgehen kann. Wenigstens bleibt der Held, für den man sich so sehr interessiert, unter allen auf ihn losdringenden Vorfällen größtenteils leidend. Taten werden von ihm gefordert, und er gibt nur Gefühle und Gedanken. Allein wenngleich wenig getan wird, so geschieht doch viel, und viel wird zu denken aufgegeben. Grausen, Erstaunen und Mitleid ketten den großen Haufen an die Bühne, die von den wundervollen und furchtbaren Schlägen des Schicksals gleichsam in ihren Grundfesten wankt, während den weiseren Hörer die unaufgelösten Rätsel seines Daseins, welche er in Hamlets Seele ließ, in sein eignes Innre versenken.

Es könnte befremden, daß es möglich war, über Hamlets Charakter, nachdem er sich so unzählig vielen Lesern und Zuschauern dargestellt und so viele gute Köpfe beschäftigt, nachdem ihn schätzbare Philosophen zergliedert und die größten Schauspieler, die es in neuern Zeiten, die es vielleicht jemals gab, mit dem höchsten Aufwande ihrer Kunst vollendet und ausgemalt, noch

etwas Neues und Wahreres wie bisher zu sagen. Freilich sollte
der Sittenlehrer den Menschen kennen; der große Schauspieler
weiß ihn zuverlässig auf das feinste zu beobachten: aber es ist
nicht nötig, daß beiden auch nur ein Funke von dramatischem
Genius, vielleicht dem seltensten aller Vorzüge des menschlichen
Geistes, inwohne. Je mehr der Philosoph sich gewöhnt hat, vor-
sichtig zu schließen, desto weniger ist es seine Sache, glücklich
kühn zu erraten und Verhältnisse, die sich vielfach durchkreuzen
und unübersehlich auseinander laufen, durch einen raschen Griff
bei dem einzigen gemeinschaftlichen Berührungspunkte aller zu
fassen. Die Bestrebungen des Schauspielers sind immer am meisten auf die Außenseite des Menschen gerichtet. Er kann daher
sehr gut imstande sein, sich treu in die vorgezeichneten Umrisse
zu fügen und sie durch das kräftigste und schönste Kolorit seiner
Person, seiner Stimme, seiner Gebärden zu beleben, ja er kann
eine vollkommene Harmonie in die Äußerungen eines Charakters bringen, ohne doch die geheimsten und ersten Gründe,
warum jedes so oder so ist, zu durchschauen. * Also könnte wohl
gar ein Schauspieler den Hamlet übereinstimmend mit Wilhelm
Meisters Erklärung vorstellen, ohne von dieser zu wissen und ohne
imstande zu sein, sie selbst zu geben? Nicht anders. Genug, wenn
es ihm nur gelungen ist, alles einzelne (nicht die einzelnen Stellen,
denn das reicht nicht hin, wie Wilhelm sehr richtig bemerkt,
sondern die verschiedenen Seiten des Charakters) vollkommen zu
fassen und auszudrücken. Der Dichter überhebt ihn der Sorge
für einen großen, innigen Zusammenhang in allem diesem. Wenn

* Man hat öfter den Fall gehabt, daß vortreffliche Schauspieler nur untergeordnete Schauspieldichter waren. Da ihre Einbildungskraft sich unaufhörlich anstrengen muß, den theatralischen Vortrag zu erfinden, so ist es nicht
zu verwundern, wenn bei eignen Werken ihre Erfindung in allem übrigen,
besonders in den Reden, die sie sonst immer bloß auswendig lernen müssen,
dürftig ausfällt. Wenn man aber ihre Stücke, worin die Verfasser eine Rolle
ausdrücklich für sich zu bestimmen pflegen, von ihnen selbst aufführen sieht,
so wird man getäuscht und gesteht ihnen ein viel höheres Verdienst zu. Das
Beste daran ist das, was sich nicht aufschreiben läßt.

er denselben nur nicht zerstört, so werden ihn die Zuschauer nach Maßgabe ihrer Fähigkeiten mehr oder weniger dunkel fühlen, bis ihnen einmal ein überlegener Geist hilft, die Ahnung bis zur Erkenntnis aufzuhellen. Unternehmen sie ohne das, ihn nach Begriffen zu erklären, so können sie sich freilich leicht verirren.

Doch wie? möchte man fragen: ist es nicht ein wesentlicher Fehler an einer Dichtung, die ja nicht bloß für wenige Menschen überhaupt bestimmt ist, wenn sie so sehr Gefahr läuft, mißverstanden oder wenigstens nicht vollständig begriffen zu werden? Die Antwort ist nicht schwer. Es gibt Künstler, die gute Gedanken haben, aber wegen einer gewissen Ohnmacht der Darstellung nicht umhin können, immer die beste Hälfte davon zurückzubehalten*; fruchtbare Phantasien gibt es, die dabei mit einer Art von Verworrenheit behaftet sind, welche sie hindert, ihre Geburten jemals recht aufs reine zu bringen. Aus diesen beiden Gebrechen entstehen zwei Arten der Dunkelheit; beide verwerflich und dem Vergnügen, das ein schönes Geisteswerk gewähren soll, mehrenteils tödlich. Hingegen ist Klarheit ebenso sehr wie Fülle und Kraft ein unterscheidendes Merkmal des Genius, und folglich kann in seinen Schöpfungen nicht wohl eine andre Art von Dunkelheit stattfinden als die Unergründlichkeit der schaffenden Natur, deren Ebenbild er im Kleinen ist. An den wirklichen Dingen, wie sie aus der Hand der Natur hervorgehen, ist das Gepräge einer höhern, selbständigen Macht auch für das beschränkteste Erkenntnisvermögen im geringsten nicht zweideutig oder unbestimmt; es fühlt sehr wohl, sowenig es von ihrer Beschaffenheit einsieht, daß sie, unabhängig von seinen Vorstellungen oder Irrtümern, sind, was sie sind. Jeder mehr

---

* Ich weiß nicht, welchem französischen Schriftsteller es begegnete, bei einem Gönner, dem er sein Buch übergeben hatte, der es aber dunkel fand und sich daher über viele Stellen Erklärungen ausbat, häufig die Redensarten zu gebrauchen, ‹hiemit habe ich folgendes gemeint; hiemit habe ich sagen wollen› usw. «Vous avez voulu dire de belles choses», erwiderte endlich der Gönner; «Pourquoi ne les dites-vous pas?»

umfassende, auch der höchste endliche Verstand steht in demselben Verhältnisse zur Natur. Er treibe seine Forschungen noch
so weit, endlich wird er doch bei der Betrachtung der Wesen
auf einen Punkt gelangen, wo er mit seinem Gefühle stillstehen
und sich unerkannten Gesetzen des Daseins gläubig unterwerfen
muß. Ob sich gleich die menschliche Wissenschaft nicht rühmen
darf, das Wesen eines einzigen Atoms erschöpft zu haben, so
kann sie doch die toten Erzeugnisse der Körperwelt in ihre ein-
facheren Bestandteile zerlegen; sie kann an organisierten Ge-
schöpfen alle Werkzeuge des Lebens nach ihrem Bau und ihren
Bestandteilen sehr genau untersuchen: allein hat sie jemals die
lebendigen Kräfte selbst erhascht, die wir überall um uns her
wirkend sehen, deren eine wir in uns fühlen? Leben ist das große
Geheimnis der Natur; es ist der Nilstrom, der Länder befruchtet
und sich mit vielen Armen in das Meer stürzt, aber dessen Quelle
kein Sterblicher erblickt hat.* Um nun die Anwendung zu
machen und Großes mit Kleinem zu vergleichen: der dramatische Künstler im höchsten Sinne des Wortes, sei er Maler oder
Dichter, bildet Menschen; er beseelt sie durch einen göttlichen
Funken des Lebens, den er rauben muß, denn auf einem recht-
mäßigen Wege ist nicht daran zu kommen. Die andern Menschen, welche die Natur selbst erschaffen hat, können sich nicht
erwehren, jene anziehenden Geschöpfe für ihresgleichen anzu-
erkennen und sich des Umgangs mit ihnen zu freuen, wenn
schon in ihrer Art zu sein und zu handeln manches ihnen nicht
ganz verständlich ist. Wissen wir doch von unsern vertrautesten
Bekannten, wenn sie einige Tiefe und Umfang des Charakters
haben, nicht immer mit deutlichen Gründen darzutun, warum
sie sich jedesmal unter besondern Umständen so oder so benehm-
men, ohne daß wir darum an dem Bestande ihrer Persönlichkeit
irre würden. Jene entweder in der Ausführung verfehlten oder
schon in der Anlage verworrenen Darstellungen, wovon ich

* Ausgenommen James Bruce!

oben sprach, könnte man mit trüben Strömen vergleichen, worin das schärfste Gesicht sowenig etwas unterscheiden kann als das blödeste; die Werke des echten Genius hingegen mit einem reinen und stillen Wasser von unermeßlicher Tiefe. Sollte auch kein Auge ganz bis auf den Boden dringen, so findet doch jedes für seine Sehkraft Befriedigung: denn so weit diese reicht, erblickt es die in dem flüssigen Elemente enthaltenen Gegenstände vollkommen deutlich und unentstellt. Nur der ist durch eigne Schuld irrigen Vorstellungen ausgesetzt, der sich einbildet oder anmaßt, tiefer zu sehen, als er wirklich sieht.

Ob der Dichter beim Hamlet alles so gedacht hat, wie Wilhelm Meister ihn auslegt, das ist ein Zweifel, den Shakespeare allein, wenn er könnte, zu bekräftigen das Recht hätte. Es muß aber dabei die anschauliche Wahrnehmung von dem entwickelten Begriffe unterschieden werden. Man kann sich recht gut denken, daß Shakespeare mehr von seinem Hamlet wußte, als ihm selbst bewußt war; ja er läßt ihn vielleicht ausführlicher über sich und seine sittlichen Verhältnisse philosophieren, als er es bei Anlegung dieses Charakters in eigner Person tat. In einem solchen Dichtergeiste müssen alle Kräfte in so inniger Gemeinschaft wirken, daß es gar nicht zu verwundern ist, wenn der Verstand erst hinterdrein seine Verdienste geltend zu machen und seinen Anteil an der vollendeten Schöpfung zurückzufordern weiß. Am Hamlet ist er in der Tat so hervorstechend, daß man das Ganze, wie Goethes Faust, ein Gedankenschauspiel nennen könnte. Nämlich nicht ein Schauspiel, durch welches eine Reihe von Gedanken neben der Handlung hinläuft, und zwar so, daß diese sich in ihren Fortschritten nach der Folge jener richten muß, um damit immer in gleich naher Beziehung zu bleiben; wo also die dramatische Verknüpfung gewissermaßen ein Bild des logischen Zusammenhanges wird (wie etwa in Lessings Nathan); sondern ein solches, aus dessen Verwickelung Aufgaben hervorgehen, welche aufzulösen dem Nachden-

ken des Lesers oder Zuschauers überlassen wird. Hiezu wird der
Charakter eines Helden am brauchbarsten sein, dem die Widersprüche seiner sittlichen Natur zum Hauptgegenstande der Betrachtung werden müssen, weil seine Erkenntnis seiner Willenskraft weit überlegen ist; und darauf beruht eben die Ähnlichkeit
zwischen den beiden genannten Schauspielen.

Doch nichts weiter über Hamlets Charakter, nach dem, was
Wilhelm Meister gesagt: keine Ilias nach dem Homer! Aus demselben Grunde schweige ich auch von den Bemerkungen über
Ophelia und den wenigen, aber köstlichen Worten über Polonius und das doppelte Exemplar von Höflingen, Rosenkranz
und Güldenstern. Was die Aufführung betrifft, so ist sehr zu
wünschen, daß jeder Schauspieler, der sie künftig anordnen oder
nur daran teilnehmen soll, die darüber gegebnen Winke auf das
sorgfältigste erwäge und beherzige. Nur hüte sich der, welcher
den Geist spielen soll, nicht, wie der Unbekannte hier tut, sein
Visier herunterzulassen. Dort in dem Schauspiel mußte Hamlet
die Gesichtszüge seines Vaters sehen, um vollkommen überzeugt zu werden, daß ihm wirklich sein Geist erschienen*; hier
im Roman war es wesentlich, daß Wilhelm den Schalk im Har-
nisch nicht erkennte, um allerliebste Abenteuer vorzubereiten;
und nur einem Dichter ziemt es, sich mit den offenbaren Absichten eines andern poetische Lizenzen herauszunehmen. Hingegen läßt sich schwerlich mit Gewißheit ausmachen, wie Shakespeare in der Szene zwischen Hamlet und seiner Mutter es mit
den Bildnissen hat gehalten wissen wollen, da die ältesten Ausgaben seiner Schauspiele ganz ohne theatralische Anweisungen
sind und in den Zeiten des barbarischen Geschmacks in England,
wo Shakespeares Stücke entweder gar nicht oder sehr selten gespielt wurden, die ursprüngliche Überlieferung der Bühne sich

---

* Hamlet, Akt 1, Szene 2, HAMLET: Arm'd, say you? ALL: Arm'd, mylord.
HAMLET: From top to toe? ALL: Mylord, from head to foot. HAMLET: Then
saw you not his face? HORATIO: O yes, mylord, he wore his beaver up.

nicht erhalten haben kann. Wilhelm erklärt sich, gegen den allgemein eingeführten Gebrauch, nach welchem Hamlet zwei Miniaturbilder hervorzieht, oft auch das eine zu Boden wirft, für zwei Gemälde in Lebensgröße, an der Dekoration angebracht. Der Gedanke, durch die Ähnlichkeit zwischen der Abbildung des verstorbnen Königs und seinem Geiste die Täuschung zu erhöhen, ist neu und groß und überwiegt leicht den Einwurf, es sei nicht wahrscheinlich, daß die Königin das Bildnis ihres ersten Gemahls, gleichsam einen beständigen Zeugen ihrer Schande, in ihrem Kabinett habe dulden können. Für die Miniaturbilder ließe sich eine Stelle des Hamlet anführen, woraus man sieht, daß dem Dichter die Vorstellung geläufig war, sich dergleichen von geschätzten Personen machen zu lassen. * Ja, Shakespeare ist zuweilen so seltsam in seinen Ausdrücken, daß sich selbst die Meinung derer nicht ganz verwerfen läßt, welche annehmen, es sei nur von Bildnissen im metaphorischen Sinne die Rede und Hamlet sehe die Gestalten der beiden Brüder bloß in seiner erhitzten Einbildungskraft vor sich. * *

Manche Bewunderer Shakespeares werden Wilhelm Meistern dafür lieb haben, daß er sich so ernstlich gegen eine Verstümmelung des Stückes sträubt, daß er am Ende nur der gebieterischen Konvenienz nachgibt und die Umarbeitung selbst übernimmt, um größeren Übeln vorzubeugen. Bei dem Gleichnis mit einem Baume, das er gebraucht, möchte man immer noch zugeben, daß Zweige weggeschnitten, andre eingeimpft werden könnten, ohne den freien königlichen Wuchs zu entstellen und die Spur der Schere sichtbar werden zu lassen. Wie aber, wenn ein dramatisches Gedicht dieser Art noch mehr Ähnlichkeit mit höhe-

---

* Akt II, Szene 2, HAMLET: It is not very strange: for my uncle is king of Denmark, and those, that would make mouths at him while my father liv'd, give twenty, forty, fifty, an hundred ducats a-piece for his picture in little.

** So sagt Hamlet einmal, da ihm Horatio eben die Erscheinung des Geistes erzählen will: – methinks, I see my father. HORATIO: O where my lord? HAMLET: In my mind's eye, Horatio.

ren Organisationen hätte, an denen zuweilen die angeborne
Mißgestalt eines einzigen Gliedes nicht geheilt werden kann,
ohne dem Ganzen ans Leben zu kommen? Indessen, die Bühne
hat ihre Rechte: um einig zu werden, müssen sich Dichter und
Schauspieler auf halbem Wege entgegenkommen. Shakespeare
hat sich gewiß in vielen Äußerlichkeiten nach den Bedürfnissen
seines Theaters gerichtet; würde er weniger für das unsrige tun,
wenn er jetzt lebte? Da er so reich an tiefliegenden und feinen
Schönheiten ist, die bei dem schnellen Fortgange und unter den
unvermeidlichen Zerstreuungen einer öffentlichen Vorstellung
leicht verloren gehn und, um ganz gefühlt zu werden, die ruhigste Sammlung des einsamen Lesers erfordern, so mögen die
eigensinnigen Leute (worunter ich bekennen muß mit zu gehören), die ihren Dichter durchaus so verlangen, wie er ist, wie
sich Verliebte die Sommersprossen ihrer Schönen nicht wollen
nehmen lassen, sich damit zufriedenstellen, daß ihnen der Origi-
nalkodex nicht genommen werden soll noch kann.

Die hier vorgeschlagne Veränderung des Hamlet bloß nach
der Übersicht des Plans, wie ihn Wilhelm Meister angibt, beurteilen zu wollen, wäre unstreitig zu voreilig. Was für schöne
Stellen demzufolge übergangen werden müssen, fällt sogleich
in Augen; aber um den Gewinn, der aus der Vereinfachung der
äußerlichen Verhältnisse für den Gang des Stückes zu hoffen ist,
recht einzusehn, müßte man die ausgeführte Bearbeitung im
Zusammenhange vor sich haben. Und um einzelne neue Schönheiten vorherzusehen, wodurch seine Einbuße etwa vergütet
werden möchte, müßte man selbst eine Dichtungskraft besitzen,
die fähig wäre, Shakespeare zu bereichern. Die Reisemoral,
welche Polonius seinem Sohn mitgibt, erließe man ihm noch
wohl. Desto mehr ist es schade um die unvergleichliche Szene
zwischen Polonius und Reynaldo, und doch muß sie ohne Gnade
fort; denn wenn Laertes nicht seiner Ausbildung wegen auf
Reisen geht, sondern in königlichen Angelegenheiten abgesandt

wird, so möchte sich's nicht sonderlich passen, daß ihm der Vater einen Bedienten nachschickt, um auf eine pfiffige Weise hinter seine wahre Lebensart zu kommen. Auch verliert durch denselben Umstand der Zweikampf einen Beweggrund, der ihn beim Shakespeare wahrscheinlicher macht, ob er gleich immer noch sonderbar genug bleibt. In Frankreich, welches Laertes als den Hauptsitz ritterlicher Vorzüge besucht, konnte er die Fecht-kunst als einen derselben auf eine in Dänemark seltne Höhe ge-trieben haben und dadurch Hamlets Wetteifer rege machen: aber auch in Norwegen, einer eroberten Provinz? Daß der an sich vortreffliche Monolog Hamlets im vierten Aufzuge, wie er die Armee des Fortinbras auf ihrem Zuge nach Polen gesehen hat, wegfällt, ist vielleicht weniger zu beklagen, da er im we-sentlichen mit dem, welchen der rauhe Pyrrhus veranlaßt, über-einkommt. Verloren geht er dennoch nicht, wenn die Auf-schlüsse über Hamlets Charakter, an denen er fast noch reich-haltiger ist als jener, anderweitig benutzt werden. Den Fortin-bras, diesen wackern jungen Krieger, pflegt man überhaupt bei allen Abänderungen immer am ersten aufzuopfern, und doch wüßt' ich im ganzen Stücke nichts, was, wenigstens beim Lesen, inniger erschütterte als seine feierlich wundervolle Erscheinung auf der Walstatt, wo das Schicksal eben seine furchtbaren Ent-scheidungen vollendet hat. Bleibt sie weg, so werden Gute und Böse einander auch im Tode gleich gemacht, alle sterben ohne Feierklage, und der einzige überlebende Horatio kann sich als Zeuge jener Begebenheiten nur an unbedeutende Hörer wen-den. Wie groß tritt Fortinbras auf, um dem unglücklichen Edlen im Namen der Nachwelt, deren Ausspruch seine letzte Beküm-mernis war, zum ersten Male Gerechtigkeit widerfahren zu las-sen. Eine so außerordentliche Verwüstung verlangt einen erha-benen Zuschauer, und nur ein Held ist würdig, einer zertrüm-merten Welt (denn mit diesem Eindrucke endigt das Trauer-spiel) die letzte Ehre zu erweisen.

Soll indessen Hamlet unter uns verändert aufgeführt werden, wie es bisher immer geschehen und wie er sich's ja auch in England muß gefallen lassen, so ist nichts mehr zu wünschen, als daß die von Wilhelm Meisters Geschichtsschreiber erregte Hoffnung bald erfüllt werden mag. Eine solche neue Bearbeitung würde durch ihren Wert alle künftigen überflüssig und durch ihr Ansehen verdächtig machen. Daß niemand mehr Beruf haben kann, in Shakespeares Sinne zu dichten als der Schöpfer des Götz von Berlichingen, des Faust, des Egmont, leuchtet von selbst ein. Schwerlich wird sich einer der Schriftgelehrten unterstehen, ihn zu fragen: «Aus waser Macht tust du das?»

Aus ein paar kleinen Bruchstücken sieht man, daß Wilhelm Meisters Übersetzung des Hamlet prosaisch war. Es begreift sich, daß er vor der Aufführung keine Muße zu einer poetischen hatte; und wozu auch, bei einer zunächst für das Theater bestimmten Arbeit, da doch unsre meisten Schauspieler nicht gern mit Versen zu tun haben, weil sie wohl fühlen, daß sie selbige entweder radebrechen oder skandieren? Allein bei weitem die meisten Stücke Shakespeares werden bei uns nicht auf die Bühne gebracht, und man hat auch keine Hoffnung, sie darauf zu sehen. Es bleibt dem Leser überlassen, sich mit ihren Schönheiten vertraut zu machen, und diesem würde vermutlich eine poetische Übersetzung nicht unwillkommner sein, als die prosaische gewesen ist.

Vor mehr als dreißig Jahren wagte sich zuerst ein Schriftsteller, der wegen der eignen Fruchtbarkeit seines Geistes am wenigsten zum Übersetzer bestimmt schien, der aber nachher auch in diesem Fache für uns klassisch geworden, an die herkulische Arbeit, den größern Teil der Werke Shakespeares zu verdeutschen. Sie war es damals noch weit mehr, da man weniger Hülfsmittel zur Kenntnis der englischen Sprache hatte und selbst in England noch wenig für die Erläuterung des oft so schweren, hier und da ganz unverständlichen Dichters geschehen war. Indessen wurde dieses Verdienst nicht gleich gehörig anerkannt, und das war nicht zu verwundern, da auf unsrer Bühne schale Nachahmungen der Franzosen noch allgemein herrschten und auch unsre besten dramatischen Werke ganz nach ihrem Muster gearbeitet waren. Wer hätte sich's damals einbilden dürfen, daß so heidnisch regellose, barbarische Stücke, wie man aus einem dunkeln Gerüchte wußte, daß ein gewisser Engländer, Shakespeare, geschrieben habe, uns jemals vor die Augen gebracht werden dürfen? Lessing, dieser rüstige Feind der Vorurteile, zeigte zuerst die tragische Kunst der Franzosen in ihrer Blöße, erhob eine nachdrückliche Stimme über Shakespeares Verdienste und erinnerte die Deutschen, weil sie es so bald vergessen zu haben schienen, sie besitzen eine Übersetzung des großen Dichters, woran sie, ungeachtet ihrer Mängel, noch lange genug würden zu lernen haben, ehe sie notwendig eine bessere haben müßten. *

Freilich konnte er nicht vorhersehen, was wenige Jahre nachher geschah und wofür er selbst durch den Stil seiner dramatischen Werke, besonders der Emilia Galotti, die Empfänglichkeit seiner Landsleute hatte wecken helfen. Die Erscheinung des Götz von Berlichingen stiftete, in Verbindung mit einigen andern Umständen, eine ganz neue Epoche unsrer Bühne im Guten und Bösen. * * Nicht lange vorher war der einzige Brite mit glühen-

* In der Hamburg. Dramaturgie. St. 15.

** Im Bösen, versteht sich, ganz ohne Shakespeares und Goethens Schuld. Man hat behauptet, durch Hintansetzung der konventionellen Regeln sei es leichter geworden, schlechte Schauspiele zu schreiben. Nicht doch! es ist von jeher sehr leicht gewesen. Es ist wahr, mancherlei dramatische Mißgeburten unsrer Tage kannte man in jener früheren Periode nicht: dagegen gab es in Menge mittelmäßige Stücke nach dem alten Zuschnitt, die nun vergessen sind. Die heutigen sind unvernünftiger; diese waren dagegen noch langweiliger und frostiger. Bei gänzlichem Unwert des Gehalts werden alle Formen gleichgültig. Nicht durch Zurückführung auf die gepriesenen, verrufnen, angefochtnen, behaupteten, in den Staub getretnen, vergötterten drei Einheiten des Aristoteles stände manchen wüsten Ritterspielen, russischen Familiengemälden usw. zu helfen: unter alle möglichen Einheiten, auf Null sollte man sie herabsetzen.

der Beredsamkeit, die seine Gegner, wo nicht überzeugen, doch hinreißen mußte, gepriesen und besonders die Wahrheit einge-schärft worden, daß sich der Regelnkram modiger Verfeinerung schlechterdings nicht als Maßstab für seine Schöpfungen ge-brauchen lasse. * Schon neun Jahre nach Erscheinung der Wie-landischen Übersetzung stellte sich das Bedürfnis nicht eines neuen Abdrucks derselben, sondern einer verbesserten Verdeut-schung der sämtlichen Werke Shakespeares ein. Da Wieland selbst diese Arbeit nicht übernehmen konnte, fiel sie glücklicher-weise einem unsrer gelehrtesten und geschmackvollsten Litera-toren in die Hände, der mit gründlicher Sprachkunde, seltnem Scharfsinn im Auslegen und beharrlicher Sorgfalt der Überset-zung erteilte, was ihr bisher noch gefehlt, nämlich Vollständig-keit im Ganzen und Genauigkeit im Einzelnen. Jetzt wurde auch mehreren Schauspielen Shakespeares eine öffentlichere Huldi-gung geleistet; von der Bühne herab bemächtigten sie sich der Gemüter und ließen unauslöschliche Eindrücke zurück. Unsre größten Schauspieler fanden hier freien Spielraum für Talente, die sie sonst nicht so glänzend hätten entwickeln können.** Er wurde immer mehr einheimisch unter uns. Auch Laien in der ausländischen Literatur lernten seinen Namen mit Ehrerbietung aussprechen, und man darf kühnlich behaupten, daß er nächst den Engländern keinem Volke so eigentümlich angehört wie den Deutschen, weil er von keinem im Original und in der Kopie so viel gelesen, so tief studiert, so warm geliebt und so einsichtsvoll bewundert wird. Und dies ist nicht etwa eine vor-übergehende Mode; es ist nicht, daß wir uns auch einmal zu dieser Form dramatischer Poesie bequemt hätten, wie wir im-mer vor andern Nationen geneigt und fertig sind, uns in fremde

---

* In den fliegenden Blättern ‹Von deutscher Art und Kunst›.

** Nicht ohne eine schmerzliche Empfindung erinnre ich mich Schröders in den Rollen des Shylock, Hamlet, Lear, eben in dem Zeitpunkte, da er, wie man versichert, sich dem Publikum entziehen will.

Denkarten und Sitten zu fügen. Nein, er ist uns nicht fremd: wir brauchen keinen Schritt aus unserm Charakter herauszugehn, um ihn «ganz unser» nennen zu dürfen. Die Sonne kann zuweilen durch Nebel, der Genius durch Vorurteile verdunkelt werden; aber bis etwa aller Sinn für Einfalt und Wahrheit unter uns ausstirbt, werden wir immer mit Liebe zu ihm zurückkehren. Was er sich hie und da erlaubt, findet bei uns am leichtesten Nachsicht, weil uns eine gewisse gezierte Ängstlichkeit doch nicht natürlich ist, wenn wir sie uns auch anschwatzen lassen; die Ausschweifungen seiner Phantasie und seines Gefühls (gibt es anders dergleichen) sind gerade die, denen wir selbst am meisten ausgesetzt sind, und seine eigentümlichen Tugenden gelten einem edlen Deutschen unter allen am höchsten. Ich meine damit sowohl die Tugenden des Dichters als des Menschen, insofern sich dieser in jenem offenbaren kann; in Shakespeare ist beides auf das innigste verbunden: er dichtete, wie er war. In allem, was aus seiner Seele geflossen *, lebt und spricht altväterliche Treuherzigkeit, männliche Gediegenheit, bescheidne Größe, unverlierbare heilige Unschuld, göttliche Milde.

> His life was gentle, and the elements
> So mix'd in him, that nature might stand up
> And say to all the world: this is a man!

Doch zu so herrlichen Schätzen ist die englische Sprache der einzige Schlüssel; zwar nicht ein goldner, wie Gibbon mit Recht die griechische Sprache nennt, doch wenn schon aus mehr gemischtem, gewiß aus ebenso edlem Metall als die unsrige. Wie

---

* Auch in seinen nichtdramatischen Gedichten, vorzüglich seinen Sonetten, die so vernachlässigt worden, daß unter allen Herausgebern seiner Werke zuerst Steevens und Malone es der Mühe wert gehalten, ihrer, und jener noch dazu sehr ungünstig, Erwähnung zu tun. Sie atmen kindliche Gefühle eines Mannes, selbst da, wo der tändelnde Witz eines Kindes ihren Ausdruck verfälscht. Sie haben schon deswegen einen Wert, weil sie von einer nicht erdichteten Freundschaft und Liebe eingegeben scheinen, da wir so gar wenig von den Lebensumständen des Dichters wissen.

sehr sich auch die Kenntnis derselben in Deutschland verbreitet
hat, so ist sie doch selten genug in dem Grade, der erfordert
wird, um von der Menge der Schwierigkeiten nicht beständig
im Genusse unterbrochen oder gar von der Lesung des Dichters
abgeschreckt zu werden. Wie wenige gibt es wohl unter denen,
welche ihn im ganzen (das heißt die Stellen ausgenommen, wo
die Engländer selbst eines Kommentars bedürfen, weil die Wörter veraltet, die Anspielungen unbekannt oder die Lesarten ver-
derbt sind) ohne Anstoß lesen können, denen alle die feineren
Schönheiten, die zarten Abschattungen des Ausdrucks, worauf
die Harmonie eines poetischen Gemäldes beruht, so fühlbar und
geläufig wären wie in ihrer Muttersprache! Wie wenige, die es
in der englischen Aussprache zu der Fertigkeit gebracht hätten,
die dazu gehört, sich den Dichter mit dem gehörigen Nachdruck und Wohlklang vorzulesen! Und dennoch erhöht dies
immer die Wirkung beträchtlich, denn die Poesie ist einmal
keine stumme Kunst. Solche Leser Shakespeares, bei denen alles
Obige zutrifft, möchten sich's denn doch wohl der Abwechselung wegen gefallen lassen, zuweilen auf vaterländischem Boden im Schatten seiner Dichtungen auszuruhen, wenn sie sich
nur ohne zu beträchtlichen Verlust an ihrem schönen Blätter-
schmuck dahin verpflanzen ließen. Wäre also eine Übersetzung
derselben nicht eine sehr wünschenswerte Sache? «Wir haben ja
schon eine, und zwar eine vollständige, richtige, gute.» Ganz
recht! so viel mußten wir auch haben, um noch mehr begehren
zu können. Nach der Befriedigung des Bedürfnisses tut sich der
Hang zum Wohlleben hervor; jetzt ist das Beste in diesem Fache
nicht mehr zu gut für uns. Soll und kann Shakespeare nur in
Prosa übersetzt werden, so müßte es allerdings bei den bisherigen Bemühungen so ziemlich sein Bewenden haben. Allein er
ist ein Dichter, auch in der Bedeutung, da man diesen Namen
an den Gebrauch des Silbenmaßes knüpft. Wenn es nun möglich wäre, ihn treu und zugleich poetisch nachzubilden, Schritt

vor Schritt dem Buchstaben des Sinnes zu folgen und doch einen Teil der unzähligen, unbeschreiblichen Schönheiten, die nicht im Buchstaben liegen, die wie ein geistiger Hauch über ihm schweben, zu erhaschen! Es gilt einen Versuch. Bildsamkeit ist der ausgezeichnetste Vorzug unsrer Sprache, und sie hat in dieser Art schon vieles geleistet, was andern Sprachen mißglückt oder weniger gelungen ist: man muß an nichts verzweifeln.

Wir sind jedoch an prosaische Dramen aller Art, von der Posse bis zum heroischen Trauerspiel, so sehr gewöhnt, daß mancher hiebei denken möchte, Shakespeare sei ja ein dramatischer Dichter; an seinen Versen als solchen könne daher nicht viel gelegen sein. Es komme auf die Handlung, die Charaktere, die Reden der Personen an, und der Übersetzer, der ihn in Prosa überträgt, nehme ihm höchstens einen entbehrlichen, zufälligen Zierat, befreie ihn wohl gar von einem wahren Fehler. Wie sehr würde er sich irren! Doch um dies einleuchtend zu beweisen, muß ich tiefer in Shakespeares eigentümliche Form der Darstellung eingehn.

«Die Nataks oder indischen Schauspiele», sagt der berühmte Sir William Jones in seiner Vorrede zur Sakontala, «sind durchgehends in Versen, wo der Dialog einen höheren Schwung nimmt, und in Prosa, wo er sich zur gewöhnlichen Unterredung herabläßt. Den Vornehmen und Gelehrten wird das reine Sanskrit in den Mund gelegt, die Weiber hingegen sprechen Prakrit, welches nicht viel anders ist als die Bramensprache durch eine weichere Aussprache bis zur Zartheit des Italienischen verschmelzt, und die geringen Leute den Dialekt der Provinz, die sie jedesmal nach der Voraussetzung bewohnen.» Dies ist schon an sich merkwürdig genug: es ließe sich eine Abhandlung von Schlußfolgen darüber schreiben, welchen Grad der Bildung es bei den Hindus in dem Zeitpunkte voraussetzt, da jene Schauspiele geschrieben wurden. Aber ungemein merkwürdig wird es, wenn man einen Blick der Vergleichung auf unsern Dichter wirft. Eine so auffallende, genaue Übereinstimmung in einem ganz besondern Punkte zwischen zwei Dichtern, die durch ein paar Jahrtausende, durch ganze Weltteile, durch den größten möglichen Abstand des Klimas, des Nationalgeistes, der Sitten und Sprachen voneinander geschieden werden! Man wird wohl annehmen müssen, daß sie nicht durch ein blindes Spiel der Willkür zusammentreffen, sondern daß beide aus einer gemeinschaftlichen Quelle geschöpft haben, die in allen Zonen und Zeitaltern fließt, wenn menschliche Verkehrtheit sie nicht verstopft. Zu argwöhnen, Sir William Jones habe seinen Landsleuten durch eine vorgegebne Ähnlichkeit mit ihrem Lieblingsdichter zu schmeicheln oder jenem mehr Eingang zu verschaffen gesucht, wäre ohne weitere Gründe ungerecht gegen den großen verdienten Kenner des Morgenlandes, besonders da er gar keine solche Anwendung davon macht; und wider die Echtheit der Sakontala möchte es schwerhalten, Zweifel aufzutreiben.

Shakespeares Schauspiele insgesamt, gleichviel, ob sie Tragödien, Komödien oder Historien heißen (denn, wie bekannt, gehören sie alle eigentlich zu einer einzigen Hauptgattung), sind aus Poesie und Prosa, aus dem vertraulichen Ton des Umgangs und einem edleren Gange der Rede gemischt. Nur wenige sind fast ganz in Prosa geschrieben, in den mehrsten überwiegt um ein großes der poetische Teil. In diesem ist der fünffüßige reimlose Jambe die herrschende Versart; aber häufig sind am Schlusse der Szenen und Aufzüge einige gereimte Zeilen in demselben Silbenmaße angebracht, in verschiednen Stücken sind auch sonst Reime eingestreut oder ganze Szenen darin gearbeitet. Außerdem kommen Lieder vor, wo es die Gelegenheit gibt, und zwar gewöhnlich nicht als episodische Ergötzlichkeit, sondern sie sind in das Gespräch, ja in die Handlungen selbst mit eingewebt. Ob es gleich in England keine zwei völlig abgesonderten Sprachen der Vornehmen und Geringen, kein Sanskrit und Prakrit gibt, so weicht doch Shakespeares poetische Sprache von seiner prosaischen durch die Wahl, Zusammensetzung, An-

ordnung und Bindung der Worte vielleicht ebensoweit ab, als
jene indischen Dialekte voneinander. Aber der Gebrauch der
einen oder der andern hängt bei ihm nicht so sehr am Stande als
am Charakter und den Gemütsstimmungen der redenden Personen. Freilich paßt sich das Edle und Auserlesene nur zu einer
gewissen Anständigkeit der Sitten, die sowohl Laster als Tugenden überkleidet und auch unter heftigen Leidenschaften nicht
ganz verschwindet. Wie nun diese den höheren Ständen, wenngleich nicht ausschließend, doch natürlicherweise mehr eigen
ist als den geringen, so ist auch bei Shakespeare Würde und Vertraulichkeit der Rede, Poesie und Prosa, auf eben die Art unter
die Personen verteilt. Daher sprechen seine gemeinen Bürger,
Bauern, Soldaten, Matrosen, Bedienten, hauptsächlich aber seine
Narren und Possenreißer fast ohne Ausnahme im Tone ihres
wirklichen Lebens. Indessen offenbart sich innre Würde der Gesinnungen, wo sie sich immer finden mag, durch einen gewissen
äußern Anstand, ohne daß es dazu durch Erziehung und Gewohnheit angekünstelter Zierlichkeiten bedürfte; jene ist ein
allgemeines Recht der Menschen, der niedrigsten wie der höchsten: und so gilt bei Shakespeare die Rangordnung der Natur
und der Sittlichkeit hierin mehr wie die bürgerliche. Auch läßt
er nicht selten dieselben Personen zu verschiednen Zeiten die
erhabenste und dann wieder die gemeinste Sprache führen, und
diese Ungleichheit ist ebenfalls in der Wahrheit gegründet.
Außerordentliche Lagen, die den Kopf lebhaft beschäftigen und
mächtige Leidenschaften ins Spiel setzen, heben und spannen
die Seele: sie rafft alle ihre Kräfte zusammen und zeigt, wie in
ihrem ganzen Wirken, so auch in der Mitteilung durch Worte,
einen ungewöhnlichen Nachdruck. Hingegen gibt es selbst für
den größten Menschen Augenblicke des Nachlassens, wo er die
Würde seines Charakters bis auf einen gewissen Grad in sorgloser Ungebundenheit vergißt. Um sich an den Scherzen andrer
zu belustigen oder selbst zu scherzen, was keinen Helden ent-

ehrt, ist sogar diese Stimmung nötig. Man gehe zum Beispiel die Rolle Hamlets durch. Welche kühne, kräftige Poesie spricht er, wenn er den Geist seines Vaters beschwört, sich selbst zu der blutigen Tat anspornt, seiner Mutter in die Seele donnert! Und wie steigt er in seinem Tone in das gemeine Leben hinab, wenn er sich wahnsinnig stellt oder es mit Personen zu tun hat, mit denen er nach ihrer Würdigkeit nicht anders umgehen kann: wenn er den Polonius und die Höflinge zum besten hat, die Schauspieler unterrichtet und sich auf die Späße des Totengräbers einläßt. Unter allen ernsten Hauptcharakteren des Dichters ist keiner so reich wie Hamlet an Witz und Laune, denen er sich mitten in seiner Schwermut überläßt; darum bedient er sich auch unter allen am meisten des vertraulichen Stils. Andre verfallen gar nicht darein, entweder weil der Pomp des Ranges sie beständig umgibt oder weil ein gleichförmiger Ernst ihnen natürlich ist oder endlich, weil eine Leidenschaft, nicht von der niederdrückenden Art wie Hamlets Kummer, sondern eine erweckende Leidenschaft sie das ganze Stück hindurch beherrscht. So feine Unterscheidungen findet man in diesem Punkte überall von Shakespeare beobachtet; ja ich möchte behaupten, wo er eine Person in derselben Rede aus Prosa in Poesie oder umgekehrt übergehen läßt, würde man dies nicht ohne Gefahr, ihm zu schaden, ändern können. Nicht als ob er immer dabei mit besonnener Überlegung verfahren wäre; vermutlich vertrat ein fast untrüglicher Instinkt des Schicklichen auch hier die Stelle der Kunst.

Die Rücksichten oder Leitungen des Gefühls, wornach er sich beim Gebrauch des Reimes richtete, lassen sich nicht ganz so bestimmt angeben. Man sieht wohl, daß er sinnreiche Sprüche ganz in Reime kleidet, besonders wo sie symmetrisch neben- oder gegeneinander gestellt sind: dies ist nicht selten der Fall am Schlusse der Szenen, der zuweilen eine epigrammatische Wendung nimmt, so daß gleichsam das Resultat des Vorhergegangenen in einige Zeilen zusammengedrängt wird. Fortgehend gereimt findet man andre Stellen, wo Feierlichkeit und theatralischer Pomp passend ist, wie die sogenannte Maske im Sturm und das Schauspiel, das im Hamlet aufgeführt wird. Räumte er deswegen vielleicht an einigen Stücken, am Sommernachtstraum, an Romeo und Julia, dem Reime einen bedeutenden Anteil ein, weil ihr Stoff vorzüglich viel Anlässe zu gefälligen Spielen der Phantasie darbot? Es mag immer sein, daß er mitunter auch aus keinem andern Grunde in Reimen gedichtet, als weil er grade Lust daran fand. Denn daß er den Reim geliebt, erhellet teils aus seiner Fruchtbarkeit an Sonetten, teils aus mehreren seiner Lieder, worin er mit diesem dichterischen Widerhall gar künstlich und artig tändelt. Man hat bemerkt, daß in seinen spätern dramatischen Arbeiten wenige gereimte Stellen angetroffen werden und bei der Untersuchung über ihre mutmaßliche Zeitfolge dies sogar zu einem Merkmale gemacht. Aber würde jene Bemerkung auch durchgängig bestätigt (und sie leidet ihre Ausnahmen: ‹Was ihr wollt›, das letzte Stück Shakespeares nach Malones eigner Angabe, gewiß eines seiner reifsten, enthält unter den Versen ziemlich viel Reime, ob es gleich großenteils in Prosa geschrieben ist), so folgt daraus noch nicht, daß er seinen jugendlichen Geschmack in der Folge verworfen. Er konnte ja auch im höheren Alter die Biegsamkeit der Einbildungskraft und den Reichtum an Wendungen verloren haben, welcher dazu gehört, um mit Leichtigkeit zu reimen. Dem sei, wie ihm wolle, so ist es offenbar, daß die Verschiedenheit der metrischen Bearbeitung sehr wesentlich auf den Inhalt zurückgewirkt. Seine gereimten Jamben sind seinen reimlosen nicht nur im Ton und Gange unähnlich, sie haben auch eine ganz andre Farbe des Ausdrucks und sind sozusagen in einer andern Gegend der Bilder und poetischen Figuren zu Hause.

Allein, macht eine so bunte Vermischung verschiedner Stile nicht einen häßlichen Übelstand? Wohl mehr für das Auge, das diese Ungleichheiten nebeneinander sieht, mit dem wir aber hier nichts zu schaffen haben, als für das Ohr, das sie nacheinander vernimmt. Überhaupt möchten sie den mehr beleidigen, der gewohnt ist, die Alexandriner des französisch modernen Trauerspiels alle von gleichem Maß und mit gleichem Tritt auf ihre Parade ziehen zu sehn als den Leser der griechischen Tragödien, wo nicht nur lyrischer Gesang das Gespräch unterbricht, sondern auch zu diesem, außer den Jamben, anapästische und trochäische Versarten gebraucht werden; ja, wo zuweilen eine Person in derselben Rede aus Jamben in lyrischen Gesang übergeht. Indessen bleibt der Stil in allen verschiednen Silbenmaßen immer edel und poetisch, und dies mußte auch so sein. Auf schöne Einfachheit und harmonisches Ebenmaß war im griechischen Heldendrama alles gerichtet. Der Charakter der einzelnen Personen mußte sich unter den allgemeinen, erhöhten Charakter einer Darstellung fügen, welche den Zuschauer durchaus in eine vergötterte Vorwelt versetzen sollte: auch der Bote, der Diener, die Magd oder Wärterin trugen von der Würde des vorgestellten Mythus, wozu sie mitgehörten, ihr bescheidenes Teil davon. Shakespeares Theaterwelt ist ebenso grenzenlos mannigfaltig als die wirkliche nach seinen Ansichten; er schloß nichts davon aus, was irgend in der menschlichen Natur und in der bürgerlichen Gesellschaft stattfand. Wie hätte er sich nun dabei auf einen einzigen, gleichförmigen Stil der Darstellung beschränken können? Die Natur der Sache bewahrte ihn vor einer solchen Abgeschmacktheit, denn sobald er es versuchte, mußten seine Dramen aufhören zu sein, was sie sind; und aus höchst interessanten wären nicht schöne, sondern gleichgültige Gedichte geworden. Jede seiner Personen hatte gleiche Rechte auf die Behauptung ihrer Eigentümlichkeit: nach wessen Weise hätte sie also reden sollen, wenn ihr verboten worden wäre, es nach ihrer eignen zu tun? Wir haben die Wahl, ob wir uns, was nur eine kleine Angewöhnung erfordert, zu dem äußern, ich darf sagen, nur scheinbaren Mißverhältnis des häufigen und schnellen Wech-

sels der Stile bequemen oder die ganze dramatische Gattung ver-
werfen wollen, welche ohne jene Vergünstigung nicht bestehen
kann, sie aber auch mit unendlichen Vorzügen bezahlt. Ich darf
Leser voraussetzen, die sich darüber schon auf eine oder die andre
Art entschieden haben: es würde mich daher nur von meinem
Zwecke abführen, die so oft unternommenen Rechtfertigungen
Shakespeares wegen seiner Verknüpfung komischer und tragi-
scher Teile zum Ganzen einer Handlung von neuem vorzutragen.

‹Gut›, könnte man sagen, ‹wenn er uns denn schlechterdings
in so geringe Gesellschaft führen wollte, so mußte er auch seinen
Ton darnach stimmen. Wir verlangen keine tragische Würde:
aber was verhinderte ihn, eine Gleichförmigkeit der entgegengesetzten Art zu beobachten? Warum legt er den höchsten Charaktern nicht Prosa, zwar edlere, aber doch schlichte Prosa in den
Mund, so gut wie den gemeinsten? Wir wollen auf der Bühne
natürliche, wirkliche Menschen auf das täuschendste nachgeahmt
sehen. Man rühmt von Shakespeares Menschen, daß sie das sind,
und doch wissen wir wohl, niemand spricht in Versen. Ein
wohlklingendes Silbenmaß, eine gewählte poetische Sprache
sind schön: aber darf das Wahre, worauf doch allein die Teilnahme an einem Schauspiele sich gründet, dem Schönen aufgeopfert werden?› Diese Einwendungen, welche dem gesunden
Urteile, wenn es nicht recht in das Wesen der Poesie eingedrungen ist, so nahe liegen, lassen sich nicht wohl ohne weitere Umstände mit einer bloßen Berufung auf das Beispiel der Alten und
mancher vortrefflichen Neuern abfertigen, da in den neuesten
Zeiten einsichtsvolle Kenner sie durch Lehre und Beispiel unterstützt haben.* Das Ansehen der Alten soll nichts mehr gelten
als die Gründe, welche sie selbst bei dem oder jenem Verfahren

---

* Diderot, Lessing (dieser doch nicht unbedingt, wie sein Nathan beweist)
und am ausführlichsten Engel in seiner vortrefflichen Mimik, gegen dessen
Gründe ich mir vorbehalte, meine Einwürfe bei einer andern Gelegenheit
vorzutragen.

für sich hatten, und man könnte ihm hier mit aller Ehrerbietung
ausweichen, wenn man sagte, der Gebrauch des Silbenmaßes sei
bei ihnen mehr eine Sache der Notwendigkeit als der Wahl gewesen, wie schon dadurch wahrscheinlich werde, daß sie es von
allen Gattungen vom Trauerspiele des Äschylus an bis zur neuern
Komödie, ja bis zu den Mimen des Syrus und Laberius herunter,
durchgängig angebracht. Wenn die Stimme des Schauspielers
auf ihren großen Theatern nicht ungehört verhallen sollte, so
mußte sie sich zur musikalischen Rezitation erheben, und diese
setzte einen regelmäßigen Rhythmus voraus. In der Tat loben
auch alte Schriftsteller den Jambus als den fürs Theater passen-
den Vers wegen seiner akustischen Eigenschaft.* Um also die
obigen Zweifel gründlich zu lösen, müssen wir uns an das Wesen
des Dialogs und den Grundsatz der Nachahmung selbst nach
seinem gültigen Sinne und seinen Einschränkungen wenden.

Menschen will man auf dem Theater sehn und hören, wirkliche Menschen, und sie sollen so genau nachgemacht sein, daß
man sie durch keinen einzigen Zug von den andern außerhalb
des Theaters unterscheiden könne. Nichts weiter? Das ließe sich
wohlfeiler haben, sollte man denken. Auf Straßen und Märkten
begegnen einem ja wirkliche Menschen zu ganzen Haufen, man
kann ihnen fast nirgends aus dem Wege gehen: und doch hält
man sie für etwas so Seltenes und Sehenswürdiges, daß man ein
eigenes Gebäude errichtet, ein Gerüst erleuchtet, viele mühsame
Anstalten macht, um etwa ein Dutzend von ihnen vor einer
Versammlung, die aus eben dergleichen besteht, zur Schau zu
stellen! Wahrlich, man möchte auf den Verdacht kommen, es
widerfahre bloß deswegen einigen wirklichen Menschen so unverdiente Auszeichnung, um den übrigen einen hohen Begriff
von ihrer eigenen Wichtigkeit zu geben. – ‹Nein, so ist es nicht
gemeint: man muß merkwürdige oder unterhaltende Eigenschaften haben, wenn man dieser Ehre würdig geachtet werden

---

* Horat. Art. poet. v. 81. – Populares vincentem strepitus.

soll.› – Das wäre denn doch ein Umstand, der die theatralischen Personen stark von den wirklichen, wie sie so gewöhnlich sind, unterscheiden würde. Denn jeder gesteht gern ein, mit der gehörigen Ausnahme für sich selbst, daß er sie, im ganzen genommen, weder sehr merkwürdig noch sehr unterhaltend findet. Aber auch Menschen, die eins oder das andre in hohem Grade sind, stellen sich doch nicht in ihrem ganzen Lebenslaufe so dar: es gibt Augenblicke, ja beträchtliche Zeiten, wo der merkwürdige Mann in seinem Tun ganz alltäglich scheint und der unterhaltende Kopf zur Langweiligkeit herabsinkt. Oft entwickeln sich erst nach einem fortgesetzten Umgange die am meisten charakteristischen Eigenschaften eines Menschen vollständig und entschieden.

Mit den Personen auf der Bühne muß unsre Bekanntschaft in ein paar kurzen Stunden gestiftet werden und ihren höchsten Punkt erreichen. Dazu ist es nun erforderlich, daß sie in mancherlei, und zwar in solche Lagen versetzt werden, die am geschicktesten sind, das Wesen ihres Charakters in ein helles Licht zu stellen. Wir erlauben dem Dichter daher (und müssen es, wenn wir nicht selbst unsre Absichten durch die Bedingungen, denen wir ihre Ausführung unterwerfen, vereiteln wollen), eine Verwickelung, eine Anordnung der Ereignisse zu erfinden, die dergleichen am besten herbeiführt, ob wir schon sehr gut wissen, daß im wirklichen Leben interessante Lagen nie oder fast nie so gedrängt und von gleichgültigen nicht unterbrochen aufeinander folgen. Aber Lagen sind nur das entferntere Mittel, Menschen kennenzulernen: zunächst kommt es dabei auf ihr eignes Benehmen an, auf ihre Gebärden, Reden und Handlungen. Die Gebärden sind die Sache des Schauspielers, nicht des Dichters; schon deswegen nicht, weil ihre schriftliche Bezeichnung bei den gröberen Merkmalen stehen bleiben muß und von dem feineren Seelenvollen nur dem eine Vorstellung zu geben vermag, der sie schon hat. Der Dichter darf höchstens einige Anweisungen für jenen einstreuen: eine Rolle wäre unvollkommen ausgeführt, wenn ein guter Schauspieler aus den Reden und Handlungen nicht hinlänglich einsehen könnte, wie er sie zu spielen hat.* Worte werden häufig den Taten entgegengesetzt, und in einem gewissen Sinne mit Recht: insofern sie nämlich Richtungen der Willenskraft ankündigen, die entweder gar nicht vorhanden sind oder doch ohne weitere Wirkungen bleiben. Aber Worte können auch Taten sein; die größten Dinge wurden nicht selten bloß durch Worte verrichtet. Sowenig in einem Schauspiel müßige Reden geduldet werden dürfen, die selbst nicht Handlung sind und die Handlung weder fördern noch aufhalten: so wird auf der andern Seite großenteils nur redend gehandelt; und das muß so sein, weil wir die sittlichen Verhältnisse der Personen zueinander, worauf uns alles ankommt, allein vermittelst gegenseitiger Mitteilungen ihrer Gedanken, Absichten, Gesinnungen einsehen können. Müssen auch Handlungen vorgestellt werden, die nicht bloß in dergleichen bestehen, so erhalten sie gleichwohl erst durch die vorhergegangnen oder begleitenden Reden ihren dramatischen Wert: denn nur diese können uns Aufschlüsse über die Triebfedern geben, woraus sie entsprungen sind.

Am Ende muß also doch die ganze Darstellung der Charaktere bloß durch den Dialog bewerkstelligt werden: alles, was mittelbar dazu helfen kann, bleibt ohne Anwendung, wenn der Dichter es nicht in Dialog zu verwandeln weiß. Muß ihm also nicht bei Benutzung des einzigen Mittels zu einem so großen und

---

* Die ausführlichen theatralischen Anweisungen kommen heraus wie ein Wechsel, welchen der Dichter auf den Schauspieler stellt, weil er selbst nicht zahlen will oder kann. Diderot brachte sie zuerst auf: er war dabei noch einigermaßen zu entschuldigen, weil er von den Schauspielern ein ganz andres, weit ungezwungneres Spiel forderte als das, woran sie gewöhnt waren. Beaumarchais hat es nachgeahmt, Schiller ist nicht frei davon geblieben, und bei unsern beliebten Dramatikern ging es bis zum Lächerlichen. Ich erinnere mich, in einem pathetischen Schauspiele gelesen zu haben: «Er blitzt ihn mit den Augen an, und geht ab.»

schwierigen Zwecke eine ähnliche Freiheit verstattet werden
wie bei der Anlegung des Plans? Darf er nicht, wenn er nur das
Wesen des Dialogs schont, die zufälligen Beschaffenheiten so
einrichten, wie es ihm am vorteilhaftesten dünkt? Darf er dabei
nicht, nach dem allgemeinen, nie bestrittenen Vorrechte der
Dichtkunst, über die Wirklichkeit hinausgehen, wenn seine Er-
dichtungen nur in den Grenzen der Wahrscheinlichkeit bleiben?
Die Verneinung dieser Fragen möchte aller dramatischen Kunst
ein Ende machen.

Zum Wesen des Dialogs gehört zweierlei: augenblickliche
Entstehung der Reden in den Gemütern der Sprechenden und
Abhängigkeit der Wechselreden voneinander, so daß sie eine
Reihe von Wirkungen und Gegenwirkungen ausmachen. Das
erste ist in dem letzten gewissermaßen mit enthalten: denn soll
meine Antwort ganz so beschaffen sein, wie die Rede des andern
sie in mir veranlassen muß, so kann ich sie nicht bestimmt zuvor
ausgesonnen haben, weil ich höchstens nur mutmaße, was er
sagen wird. Alles übrige ist beim Dialog zufällig: die Zahl der
Personen, die Länge der Reden usw. Sogar ein Monolog kann
in hohem Grade dialogisch sein, und er sollte in einem Schauspiele nie etwas anders scheinen, als was man im gemeinen Leben nennt: ‹sich mit sich selbst besprechen›. Dabei findet nicht
bloß augenblickliche Eingebung statt, sondern auch eine Art
von Wirkung und Gegenwirkung, indem man sich gleichsam in
zwei Personen teilt. Was die Länge betrifft, so haben wir Dramen, deren Verfasser zu glauben scheinen, die Lebhaftigkeit des
Dialogs bestehe darin, daß ihre Personen immer nur drei Worte
hintereinander sagen und sich gegenseitig fast nicht zu Worte
kommen lassen; da doch im wirklichen Leben schwerlich ein be-
deutendes Gespräch in solchen Brocken zum Vorschein kommt
und das letzte unter gesitteten Leuten gar nicht hergebracht ist.

Man kann den Dialog in zwei verschiednen Bedeutungen vollkommen oder unvollkommen nennen: nämlich insbesondere

als Dialog; dann in allgemeiner Hinsicht nach seinem Gehalt und Ausdruck. Mit Unvollkommenheiten der einen und der andern Art ist er im gemeinen Umgange oft reichlich genug ausgesteuert, um Verdruß und Langeweile zu erregen. Billig entfernt daher der Dichter alle solche, die nicht aus den Charaktern und Lagen der Personen entspringen. Zufällig begegnet es wohl jedem Menschen, daß er nur mit halbem Ohre hört und mit halber Besinnung antwortet; daß er sich wiederholen lassen muß, was der andere gesagt, weil er es nicht begriffen; daß er immer auf dasselbe zurückkommt, ohne auf die Gründe des andern zu achten; aber nur an dem Zerstreuten, dem langsamen Kopfe, dem Hartnäckigen ist es charakteristisch. Sobald dialogische Unvollkommenheiten dieses sind, kann man sie nicht von der dramatischen Darstellung ausschließen; sie dürfen sogar Hauptgegenstand derselben werden.* Eben dies gilt von den Mängeln der Reden für sich, außer dem Zusammenhange des Gesprächs betrachtet. Dagegen darf der Dichter den Reden alle Vorzüge verleihen, welche den Charaktern und Lagen der Personen nicht widersprechen, und er wird dadurch unsere Lust unfehlbar erhöhen. Finden wir wohl jemals im wirklichen Leben, wenn sich nicht Eigenliebe ins Spiel mischt, daß jemand zu treffend, zu lebhaft, zu witzig, zu anschaulich, zu seelenvoll spricht? Nur müssen wir ja keine Spuren von Vorbereitung entdecken, die augenblickliche Eingebung muß immer die Muse des Gesprächs bleiben. Sonst sagen wir, er rede wie ein Buch, und die vortrefflichsten Dinge, die er vorbringt, können uns keine gesellschaftliche Unterhaltung mehr gewähren. Einen solchen Dialog verwerfen wir, nicht als ob er allzu vollkommen wäre, sondern weil es gar kein Dialog ist.

Die Anwendung dieser letzten Bemerkung auf die dramatische Kunst macht sich von selbst. Nun fragt sich's nur: kann Poesie

* So hat man ein artiges Nachspiel, Le Babillard. Aber von französischen Schauspielern muß man es aufführen sehen: hier sind sie in ihrem Fache!

des Stils die Vollkommenheit des Dialogs in seiner besondern Eigenschaft vermehren, oder hebt sie vielmehr sein Wesen unvermeidlich auf? Es ist ein grobes, aber gewöhnliches Mißverständnis, das Geschmückte und Rednerische mit dem wahrhaft Poetischen für einerlei zu halten: leider wird es durch so viele angebliche Gedichte bestätigt, wo man statt dichterischer Kunst mit rhetorischen Künsten abgefunden wird. Nur die anschaulichste Bezeichnung der Vorstellungen, der innigste Ausdruck der Empfindungen heißt mit Recht poetisch, und dies ist unsrer Natur so wenig fremd, daß man es vielmehr in den unvorbereiteten Reden von Menschen ohne Bildung und Unterricht, wenn ihre Einbildungskraft erhitzt oder ihr Herz bewegt ist, oft am auffallendsten wahrnimmt. Echte Poesie des Stils ist daher nichts anderes als die unmittelbarste, natürlichste Sprache, die wir nämlich reden würden, wenn unsre Natur sich immer, von zufälligen Einschränkungen befreit, in ihrer ganzen Kraft und Fülle offenbarte; sie ist mehr die Sprache der Seelen als der Zungen. Hieraus folgt, daß der Gebrauch einer solchen Sprache den Dialog, insofern er eine Reihe von Wechselwirkungen ist, allerdings vollkommener machen kann. Je geschickter das Werkzeug der Mitteilung ist, Gedanken und Gefühle nicht bloß so ungefähr nach ihrem Stoff und ihrer allgemeinen Beschaffenheit anzudeuten, sondern ihre besonderste, eigentümlichste Gestalt darzustellen, desto vollständiger versteht man sich gegenseitig, und desto genauer wird jede Rede der, wodurch sie veranlaßt worden, entsprechen. Eher könnte es Zweifeln unterworfen sein, ob sich der poetische Ausdruck mit dem zweiten wesentlichen Kennzeichen des Dialogs, der augenblicklichen Entstehung, verträgt. Ich bemerke hier zuerst, daß alle Poesie mehr oder weniger nach den Gattungen Ansprüche darauf macht, für eine zwar ungewöhnliche, aber doch schnelle, ungeteilte, ununterbrochene Eingebung, nicht für eine allmähliche Hervorbringung gehalten zu werden; daß die letzte und nicht die leichteste Kunst des

Dichters darin besteht, alle Kunst zu verbergen und über das tiefste Studium, die sorgsamste Wahl den Anstand ungezwungener Leichtigkeit zu verbreiten, als hätte er alles nur so eben hingegossen. Zweitens: wie aus dem Wesen jeder Dichtungsart besondre Gesetze des Stils herfließen, so hat auch das Drama die seinigen. Vieles muß darin vermieden werden, was schön und vortrefflich wäre, wenn der Dichter es in seinem eigenen Namen sagte. Dramatische Schicklichkeit ist hier die erste Rücksicht, welcher alle andern nachstehen müssen.

Aber nicht genug, daß die poetische Behandlung der Wahrheit des Dialogs nicht notwendig Eintrag tut, ich möchte behaupten, er könne durch sie noch dialogischer gemacht werden. Daß den Redenden das, was sie sagen, in demselben Augenblicke einfällt, erkennen wir an gewissen Merkmalen, die in der Wirklichkeit nicht immer in gleichem Maße vorhanden sind, zufällig fehlen oder absichtlich nachgeahmt werden können. Gibt es nicht Menschen, welche das, was sich in der Tat soeben in ihnen entwickelt, so feierlich und abgemessen vortragen, als hätten sie es zuvor auswendig gelernt, während andre durch Impromptüs überraschen, worauf sie drei Tage lang gesonnen haben? Für das Vergnügen der Unterhaltung entscheidet hiebei der Schein mehr als die Wahrheit; im Drama versteht es sich ohnehin schon, daß das Ansehen des Unvorbereiteten in den Reden bloßer Schein ist. Es beruht aber, außer dem Ton und den Gebärden, die immer sehr viel tun müssen, auf allerlei kleinen, in der Büchersprache nicht erlaubten Freiheiten und Nachlässigkeiten; auf Verschweigungen und zuweilen sogar auf einem scheinbaren Mangel an Zusammenhang; auf der Stellung, welche so beschaffen sein muß, wie die Vorstellungen am natürlichsten nach- und durcheinander rege werden, nicht wie man sie nachgehends am vorteilhaftesten anordnen könnte; auf einfachen und geraden Wortfügungen. Künstlich verflochtene Perioden (die überhaupt mehr der Beredsamkeit als der Poesie angehören) verraten immer eine Art von Vorbereitung: man kann sie nicht wohl anfangen, ohne zu wissen, wie man sie zum Ende führen will, und dazu muß man schon die ganze Reihe von Sätzen, woraus sie bestehen, im Zusammenhange überschaut haben. Allen diesen Merkmalen muß der Schauspieldichter Sorge tragen, auch im prosaischen Dialog anzubringen. Behandelt er ihn aber poetisch, so wird er durch die unumschränktere Gewalt über die Sprache, wodurch die Poesie alles, was im Menschen vorgeht, anschaulicher zu machen geschickt ist, in den Stand gesetzt, die Zeichen der unmittelbaren Entstehung noch entschiedner hervorzuheben. Schon wegen der sonstigen Schönheit und Stärke des Ausdrucks müssen sie die Aufmerksamkeit mehr an sich ziehn, weil man nicht gewohnt ist, sie in solcher Gesellschaft anzutreffen; so wie hinwieder jene Vorzüge dadurch, daß sie freiwillige Gaben des Augenblicks scheinen, einen ganz eigenen Zauber gewinnen. Das Silbenmaß selbst, wenn es nicht an eine steife Regelmäßigkeit gebunden ist, kann durch einen geschickten Gebrauch die Täuschung vermehren helfen: kleine Unebenheiten darin, unerwartete Pausen, dann wieder fortströmende Fülle oder ein sanfter und stetiger Fluß können den Anstoß, den Stillstand der Gedanken, die rasche Bewegung des Gemüts oder das Gleichgewicht seiner Kräfte einigermaßen sinnlich bezeichnen.

‹Das Silbenmaß! Also doch durchaus in Versen?› Freilich, weil Poesie des Stils aus Ursachen, welche zu ergründen hier nicht der Ort ist, ohne geordnete Verhältnisse der Bewegung gar nicht bestehen kann. Der wiederkehrende Rhythmus ist der Pulsschlag ihres Lebens. Nur dadurch, daß die Sprache sich diese sinnlichen Fesseln anlegen läßt und sie gefällig zu tragen weiß, erkauft sie die edelsten Vorrechte, die innere höhere Freiheit von allerlei irdischen Obliegenheiten. Soll das Silbenmaß im Drama nicht stattfinden, so muß es ja bei der schlichtesten Prosa sein Bewenden haben; denn sonst wird unvermeidlich eine sogenannte poetische Prosa entstehen, und poetische Prosa ist nicht nur überhaupt sehr unpoetisch, sondern vollends im höchsten Grade undialogisch. Sie hat die natürliche Leichtigkeit der Prosa verloren, ohne die künstliche der Poesie wieder zu gewinnen, und wird durch ihren Schmuck nur belastet, nicht wirklich verschönert. Ohne Flügel, um sich kühn in die Lüfte zu heben, und zu anmaßend für den gewöhnlichen Gang der Menschenkinder, fährt sie, unbeholfen und schwerfällig wie der Vogel Strauß, zwischen Fliegen und Laufen über den Erdboden hin.

‹Indessen bleibt das Silbenmaß im Munde dramatischer Personen immer Erdichtung: und ist es nicht die unwahrscheinlichste, die sich denken läßt? Wie soll man glauben, daß Brutus und Cassius, als sie Cäsar ermordeten, in ihren Reden auf den Wechsel der langen und kurzen Silben geachtet haben?› Man muß gestehn, es ist um nichts glaublicher, als daß Cäsar, von dem wir wissen, daß er vor achtzehn Jahrhunderten auf dem Kapitol umgebracht worden, vor unsern Augen zu Paris oder London unter den Dolchen der Verschwornen fällt. Die angeführten Beispiele sind nicht gleichartig, wird man einwenden: hier braucht sich der Zuschauer nur in Gedanken von seinem Ort, seiner Zeit wegzuversetzen, dort wird ihm zugemutet, etwas für wahr zu halten, das von dem ewigen Lauf der Dinge abweicht und schlechthin unmöglich ist. Wie die Frage oben gestellt war, würde es sich freilich so verhalten; allein warum sollte man nicht, ebensogut als man jene Römer englisch oder deutsch sprechen läßt, ihre Reden in eine Sprache übersetzen dürfen, worin sich alles, was man sagt, notwendigerweise und wie von selbst in Verse ordnet? Und solch eine allen menschlichen Zungen gemeinschaftliche Mundart ist ja doch in gewissem Betracht die Poesie. Bei der theatralischen Täuschung kommt es gar nicht auf jene Wahrscheinlichkeit an, die man unter mehreren möglichen Erfolgen demjenigen zuschreibt, welcher die meisten Gründe für sich hat, und die sich in vielen

Fällen sogar arithmetisch bestimmen läßt, sondern auf den sinnlichen Schein der Wahrheit. Was in jener Bedeutung unwahr-
scheinlich, völlig falsch, ja fast unmöglich ist, kann dennoch
wahr zu sein scheinen, wenn nur der Grund der Unmöglichkeit
außer dem Kreise unsrer Erkenntnis liegt oder uns geschickt ver-
schleiert wird. Mit dem Verstande untersucht, muß das Silbenmaß freilich für das, was es ist, nämlich für eine Erdichtung, erkannt werden: aber der zergliedernde Verstand und die Täuschung vertragen sich überhaupt nicht zum besten miteinander;
genug, wenn der Eindruck des Silbenmaßes auf das Gehör bei
einem lebendigen Vortrage sie nicht zerstört. Der Versbau mag
den Dichter noch so viele Mühe gekostet haben, wofern sie gelungen ist, so wird sie im geringsten nicht mehr hörbar sein,
sondern nur durch Schlüsse vermutet werden können. Die Verse
sind bei ihrer Ausarbeitung nach einer Regel abgemessen worden, aber es wäre höchst fehlerhaft, durch die Art, sie herzu-
sagen, die Aufmerksamkeit hauptsächlich auf diese zu lenken.
Sie kann fühlbar bleiben, ohne daß man sich ihrer abgesondert
bewußt wird. Sie soll dem Wohlklange nur zur Unterlage dienen und, indem sie die endlose Mannigfaltigkeit der Töne bis
zum schönen Wechsel begrenzt, dem Ohr ihre harmonischen
Verhältnisse faßlich machen. Wie sollte der Zuhörer, ist nur der
Inhalt so beschaffen, daß er seinen Geist lebhaft beschäftigt, nicht
vergessen, den prosodischen Maßstab anzulegen, da ihn der
Dichtende selbst im Feuer der Empfindung zugleich beobachten
und vergessen kann? Daß dies möglich sei, wird unwidersprechlich durch das Improvisieren dargetan; ich meine hier nicht die
spätere Kunst der Improvisatoren vom Handwerk, die man eine
poetische Seiltänzerei nennen könnte, sondern das natürliche,
zum Teil dialogische Dichten aus dem Stegreif, das bei mehreren
Völkern eine gewöhnliche gesellschaftliche Ergötzung war oder
noch ist. Sehr merkwürdig ist es und kann gewissermaßen für
einen historischen Beweis gelten, daß der dramatische Ge-

brauch des Silbenmaßes unsrer Natur nicht so gar fremde sei, daß schon in der frühesten Kindheit der theatralischen Kunst die Reden, welche man noch nicht aufschrieb und auswendig lernte, sondern aus dem Stegreif erfand, doch schon in Versen, so gut oder so schlecht man sie zu machen verstand, hingeschüttet wurden.

Alles Obige findet, wie sich versteht, nur bei einer schicklichen Wahl des Silbenmaßes statt: es muß weder die feierliche Fülle des epischen noch die melodischen Schwünge des lyrischen haben; es muß den gewöhnlichen Schritt der Rede beflügeln, ohne sich zu auffallend von ihm zu entfernen. Diese Eigenschaften hat der Jambe, der eigentliche dialogische Vers, wofür ihn schon die Alten rühmen.* Aristoteles bemerkt, daß man im Gespräch sehr häufig Jamben einmische, aber selten Hexameter. Der Trimeter der Alten ist zwar noch merklich von dem englischen blank verse und unsern fünffüßigen Jamben unterschieden; aber für die beiden Sprachen leisten diese ungefähr eben das, was jener für die griechische und römische. Um über die dramatische Untauglichkeit des Reimes, den das allgemeine Urteil in England schon vor geraumer Zeit, später bei uns von der Bühne verbannt hat, gründlich zu entscheiden, müßte man wohl noch tiefer in sein Wesen eindringen, als bisher geschehen ist. Das ist offenbar, daß es sehr fehlerhaft ist, wenn er der Symmetrie einer eintönigen Versart symmetrisch angehängt wird wie in den französischen Trauerspielen. Überhaupt geben diese ziemlich vollständige Muster ab, wie man sowohl das Silbenmaß als die Poesie des Stils im Drama nicht gebrauchen soll; wenn wir sie anders im Gebiet der Dichtkunst anerkennen und nicht lieber gerades Weges in die Schulen der Rhetoren als ihre Heimat verweisen wollen.

---

* Hunc socci cepere pedem, grandesque cothurni,
  Alternis aptum sermonibus, et populares
  Vincentem strepitus, et natum rebus agendis.

Wieviel anders Shakespeare! Die Darstellung in seinen prosaischen Szenen ist meisterhaft: die kecksten Züge einer komischen Alltagswelt scheint er mit ebenso unbekümmertem Mutwillen hinzuzeichnen, als er sie aufgefaßt haben mochte. Aber dennoch erreicht er erst vermittels der dichterischen Behandlung den Gipfel seiner dramatischen Vortrefflichkeit. Hier ist sein Stil einfältig, kräftig, groß und edel. Wer wird sich nicht gern zu einigen Härten bequemen, wo ihn so viel einschmeichelnde Zartheit dafür entschädigt? Shakespeare hat alles Hohe und Tiefe in seinem Dasein verknüpft; seine fremdartigsten Eigenschaften bestehen friedlich neben einander: in seiner kühnsten Erhabenheit ist er noch schlicht und bescheiden, in seiner Seltsamkeit natürlich. So zieht sich selbst die höchste tragische Würde niemals wie eine Glorie um seine Menschen her; nein, es wird uns immer eine gleich vertraute Nähe gestattet. In den vergleichungsweise wenigen Stellen, wo seine Poesie aus dem wahren Dialog heraustritt, machten ihm eine zu gewaltige Einbildungskraft, ein zu üppiger Witz die völlige dramatische Entäußerung seiner selbst unmöglich. Er gibt alsdann mehr, als er sollte, aber oft ist es von der Art, daß man es sich nicht ohne Bedauern würde nehmen lassen.

Die Vorzüge seines Versbaues zu fühlen und zu würdigen, steht fremden Lesern weniger zu als den Landsleuten des Dichters. Auch haben ihm englische Beurteiler in diesem Stück volle Gerechtigkeit widerfahren lassen. Seine reimlosen Jamben sind überaus mannigfaltig, bald mehr, bald weniger regelmäßig, hier und da sogar regellos (wovon doch manches auf die veränderte Aussprache, manches auch darauf zu schieben ist, daß Shakespeare gar nicht für genaue Abschriften seiner Stücke sorgte); immer aber ausdrucksvoll und gedrängt, oft von großer Schönheit und Lieblichkeit. Er ist darin das älteste, aber in seiner Gattung (denn Miltons Versbau mit seinen atemlosen Perioden würde für das Schauspiel höchst unpassend sein) immer noch

unübertroffene Vorbild der Engländer. Von seinen gereimten
Versen läßt sich nicht dasselbe sagen. Sei es nun, daß die englische Dichtkunst sich von dieser Seite später ausgebildet oder
daß gewisse Reize der Sprache, wie manche Arten der Malerei,
den Verwüstungen der Zeit mehr ausgesetzt sind als andre:
genug, Shakespeares Reime sind mehr veraltet, dunkel und
fremd geworden als seine reimlosen Verse. In diesen hat nach
ihm nur Milton eigentlich Epoche gemacht; die Kunst, harmonisch zu reimen hingegen, worin die Dichter im Zeitalter der
Königin Elisabeth nicht ganz unglücklich gewesen waren, ging
im nächstfolgenden völlig verloren, wurde dann in der letzten
Hälfte des siebzehnten Jahrhunderts wieder erworben, vielfach
bearbeitet, von Dryden und endlich von Pope zur höchsten
möglichen Vollendung gebracht, aber auch für immer an eine
wohlklingende Einförmigkeit gefesselt. Man muß also, um billig zu sein, in diesem Teil der Verskunst nicht von Shakespeare
fordern, was die englische Sprache erst hundert Jahre nachher
liefern konnte, sondern ihn etwa mit seinem Zeitgenossen Spenser vergleichen, was gewiß sehr zu seinem Vorteile ausschlägt.
Denn Spenser ist oft gedehnt, Shakespeare, wenn schon gezwungen, doch immer kurz und bündig. Der Reim hat ihn weit
häufiger dazu gebracht, etwas Nötiges auszulassen, als etwas
Unbedeutendes einzuschalten. Doch sind viele seiner gereimten
Zeilen noch jetzt untadelig; sinnreich mit anmutiger Leichtigkeit und blühend ohne falschen Schimmer. Die eingestreuten
Lieder (des Dichters eigne nämlich) sind meistens süße kleine
Spiele und ganz Gesang; man hört in Gedanken eine Melodie
dazu, während man sie bloß lieset.

Eine poetische Übersetzung, welche keinen von den charakteristischen Unterschieden der Form auslöschte und seine
Schönheiten, so viel möglich, bewahrte, ohne die Anmaßung,
ihm jemals andre zu leihen; welche auch die mißfallenden Eigenheiten seines Stils, was oft nicht weniger Mühe machen dürfte,

mitübertrüge, würde zwar gewiß ein Unternehmen von großen, aber in unsrer Sprache nicht unübersteiglichen Schwierigkeiten sein. Haben doch die Engländer schon eine gelungne
poetische Nachbildung von einem dramatischen Meisterwerke:
sollte dies um die Verdienste der Ausländer sonst so unbeküm-
merte Volk wärmere Freunde unsrer großen Dichter aufzuweisen haben als wir der seinigen? Denn herzliche Liebe zur Sache
ist freilich ein so wesentliches Erfordernis bei einer solchen Arbeit, daß ohne sie alle übrigen Geschicklichkeiten nichts helfen
können. Auch möchten die sechsunddreißig Stücke Shakespeares eine zu lange Bahn für einen einzigen sein, um sie auf
diese Art zu durchlaufen: vorderhand wäre es genug, wenn mit
einzelnen Stücken der Versuch gemacht würde.

Ich wage zu behaupten, daß eine solche Übersetzung in gewissem Sinne noch treuer als die treueste prosaische sein könnte.
Denn nicht gerechnet, daß diese eine entschiedne Unähnlichkeit
mit dem Original hat, welche sich über das Ganze verbreitet, so
stellt sich dabei sehr oft die Verlegenheit ein, entweder den Ausdruck schwächen oder sich in Prosa erlauben zu müssen, was
nur der Poesie und auch ihr kaum ansteht. Ferner würde es erlaubt sein, sich dem Dichter in seiner Gedrungenheit, seinen
Auslassungen, seinen kühnen und nachdrücklichen Wendungen
und Stellungen weit näher anzuschmiegen. Hart möchte die
Treue des Übersetzers zuweilen sein, und er müßte sich den
freiesten Gebrauch unsrer Sprache in ihrem ganzen Umfange
(eine alte Gerechtsame der Dichter, was auch Grammatiker einwenden mögen) nicht vorwerfen lassen; aber nie dürfte sie
schwerfällig werden. Er überhüpfe lieber eine widerspenstige
Kleinigkeit, als daß er in Umschreibungen verfallen sollte. In
der Kürze wetteifre er mit seinem Meister, obgleich die englische Sprache wegen ihrer Einsilbigkeit, welche sonst der Schönheit des Versbaues nicht sehr günstig ist, hierin vieles voraus hat,
und ruhe nicht eher, als bis er sich überzeugt, er habe darin alles

im Deutschen Tunliche geleistet. Nicht immer wird er Vers um Vers geben können, aber doch meistenteils, und den Raum, den er an einer Stelle einbüßt, muß er an einer andern wieder zu gewinnen suchen. Dies ist sehr wichtig, denn geht er in einem Verse über das Maß hinaus, so muß er es auch in den folgenden, bis er sich wieder in gleichen Schritt gesetzt hat. Dadurch werden dann Sätze, welche im Englischen eine Zeile mit schöner Rundung umschließt, in zwei auseinander gerissen, und die bedeutenden Schlüsse der Verse, worauf bei ihrem harmonischen Falle so viel beruht, verändert. Es beweist die große Übereinstimmung der beiden Sprachen, daß manche Zeilen Shakespeares, wenn man sie wörtlich und mit beibehaltner Ordnung überträgt, sich wie von selbst in dasselbe Maß fügen; hingegen stehe ich dem Übersetzer nicht dafür, daß bei manchen andern auch die vielfältigsten Versuche nur ein halbes Gelingen zuwege bringen möchten. Er hüte sich vor einer zu steifen Regelmäßigkeit in seinen reimlosen Jamben: aber zu schön können sie schwerlich sein. Es ist in unsrer Sprache nicht so leicht, als man sich gewöhnlich einbildet, diesem Silbenmaße alle Vollkommenheit, deren es empfänglich ist, zu geben, wie schon daraus erhellet, daß wir so wenig Vortreffliches darin besitzen. In den gereimten Versen wird man sich mit einer weniger wörtlichen Treue begnügen müssen: ihr eigentümliches Kolorit ist die Hauptsache, und dieses kann nur durch Beibehaltung des Reimes übertragen werden. Vielleicht wird es hier oft unvermeidlich sein, wenn man nicht zuviel weglassen oder gar ein paar Verse in zwei ausdehnen will, statt des fünffüßigen den sechsfüßigen Jamben zu gebrauchen, wodurch Sentenzen und Schilderungen weniger verlieren als die eigentlich dialogischen Stellen.

Übrigens wäre alles sorgfältig zu entfernen, was daran erinnern könnte, daß man eine Kopie vor sich hat. Die Wortspiele, welche sich nicht übertragen oder durch ähnliche ersetzen lassen, müßten zwar wegbleiben, aber so, daß keine Lücke sichtbar würde. Ebenso hätte es der Übersetzer mit durchaus fremden und ohne Kommentar unverständlichen Anspielungen zu halten. Von bloß zufälligen Dunkelheiten dürfte er den Text befreien; aber wo der Ausdruck seinem Wesen nach verworren ist, da könnte auch dem deutschen Leser die Mühe des Nachsinnens nicht erspart werden. Schon Wieland hat treffend dargetan, warum man Shakespeare nirgends und in keinem Stücke muß verschönern wollen. Ein ganz leichter Anstrich des Alten in Wörtern und Redensarten würde keinen Schaden tun. Nicht alles Alte ist veraltet, und Luthers Kernsprache ist noch jetzt deutscher als manche neumodige Zierlichkeit. Obgleich Shakespeares Sprache in dem Zeitalter, worin er schrieb, neu und gebräuchlich war, so trägt sie doch das Gepräge der damaligen noch einfältigeren Sitten, und in der Sprache unsrer biedern Vorältern drücken sich dergleichen ebenfalls aus. Solche Wörter und Redensarten, welche unsre heutige Verfeinerung bloß zu ihrem Behufe ersonnen, wären wenigstens sorgfältig zu vermeiden. Die dramatische Wahrheit müßte überall das erste Augenmerk sein: im Notfall wäre es besser, ihr etwas von dem poetischen Wert aufzuopfern, als umgekehrt.

Diese Forderungen ließen sich leicht noch mit vielen andern vermehren; allein ich möchte einem Verehrer Shakespeares, der, wie ich weiß, es mit einigen Stücken versucht hat, keinen sehr willkommenen Dienst tun, indem ich durch den aufgestellten Begriff einer Vollendung, die vielleicht gar nicht erreicht werden kann, seine Arbeit schon im voraus unter ihren wahren Wert herabsetze. Er liebt indessen den göttlichen Dichter so sehr, daß er sich freuen wird, wenn mein Eifer ihm Nebenbuhler bei dieser Unternehmung erweckt, die durch ein glücklicheres Gelingen seine Bemühungen verdunkeln.

Man hat viel Gewicht auf den Umstand gelegt, daß Shakespeare die diesem Schauspiel zugrunde liegende Geschichte sogar in kleinen Besonderheiten ohne alle eigne Erfindung grade so genommen, wie er sie vorfand. Auch mir scheint dieser Umstand merkwürdig, aber in einer andern Hinsicht. Der Dichter, der, ohne auf den Stoff auch nur entfernt Ansprüche zu machen, die ganze Macht seines Genius auf die Gestaltung wandte, setzte ohne Zweifel das Wesen seines Geschäftes einzig in diese, sonst hätte er fürchten müssen, man werde ihm zugleich mit dem Eigentum des Stoffes alles Verdienst absprechen. Er hatte also feinere, geistigere Begriffe von der dramatischen Kunst, als man gewöhnlich ihm zuzuschreiben geneigt ist. Aber auch von der Bildung der Zuschauer, für die Shakespeare eine so allgemein bekannte und populäre Erzählung (denn dies war sie damals) dramatisch bearbeitete, erweckt es eine günstige Vorstellung, daß sie nicht durch materielle Neuheit gereizt zu werden verlangten und daß es ihnen mehr auf das Wie als das Was ankam. Vielleicht ließe es sich aus mancherlei Andeutungen wahrscheinlich genug zeigen, daß die Engländer in jenem Zeitalter, trotz ihrer Unwissenheit und einer gewissen Rauheit der Sitten, mehr dichterischen Sinn und einen freieren Schwung der Einbildungskraft gehabt haben als je nachher.

In vielen andern Schauspielen ist Shakespeare, was den Gang der Begebenheiten betrifft, irgendeiner alten Chronik oder einer schlechten Übersetzung des Plutarch oder einer Novelle mit ebenso gewissenhafter Treue gefolgt als im Romeo. Wo er bloß Winke benutzt oder unabhängig ersonnen zu haben scheint, ist man vielleicht den rechten Quellen noch nicht auf der Spur, oder sie können auch verloren gegangen sein. Über diesen Punkt haben hauptsächlich die neuesten Herausgeber, Steevens und Malone, so viele vorher vernachlässigte Entdeckungen gemacht, daß sie noch manche erwarten lassen, wenn mit ihrem forschenden Fleiße fortgefahren wird. Die Geschichte Romeos und Juliens war aus des Luigi da Porto ursprünglicher Erzählung von Bandello, Boaistuau und Belleforest in ihre Novellensammlungen aufgenommen worden. Auch hatte man vor Shakespeares Zeit verschiedene Übertragungen ins Englische. Die, welche er, wie nunmehr ausgemacht ist, wo nicht ausschließend, vorzüglich vor Augen gehabt, heißt: ‹The tragicall Hystory of Romeus and Juliet: Contayning in it a rare Example of true Constancie, etc.› und ist in Versen abgefaßt. Ihrer Seltenheit wegen hat Malone sie hinter dem Romeo von neuem abdrucken lassen, so daß nun jeder die Vergleichung anstellen kann. Shakespeare hat sie eben nicht zu fürchten. Gibt es doch nichts Gedehnteres, Langweiligeres als diese gereimte Historie, welche

> Sein Geist, so wie der reiche Stein der Weisen,
> In Schönheit umschuf und in Würdigkeit.

Nur die Freude, diese wundervolle Umwandlung deutlicher einzusehen, kann die Mühseligkeit vergüten, mehr als dreitausend sechs- und siebenfüßige Jamben durchzulesen, die in Ansehung alles dessen, was uns in dem Schauspiele ergötzt, rührt und hinreißt, ein leeres Blatt sind. Mit der trockensten Kürze vorgetragen, werden die unglücklichen Schicksale der beiden Liebenden das Herz und die Phantasie immer noch treffen; aber hier wird unter den breiten, schwerfälligen Anmaßungen einer anschaulich schildernden und rednerischen Erzählung die Teilnahme gänzlich erstickt. Wieviel war nicht wegzuräumen, ehe dieser gestaltlosen Masse Leben und Seele eingehaucht werden konnte! In manchen Stücken verhält sich das Gegebene und das,

was Shakespeare daraus gemacht, wie ungefähre Beschreibung
einer Sache zu der Sache selbst. So ist aus folgender Angabe:

> A courtier, that eche where was highly had in price,
> For he was courteous of his speeche and pleasant of devise,
> Even as a lyon would emong the lambes be bolde,
> Such was emong the bashfull maydes Mercutio to beholde;

und dem Zusatze, daß besagter Mercutio von Kindesbeinen an
beständig kalte Hände gehabt, eine glänzende, mit Witz ver-
schwenderisch ausgestattete Rolle geworden. Man muß strenge
auf dem Begriffe der Schöpfung aus nichts bestehn, um dies
nicht für eine wahre Schöpfung gelten zu lassen. Einer Menge
feinerer Abweichungen nicht zu gedenken, finden wir auch
einige bedeutende Vorfälle von der Erfindung des Dichters, zum
Beispiel das Zusammentreffen und den Zweikampf der beiden
Nebenbuhler Paris und Romeo an Juliens Grabe. Gesetzt aber
auch, alle Umstände, bis auf die Klötze, die Capulets Bedienter zur
Bereitung des Hochzeitsmahles herbeischleppt, wären ihm fertig
geliefert und ihre Beibehaltung vorgeschrieben worden, so würde
es desto bewundernswürdiger sein, daß er mit gebundenen Händen Buchstaben in Geist, eine handwerksmäßige Pfuscherei in ein
dichterisches Meisterwerk umzuzaubern gewußt.

Shakespeares gewöhnliche Anhänglichkeit an etwas Vorhan-
denes läßt sich nicht ganz aus der vielleicht von ihm gehegten
Meinung erklären, als ob dies Pflicht sei, noch weniger aus
einem bloßen Bedürfnisse; denn zuweilen hat er dreist genug
durcheinander geworfen, was ihm in der ursprünglichen Beschaffenheit untauglich schien, und seine Erfindsamkeit, besonders in komischen Situationen, glänzend bewährt. Welche Fülle
und Leichtigkeit er gehabt, weiß man: konnte ihm sein Überfluß nicht das Wählen und Anordnen erschweren, wenn er das
unermeßliche Gebiet der Dichtung bloß nach Willkür durch-
schweifte? Bedurfte er vielleicht einer äußern Umgrenzung, um

sich der Freiheit seines Genius wohltätig bewußt zu werden?
In der entlehnten Fabel baut er immer noch einen höheren,
geistigern Entwurf, worin sich seine Eigentümlichkeit offenbart. Sollte nicht eben die Fremdheit des rohen Stoffes zu
manchen Schönheiten Anlaß gegeben haben, indem die nur
durch gröbere Bande zusammenhängenden Teile durch die Behandlung erst innere Einheit gewannen? Und diese Einheit,
wo sie sich mit scheinbaren Widersprüchen beisammen findet,
bringt eben jenen wundervollen Geist hervor, dem wir immer
neue Geheimnisse ablocken und nicht müde werden, ihn zu
ergründen.

Mit der letzten Bemerkung ziele ich mehr auf einige andre
Stücke als auf den Romeo. Dieser ist voll tiefer Bedeutung, aber
doch einfach; es sind keine Rätsel darin zu entziffern. Daß Shakespeare sowohl durch die bestimmte und leicht übersehbare Begrenzung der Handlung als durch eine nicht nur die Teilnahme,
sondern auch die Neugier spannende Verflechtung den bloß
technischen Forderungen an den Mechanismus des Dramas hier
mehr Genüge geleistet hat, als er meistens pflegt, ist ein fremdes
und zufälliges Verdienst: denn es lag in der Novelle, und doch
war es gewiß nicht diese Beschaffenheit, was sie ihm zur dramatischen Bearbeitung empfahl. Das Zusammendrängen der Zeit,
worin die Begebenheiten vorgehn, gehört schon weniger zu den
Äußerlichkeiten: sie folgt dem reißenden Strome der Leidenschaften. Das Schauspiel endigt mit dem Morgen des sechsten
Tages, da sich in der Erzählung alles in langen Zwischenräumen
hinschleppt. Doch sollten wir Shakespearen wohl so genau nicht
nachrechnen, der diese Dinge mit einer heroischen Nachlässigkeit treibt und unter andern die Gräfin Capulet, die im ersten
Aufzuge eine junge Frau von noch nicht dreißig Jahren ist, im
letzten plötzlich von ihrem hohen Alter reden läßt.

Die Feindschaft der beiden Familien ist der Angel, um welchen sich alles dreht: sehr richtig hebt also die Exposition mit

ihr an. Der Zuschauer muß ihre Ausbrüche selbst gesehen haben,
um zu wissen, welch unübersteigliches Hindernis sie für die Vereinigung der Liebenden ist. Die Erbitterung der Herren hat an
den Bedienten etwas plumpe, aber kräftige Repräsentanten: es
zeigt, wie weit sie geht, daß selbst diese albernen Gesellen einander nicht begegnen können, ohne sogleich in Händel zu geraten. Romeos Liebe zu Rosalinden macht die andre Hälfte der
Exposition aus. Sie ist vielen ein Anstoß gewesen, auch Garrick
hat sie in seiner Umarbeitung weggeschafft. Ich möchte sie mir
nicht nehmen lassen: sie ist gleichsam die Ouvertüre zu der musikalischen Folge von Momenten, die sich alle aus dem ersten
entwickeln, wo Romeo Julien erblickt. Das Stück würde, nicht
in pragmatischer Hinsicht, aber lyrisch genommen (und sein
ganzer Zauber beruht ja auf der zärtlichen Begeisterung, die es
atmet), unvollständig sein, wenn es die Entstehung seiner Leidenschaft für sie nicht in sich begriffe. Sollten wir ihn aber anfangs in einer gleichgültigen Stimmung sehn? Wie wird seine
erste Erscheinung dadurch gehoben, daß er, schon von den Umgebungen der kalten Wirklichkeit gesondert, auf dem geweihe-
ten Boden der Phantasie wandelt! Die zärtliche Bekümmernis
seiner Eltern, sein unruhiges Schmachten, seine verschlossene
Schwermut, sein schwärmerischer Hang zur Einsamkeit, alles
an ihm verkündigt den Günstling und das Opfer der Liebe.
Seine Jugend ist wie ein Gewittertag im Frühlinge, wo schwüler
Duft die schönsten, üppigsten Blüten umlagert. Wird sein schnel-
ler Wankelmut die Teilnahme von ihm abwenden? Oder schließen wir vielmehr von der augenblicklichen Besiegung des ersten
Hanges, der schon so mächtig schien, auf die Allgewalt des neuen
Eindrucks? Romeo gehört wenigstens nicht zu den Flatterhaf-
ten, deren Leidenschaft sich nur an Hoffnungen erhitzt und doch
in der Befriedigung erkaltet. Ohne Aussicht auf Erwiderung
hingegeben, flieht er die Gelegenheit, sein Herz auf andre Gegenstände zu lenken, die ihm Benvolio zu suchen anrät; und

ohne ein Verhängnis, das ihn mit widerstrebenden Ahndungen auf den Ball in Capulets Hause führt, hätte er noch lange um Rosalinden seufzen können. Er sieht Julien: das Los seines Lebens ist entschieden. Jenes war nur willig gehegte Täuschung, ein Gesicht der Zukunft, der Traum eines sehnsuchtsvollen Gemüts. Die zartere Innigkeit, der heiligere Ernst seiner zweiten Leidenschaft, die doch eigentlich seine erste ist, wird unverkennbar bezeichnet. Dort staunt er über die Widersprüche der Liebe, die wie ein fremdes Kleid ihm noch nicht natürlich sitzt; hier ist sie mit seinem Wesen zu sehr eins geworden, als daß er sich noch von ihr unterscheiden könnte. Dort schildert er seine hoffnungslose Pein in sinnreichen Gegensätzen; hier bringt ihn die Furcht vor der Trennung zur wildesten Verzweiflung, ja fast zum Wahnsinne. Seine Liebe zu Julien schwärmt nicht müßig, sie handelt aus ihm mit dem entschlossensten Nachdrucke. Daß er sein Leben wagt, um sie in der Nacht nach dem Balle im Garten zu sprechen, ist ein Geringes; der Schwierigkeiten, die sich seiner Verbindung mit ihr entgegensetzen, wird nicht gedacht; wenn sie nur sein ist, bietet er allen Leiden Trotz.

Julia durfte nicht an Liebe gedacht haben, ehe sie den Romeo sah: es ist das erste Entfalten der jungfräulichen Knospe. Ihre Wahl ist ebenfalls augenblicklich:

> Amor' al cor gentil ratto s'apprende;
> Die Liebe zündet schnell in edlen Herzen;

aber sie gilt für ewig. Es wäre unmöglich, sie für nichts weiter als ein unbesonnenes Mädchen zu halten, die im Gedränge unbestimmter Regungen, deren sie sich zum ersten Male bewußt wird, gleichviel auf welchen Gegenstand verfällt. Man glaubt mit den beiden Liebenden, daß hier keine Verblendung stattfinden kann, daß ihr guter Geist sie einander zuführt. In Juliens Hingebung ist noch eine göttliche Freiheit sichtbar. Zürnet nicht mit ihr, daß sie so leicht gewonnen wird: sie ist so jung und un-

gekünstelt, sie weiß von keiner andern Unschuld, als ohne Falsch
dem Rufe ihres innersten Herzens zu folgen. Im Romeo kann
nichts ihre Zartheit zurückscheuchen noch die feinsten Forderungen einer wahrhaft von Liebe durchdrungenen Seele verletzen. Sie redet offen mit ihm und mit sich selbst: sie redet nicht
mit vorlauten Sinnen, sondern nur laut, was das sittliche Wesen
denken darf. Ohne Rückhalt gesteht sie sich die ungeduldige
Erwartung, womit sie am nächsten Abend ihrem Geliebten entgegensieht; denn sie fühlt, daß holde Weiblichkeit ihr auch in
den Augenblicken des Taumels zur Seite stehen und jede Gewährung heiligen wird. Im Gedränge zwischen schüchternen
Wallungen und den Bildern ihrer entflammten Phantasie ergießt
sie sich in einen Hymnus an die Nacht und fleht sie an, sowohl
diesen Regungen als der verstohlnen Vermählung ihren Schleier
zu gönnen.

Der früheste Wunsch der Liebe ist, zu gefallen; er beseelt auch
die erste Annäherung Romeos und Juliens beim Tanze. Es ist
unendliche Anmut über ihre Reden hingehaucht, wie sie nur
aus dem reinsten Sittenadel und natürlicher Schönheit der Seele
hervorgehen kann. Wie zart weiß Romeo die Kühnheit seiner
Bitten unter Bildern der schüchternen Anbetung zu verschlei-
ern! Ein in der Nähe so vieler Zeugen geraubter Kuß darf uns
nicht befremden: man führt Beispiele an, welche zeigen, daß
dies zu Shakespeares Zeiten nicht für eine bedeutende Vertraulichkeit galt. Vielleicht dachte er aber auch an die freiere Lebensweise südlicher Länder, die ihm hier oft vorgeschwebt hat, so
daß durch das Ganze hin eine italienische Luft zu wehen scheint.
Ich denke, dem Sinne des Dichters gemäß müßte dies Gespräch
so vorgestellt werden, daß Romeo, wie Julie nach dem Tanz aus-
ruht, an der Rücklehne ihres Sitzes steht und sich seitwärts zu ihr
hinüber neigt. Gröber kann man wohl nicht mißverstehen als der
Maler, der auf einem Bilde der Shakespeare-Gallery den Romeo
als Pilger verkleidet vor Julien hintreten läßt, weil sie ihn Pilger

nennt, indem sie die liebliche Tändelei seiner Anrede fortführt.
Die Unterredung im Garten hat einen romantischen Schwung,
und doch ist auch hier das Bildlichste und Phantasiereichste immer mit der Einfalt verschwistert, woran man die unmittelbaren
Eingebungen des Herzens erkennt. Welche süßen Geheimnisse
verrät uns die Allwissenheit des Dichters! Nur die verschwie-
gene Nacht darf Zeugin dieser rührenden Klagen, dieser hohen
Beteuerungen, dieser Geständnisse, dieses Abschiednehmens und
Wiederkommens sein. Die arme Kleine! Wie sie eilt, den Bund
unauflöslich zu knüpfen! – Auch der Schauplatz ist nichts weniger als gleichgültig. Unter dem heitern Himmel, bei dessen Anblick Romeo Juliens Augen wohl mit Sternen vergleichen
konnte, von den Bäumen umgeben, deren Wipfel der Mond
mit Silber säumt, stehen die Liebenden unter dem näheren Einflusse der Natur und sind gleichsam von den künstlichen Verhältnissen der Gesellschaft losgesprochen. Ebenso wird in der
Abschiedsszene durch die Nachtigall, die nachts auf einem Gra-
natbaum singt, ein südlicher Frühling herbeigezaubert; und
nicht etwa ein Glockenschlag, sondern die Stimme der Lerche
mahnt sie an die feindliche Ankunft des Tages.

Eine Lage wie die, worein Julien die Nachricht von dem unglücklichen Zweikampfe und von Romeos Verbannung versetzt,
ließ sich schwerlich ohne alle Härten und Dissonanzen darstellen; indessen will ich nicht leugnen, daß Shakespeare sie weniger
gespart habe, als unumgänglich nötig war. Johnsons Tadel, den
Personen dieses Stücks, wie bedrängt sie auch seien, bleibe in
ihrer Not immer noch ein sinnreicher Einfall übrig, hat vielleicht bei den Ausbrüchen der Verzweiflung Juliens am ersten
einigen Schein. Doch glaube ich, bis auf wenige Zeilen, die ich
glücklicherweise in meiner Übersetzung auslassen mußte, weil
sie ganz in Wortspielen bestehn, läßt sich mit richtigen Begriffen
von der Wahrheit im Ausdrucke der Empfindungen alles retten.
Ich behalte mir darüber eine allgemeine Bemerkung vor.

Romeos Qual ist noch zerreißender, weil er mit Unrecht, aber
doch natürlicherweise sich als schuldig anklagen muß. Es ent-
ehrt ihn nicht, daß er seiner durchaus nicht mehr mächtig ist.
Wer wollte dies von dem Jünglinge fordern? Was dem Manne
ziemt, weiß der Mönch wohl, aber auch, daß er in die Luft redet
und nur die Amme erbauen wird. Doch vergehen darüber einige
Minuten, während welcher der Verzweifelnde sich sammeln
und dann auf den bündigeren Trost horchen kann, daß ihm eine
Julia zugesagt wird, was die Philosophie nicht vermochte. Romeos sanfte Männlichkeit gibt sich bei andern Gelegenheiten
kund. Auch ohne die Vermittlung der Liebe scheint er über den
Haß hinweg zu sein und an der Feindschaft der beiden Familien
keinen Anteil zu nehmen. Mit Capulets Tochter verbunden,
läßt er sich von Tybalt auf das schnödeste reizen, ohne es zu
ahnden. Er besitzt Mut genug, um hier feig scheinen zu wollen,
und nur der Tod des edlen Freundes waffnet seinen Arm.

Wenn der Dichter uns von dem stürmischen Schmerze der
Liebenden nichts erließ, so ist es dagegen himmlisch, zu sehen,
wie sich dessen Ungestüm am Morgen darauf in den Entzük-
kungen der Liebe besänftigt hat, wie diese bei dem wehmütigen
Abschiede zugleich vertrauensvoll und Unglück ahnend aus
ihnen spricht. Nachher ist Romeo, obschon in der Verbannung,
nicht mehr niedergeschlagen; die Hoffnung, die blühende,
jugendliche Hoffnung hat sich seiner bemeistert; fast fröhlich
wartet er auf Nachricht. Ach! es ist nur ein letzter Lebensblitz,
wie er selbst nachher solche Aufwallungen nennt. Was er nun
von seinem Bedienten hört, verwandelt auch wie ein Blitz sein
Inneres: zwei Worte, und er ist entschlossen, zum Tode in die
Erde hinabzusteigen, die ihn eben noch so schwebend trug.

Nach dieser unerschütterlichen Entscheidung ist eine Rückkehr in sich selbst nicht am unrechten Orte. Die Beratschlagung,
wie er sich Gift verschaffen soll, und seine Bitterkeit gegen die
Welt in dem Gespräch mit dem Apotheker hat etwas vom Tone

des Hamlet. Daß Romeo den Paris an Juliens Grabe treffen muß, ist eine von den vielen Zusammenstellungen des gewöhnlichen Lebens mit dem ganz eignen selbstgeschaffnen Dasein der Liebenden, wodurch Shakespeare den unendlichen Abstand des letzten von jenem anschaulich macht und zugleich das Wunderbare der Geschichte beglaubigt, indem er es mit dem ganz bekannten Laufe der Dinge umgibt. Der gutgesinnte Bräutigam, der Julien recht zärtlich geliebt zu haben glaubt, will ein Außerordentliches tun: seine Empfindung wagt sich aus ihrem bürgerlichen Kreise, wiewohl furchtsam, bis an die Grenze des Romanhaften hin. Und doch, wie anders ist seine Totenfeier als die des Geliebten! Wie gelassen streut er seine Blumen! Ich kann daher nicht fragen: war es nötig, daß diese redliche Seele noch hingeopfert wird? daß Romeo zum zweiten Male wieder Blut vergießt? Paris gehört zu den Personen, die man im Leben lobpreist, aber im Tode nicht unmäßig betrauert; im Augenblicke des Sterbens gewinnt er zuallererst unsre Teilnahme durch die Bitte, in Juliens Grab gelegt zu werden. Romeos Edelmut bricht auch hier wie ein Strahl aus düstern Wolken hervor, da er über dem durch Unglück mit ihm Verbrüderten die letzten Segensworte spricht.

Wie Juliens ganzes Wesen Liebe, so ist Treue ihre Tugend. Von dem Augenblicke an, da sie Romeos Gattin wird, ist ihr Schicksal an das seinige gefesselt; sie hat den tiefsten Abscheu gegen alles, was sie von ihm abwendig machen will, und fürchtet in gleichem Grade die Gefahr, entweiht oder ihm entrissen zu werden. Die tyrannische Heftigkeit ihres Vaters, das Gemeine im Betragen beider Eltern ist sehr anstößig; allein es rettet Julien von dem Kampfe zwischen Liebe und kindlicher Gesinnung, der hier gar nicht an seiner Stelle gewesen wäre: denn jene soll hier nicht als aus sittlichen Verhältnissen abgeleitet und mit Pflichten im Streit, sondern in ihrer ursprünglichen Reinheit als das erste Gebot der Natur vorgestellt werden. Nach einer solchen Begegnung konnte Julia ihre Eltern nicht mehr achten; da sie gezwungen wird, sich zu verstellen, tut sie es daher mit Festigkeit und ohne Gewissenszweifel.

Daß zu ihrem furchtbaren Selbstgespräch, ehe sie den Trank nimmt, die Anlage in der Erzählung schon vorhanden war, gereicht wieder zu Shakespeares Ruhme. Diese oberflächliche Ähnlichkeit des Gemeinsten mit dem Höchsten ist der Triumph der Kunst. Mit welcher Überlegenheit hat er ein solches Wagestück von Darstellung bestanden! Erst Juliens Schauer, sich allein zu fühlen, fast schon wie im Grabe; das Bestreben, sich zu fassen; der so natürliche Verdacht und wie sie ihn mit einer über alles Arge erhabenen Seele von sich weist, größer als jener Held, der, wohl nicht ohne seine Zuversicht zu Schau zu tragen, die angeblich vergiftete Arzenei austrank; wie dann die Einbildung in Aufruhr gerät, so viele Schrecken das zarte Gehirn des Mädchens verwirren und sie den Kelch im Taumel hinunterstürzt, den gelassen auszuleeren eine zu männliche Entschlossenheit bewiesen hätte.

Ihr Erwachen im Grabe und die wenigen Augenblicke nachher schließen sich, eben durch den Gegensatz, auf das schönste hier an. Der Schlummer, der ihre Lebensgeister so lange gefesselt hielt, hat den Aufruhr ihres Blutes gestillt. Sie schlägt die Augen auf wie ein Kind, dem die Mutter etwas versprach und dem davon geträumt hat, mit voller Besinnung sich selbst zurechtweisend über das Grauenvolle um sie her. Sie läßt sich nicht hinreißen, von der Stätte zu weichen, wo sie ihren Geliebten tot sieht, sie fragt nicht, sie weiß damit genug.

Wie eine milde sorgsame Vorsehung, die jedoch nicht mächtig genug ist, um dem feindseligen Zufalle vorzubeugen, steht vom Anfange an Bruder Lorenzo in der Mitte der beiden Liebenden. Kein Heiliger, aber ein Weiser in der Mönchskutte, ein würdiger, sanft nachdenkender Alter, fast erhaben in seiner vertrauten Beschäftigung mit der leblosen Natur und äußerst anziehend

durch seine ebenso genaue Kenntnis des menschlichen Herzens,
die mit einer fröhlichen, ja witzigen Laune gefärbt ist. So liebenswürdig er sich zeigt, lassen uns doch seine naivsten Äußerungen noch eine achtungswürdige Gewalt in seinem Wesen
fühlen. Er hat einen schnellen Kopf, sich in den Augenblick zu
finden und ihn zu nutzen; mutig in Anschlägen und Entschlüssen, fühlt er ihre Wichtigkeit mit menschenfreundlichem Ernst
und setzt sich ohne Bedenken Gefahren aus, um Gutes zu stiften.
Wenn er tut, was seine jungen Freunde von ihm verlangen, so
gibt er nicht leidend ihrem Ungestüme nach, sondern seiner
eignen Überzeugung, seiner Ehrerbietung vor einer Leidenschaft wie dieser, welche sein Herz errät, wenn er gleich ihre
Herrschaft nie an sich selbst erfuhr oder wenigstens die geläu-
terte Atmosphäre seines Daseins längst nicht mehr von Stürmen
getrübt wird. Er tut an Julien eine Forderung wie an eine Heldin, ermahnt sie zur Standhaftigkeit in der Liebe wie an eine
Tugend und scheint vorher zu wissen, daß er sich in ihr nicht
betrügen wird. Von seinem Orden hat er nichts an sich als ein
wenig Verstellungskunst und physische Furchtsamkeit. Indessen
muß die letzte wohl auch auf Rechnung des Alters kommen. Sie
übermannt und verwirrt ihn so, daß er in der unglücklichen
Nacht auf dem Kirchhof Julien in dem Grabmale allein läßt,
was freilich bei ruhiger Besonnenheit gar nicht zu entschuldigen
wäre. Doch ist er gleich darauf in einer Gefahr, der er nicht mehr
entrinnen kann, freimütig und Herr seiner selbst. Es ist sonderbar, daß diesem Mönche bei allen Gelegenheiten religiöse Vor-
stellungsarten ebenso weit aus dem Wege liegen, als ihm sittliche
Betrachtungen geläufig sind. Wie er den verzweifelnden Romeo
zu trösten sucht, bietet er ihm

Der Trübsal süße Milch, Philosophie; –

und in der Tat ist die vortreffliche Rede, die er kurz darauf an
ihn hält, eine Predigt aus der bloßen Vernunft. Ein einziges Mal

teilt er Anweisungen auf den Himmel aus, nämlich wie er den
trostlosen Eltern über Juliens vermeinten Tod zuspricht; also
bei einem Anlasse, wo es ihm nicht Ernst damit ist. Man sieht
hieraus, mit welchem dumpfen Sinne Johnson den Dichter muß
gelesen haben, da er meint, Shakespeare habe an Julien ein Beispiel der bestraften Heuchelei aufstellen wollen, weil sie ihre
Streiche meistens unter dem Vorwande der Religion spiele. Was
für Namen soll man einer so dickhäutigen Fühllosigkeit geben?

Mercutio ist nach dem äußern Bau der Fabel eine Nebenper-
son. Das einzige, wodurch er auf eine bedeutende Art in die
Handlung eingreift, ist, daß er durch seinen Zweikampf mit
Tybalt den des Romeo herbeiführt (ein Umstand, den Shakespeare nicht einmal in der Erzählung vorfand), und dazu bedurfte es keines so hervorstechenden und reichlich begabten
Charakters. Aber da es im Geiste des Ganzen liegt, daß die strei-
tenden Elemente des Lebens, in ihrer höchsten Energie zueinander gemischt, ungestüm aufbrausen,

> – wie Feu'r und Pulver
> Im Kusse sich verzehrt;

da das Stück, könnte man sagen, durchhin eine große Antithese
ist, wo Liebe und Haß, das Süßeste und das Herbeste, Freuden-
feste und düstre Ahndungen, liebkosende Umarmungen und
Totengrüfte, blühende Jugend und Selbstvernichtung unmittelbar beisammenstehen, so wird auch Mercutios fröhlicher Leichtsinn der schwermütigen Schwärmerei des Romeo in einem
großen Sinne zugesellt und entgegengesetzt. Mercutios Witz ist
nicht die kalte Geburt von Bestrebungen des Verstandes, sondern geht aus der unruhigen Keckheit seines Gemüts unwillkürlich hervor. Eben das reiche Maß von Phantasie, das im Romeo
mit tiefem Gefühle gepaart einen romantischen Hang erzeugt,
nimmt im Mercutio unter den Einflüssen eines hellen Kopfes
eine genialische Wendung. In beiden ist ein Gipfel der Lebens-

fülle sichtbar, in beiden erscheint auch die vorüberrauschende
Flüchtigkeit des Köstlichsten, die vergängliche Natur aller Blüten, über die das ganze Schauspiel ein so zartes Klagelied ist.
Ebensowohl wie Romeo ist Mercutio zu frühzeitigem Tode bestimmt. Er geht mit seinem Leben um wie mit einem perlenden
Weine, den man auszutrinken eilt, ehe der rege Geist verdampft.
Immer aufgeweckt, immer ein Spötter, ein großer Bewunderer
der Schönen, wie es scheint, obgleich ein verstockter Ketzer in
der Liebe, so mutig als mutwillig, so bereit, mit dem Degen als
mit der Zunge zu fechten, wird er durch eine tödliche Wunde
nicht aus seiner Laune gebracht und verläßt mit einem Spaße
die Welt, in der er sich über alles lustig gemacht hat.

Die Rolle der Amme hat Shakespeare unstreitig mit Lust und
Behagen ausgeführt: alles an ihr hat eine sprechende Wahrheit.
Wie in ihrem Kopfe die Ideen nach willkürlichen Verknüpfungen durcheinander gehn, so ist in ihrem Betragen nur der Zusammenhang der Inkonsequenz, und doch weiß sie sich ebenso-
viel mit ihrem schlauen Verstande als mit ihrer Rechtlichkeit.
Sie gehört zu den Seelen, in denen nichts fest haftet als Vorurteile und deren Sittlichkeit immer von dem Wechsel des
Augenblicks abhängt. Sie hält eifrig auf ihre Reputation, hat
aber dabei ein uneigennütziges Wohlgefallen an Sünden einer
gewissen Art und verrät nicht verwerfliche Anlagen zu einer
ehrbaren Kupplerin. Es macht ihr eigentlich unendliche Freude,
eine Heiratsgeschichte, das Unterhaltendste, was sie im Leben
weiß, wie einen verbotenen Liebeshandel zu betreiben. Darum
rechnet sie auch Julien die Beschwerden der Botschaft so hoch
an. Wäre sie nicht so sehr albern, so würde sie ganz und gar
nichts taugen. So aber ist es doch nur eine sündhafte Gutmütigkeit, was ihr den Rat eingibt, Julia solle, um der Bedrängnis zu
entgehn, den Romeo verleugnen und sich mit Paris vermählen.
Daß ihre Treue gegen die Liebenden die Prüfung der Not nicht
besteht, ist wesentlich, um Juliens Seelenstärke vollkommner zu

entfalten, da sie nun bei denen, die sie zunächst umgeben, nirgends einen Halt mehr findet und bei der Ausführung des vom Lorenzo ihr angegebenen Entschlusses ganz sich selbst überlassen bleibt. Wenn auf der andern Seite diese Abtrünnigkeit aus wahrer Verderbtheit herrührte, so ließe sich nicht begreifen, wie Julia sie je zu ihrer Vertrauten hätte machen können. Das kauderwelsche Gemisch von Gutem und Schlechtem im Gemüt der Amme ist also ihrer Bestimmung völlig gemäß, und man kann nicht sagen, daß Shakespeare den bei ihr aufgewandten Schatz von Menschenkenntnis verschwendet habe. Allerdings hätte er mit wenigerem ausreichen können, allein Freigebigkeit ist überhaupt seine Art, Freigebigkeit mit allem, außer mit dem, was nur bei einem sparsamen Gebrauche wirken kann. Das Verhältnis seiner Kunst zur Natur erfordert nicht jene strenge Sonderung des Zufälligen vom Notwendigen, welche ein unterscheidendes Merkmal der tragischen Poesie der Griechen ausmacht. Das Obige gilt auch vom alten Capulet (bei dem die Zugabe von Lächerlichkeit uns zum Teil des ernsteren Unwillens überhebt, den sein Betragen gegen Julien sonst verdient) und von den übrigen komischen Nebenrollen, Peters, der Bedienten und Musikanten. Der gesellige, wohlmeinende, redliche Benvolio, der rohe Tybalt, der feine, gesittete Graf Paris sind bloß nach dem Gesetze der Zweckmäßigkeit mit wenigen, aber bestimmten Zügen gezeichnet. Der Prinz ist grade, wie man ihn sich wünschen möchte, ehrenfest und stattlich. Daß ihn der Augenblick des Bedürfnisses immer so auf den Punkt herbeiruft, ist eine theatralische Freiheit, die nicht nach kleinen Wahrscheinlichkeiten berechnet werden darf und den Vorteil gewährt, daß diese unerwartete Dazwischenkunft unter dem heftigsten Sturme feindseliger Leidenschaften wie die eines Wesens aus einer höheren Ordnung der Dinge wirkt. Die letzte Erscheinung des Prinzen wird groß und feierlich, weniger durch seine persönlichen Eigenschaften als durch seine Stellung der eben vollendeten tragischen Begebenheit und den dabei betroffenen Personen gegenüber. Nicht bloß mit dem Ansehen eines irdischen Richters, sondern als Wortführer der Weisheit und Menschlichkeit versammelt er das Leiden, die Schuld und die Teilnahme um sich her und redet auf eine dieses ernsten Berufes würdige Art. Die betrachtende Stille, welche sein Nachforschen auf den Sturm der Entscheidungen folgen läßt, ordnet und bekräftigt den verwirrten Schmerz, und sein letzter Ausspruch drückt ihn, gleichsam zur ewigen Grabschrift der beiden Unglücklichen, mit ehernem Griffel in die Tafel des Gedächtnisses.

Lorenzos Erzählung hat den Kunstrichtern Anstoß gegeben, weil sie nur das wiederhole, wovon der Zuschauer schon unterrichtet ist. «Es ist sehr zu beklagen», sagt Johnson, «daß der Dichter den Dialog nicht zugleich mit der Handlung beschloß.» Ei ja, sobald die Katastrophe da ist, das heißt sobald die gehörige Anzahl Personen zum Tode befördert worden, darf der Vorhang nur ohne weitere Umstände fallen! – Ist es ein Wunder, daß man bei so groben körperlichen Begriffen von der Vollständigkeit einer tragischen Handlung nichts von Befriedigungen des Gefühls weiß? Hat uns denn der Mönch so gar nicht interessiert, daß es uns gleichgültig sein könnte, ob die Reinheit seiner Gesinnungen verkannt wird? Noch mehr: die Aussöhnung der beiden Familienhäupter über den Leichen ihrer Kinder, der einzige Balsamtropfen für das zerrißne Herz, wird nur durch ihre Verständigung über den Hergang der Begebenheit möglich. Das Unglück der Liebenden ist nun doch nicht gänzlich verloren; aus dem Hasse entsprungen, womit das Stück anhebt, wendet es sich im Kreislaufe der Dinge gegen seine Quelle und verstopft sie. Aber nicht bloß als notwendiges Mittel sind die Aussagen des Mönches und der beiden Bedienten gerechtfertigt: sie haben an sich Wert, indem sie die zerstreuten Eindrücke des Geschehenen auf der traurigen Walstatt in einen einfachen Bericht zusammenfassen.

Man hat gefunden, Shakespeare habe die Gelegenheit zu einer sehr pathetischen Szene versäumt, indem er Julien nicht vor Romeos Tode, in dem Augenblicke, wie er das Gift genommen, erwachen läßt. Große Erfindung hätte nicht zu dieser Abänderung gehört, ebensowenig als zu dem entgegengesetzten Auswege, daß Julia erwacht, ehe er noch seinen Tod entschieden hat, und daß alles glücklich endigt. Indessen scheint mir Shakespeare, sei es aus Treue gegen die Erzählung, welche er zunächst vor sich hatte, oder aus überlegter Wahl, das Bessere getroffen zu haben. Es gibt ein Maß der Erschütterung, über welches hinaus alles Hinzugefügte entweder zur Folter wird oder von dem schon durchdrungenen Gemüte wirkungslos abgleitet. Bei der grausamen Wiedervereinigung der Liebenden auf einen Augenblick hätte Romeos Reue über seinen vorschnellen Selbstmord, Juliens Verzweiflung über die erst genährte, dann zernichtete Täuschung, als sei sie am Ziele ihrer Wünsche, in Verzerrungen übergehen müssen. Niemand zweifelt wohl, daß Shakespeare diese mit angemessener Stärke darzustellen vermochte; aber hier war alles Mildernde willkommen, damit man aus der Wehmut, der man sich willig hingibt, nicht durch allzu peinliche Mißklänge aufgeschreckt würde. Warum bürdet man dem schon so schuldigen Zufalle noch mehr auf? Warum soll der gequälte Romeo nicht ruhig «das Joch feindseliger Gestirne von dem lebensmüden Leibe schütteln»? Er hält seine Geliebte im Arm und labt sich sterbend mit einem Wahne ewiger Vermählung. Auch sie sucht den Tod im Kusse auf seinen Lippen. Diese letzten Augenblicke müssen ungeteilt der Zärtlichkeit angehören, damit wir den Gedanken recht festhalten können, daß die Liebe fortlebt, obgleich die Liebenden untergehen.

Garrick hat diese Szene nach dem Glauben, je mehr Jammer, je besser! wirklich umgearbeitet; allein seine Ausführung wird eben niemanden unglücklich machen: sie ist äußerst schwach. Auch das Erwachen Juliens hat er ganz verdorben. Sie erinnert

sich nicht an Lorenzos Verheißungen, sondern glaubt, man wolle
sie mit Gewalt dem Paris vermählen, und erkennt den Romeo
nicht, der darüber ausruft: «Sie ist noch nicht wieder bei sich – der
Himmel helfe ihr!» – Ja wohl! und behüte sie vor ungeschickten
Umarbeitern! Nachher, wie der Mönch hereintritt, schilt sie
heftig auf ihn und will ihn gar mit ihrem Dolch erstechen. Es ist
nur gut, daß sie sich bald darauf entleibt, denn da sie so ungebärdig um sich ficht, so weiß man nicht, wieviel Unheil sie sonst
noch angerichtet hätte. Sonderbar, daß ein großer Schauspieler
dem Dichter, den er anbetete, den er sein halbes Leben hindurch
studiert hatte, auf eine so verkehrte Art etwas anheften konnte!

Noch verdächtiger wird Garricks Sinn für das Höchste im
Shakespeare dadurch, daß er es für nötig hielt, das Stück von
dem unnatürlichen, tändelnden Witze zu reinigen, der darin
nach seiner Meinung dem Ausdrucke der Empfindung untergeschoben war. Zwar behauptet Johnson ebenfalls, die pathetischen Reden seien immer durch unerwartete Verfälschungen
entstellt; und das Ansehn dieser Kunstrichter mag viele verführt
haben, besonders da ihr Urteil der allgemeinen Fassungskraft so
herablassend entgegenkommt. Echte Poesie wird ja selten recht
begriffen, und jeder Gebrauch der Einbildungskraft erscheint
denen unnatürlich, die keinen Funken davon besitzen. Man vergißt, daß, wenn uns ein Gegenstand in einer bestimmten Form
der Darstellung gezeigt wird, jeder Teil durch dies Medium gefärbt sein muß. Man nimmt das Dichterische im Drama historisch, da es doch eine Bezeichnungsart ist, deren Unwahrheit
gar nicht verhehlt wird, die aber dennoch das Wesentlichste der
Sache richtiger und lebendiger zur Anschauung zu bringen
dient als das gewissenhafteste Protokoll. Eben dadurch führt uns
der Dichter mehr in das Innre der Gemüter, daß er seinen Personen ein vollkommneres Organ der Mitteilung leiht, als sie in
der Natur haben; und da oft die Gewalt der Leidenschaft ihren
Ausdruck hemmt und das Vermögen der Äußerung fesselt, wie

lebhaft auch das Verlangen darnach sein mag, so darf er dies
Hindernis aus dem Wege räumen. Nur den wesentlichen Unterschied zwischen beredten und stummen, nach außen hin strebenden oder auf den innern Menschen sich konzentrierenden
Gefühlen hebe er nicht auf. Nie hat der reiche Strom seiner Bilder Shakespearen über diese Grenze hinweggerissen. Wie Romeo
den vermeinten Tod Juliens erfährt, sagt er nichts weiter als:

> Ist es denn so? ich biet' euch Trotz, ihr Sterne! –

Ebenso antwortet Julia nach ihrem Erwachen dem Mönche, der
ihr das ganze vorgefallne Unglück in der Eil gemeldet und sie
zu fliehn beredet hat:

> Geh nur, entweich! denn ich will nicht von hinnen. –

Beide Male verrät sich die Stärke des Gefühls nur in dem Ent-
schlusse, wodurch sich die Freiheit dagegen auflehnt.

Wenn die Liebe sich der Liebe offenbart, so ist es das einzige
Anliegen des Herzens, die Überzeugung von seiner Innigkeit
dem andern einzuflößen, gleichsam das Bewußtsein bis zu ihm
zu erweitern. Es verschmäht dabei die Pracht der Rede, worein
hohle Bezeugungen nicht gefühlter Anhänglichkeit sich ebensowohl kleiden können, und wagt sich nicht an das Unaussprech-
liche; aber es versteht das Geheimnis, dem einfältigen, ja dem
bescheidensten Ausdruck eine höhere Seele einzuhauchen. Sollte
man diese rührende Herzlichkeit in den Geständnissen, den Beteuerungen, dem holden Liebesgeflüster Romeos und Juliens
übersehn können? Julia gibt sich mit ebenso kindlicher Offen-
heit hin wie Miranda im Sturm, und was sie sagt,

> ist schlichte Einfalt,
> Und tändelt mit der Unschuld süßer Liebe.

Allein die Bewunderung, die Vergötterung des geliebten Wesens
kann nicht bildlos sprechen; sie muß sich zu den kühnsten Ver-

gleichungen aufschwingen. Mit dem Zauberschlage, der das eine, was ihr vorschwebt, aussondert und über die ganze übrige Welt erhebt, hat sie den Maßstab des Wirklichen verloren und kann bis an die Grenze der Dinge schwärmen, so weit die Flügel der Phantasie sie nur tragen wollen, ohne sich einer Verirrung bewußt zu werden. Liebe ist die Poesie des Lebens: wie sollte sie über ihren Gegenstand nicht dichten? Je entferntere und ungleichartigere Bilder sie herbeiruft, desto sinnreicher müssen ihre Gleichnisse scheinen, und was der müßige Witz mühsam sucht, um zu glänzen, darein verfällt die ausschweifende Leidenschaft unwillkürlich. Unbegriffene Widersprüche liegen im Wesen der Liebe; sie kann sich auch bei der schönsten Erwiderung nicht in vollkommene Harmonie auflösen und ist daher schon an sich geneigt, sich antithetisch zu äußern. Noch natürlicher ist ihr dies, sobald äußerliche Verhältnisse sie drängen. Ein Wortspiel ist ein Gegensatz oder eine Vergleichung zwischen dem Sinne der Wörter und ihrem Klange; und wie in der Liebe überhaupt das Geistige und das Sinnliche sich innigst zu verschmelzen strebt, wie sie die zartesten Anspielungen des einen auf das andre wahrnimmt und sich daran weidet, so kann sie auch mit Ähnlichkeiten der Töne ahndungsvoll spielen.

Man verwirft gewöhnlich alle Wortspiele als etwas Kindisches und Unnatürliches. Ist das erste gegründet, so kann das zweite nicht sein; und die Erfahrung zeigt allerdings, daß Kinder sich gern mit den hörbaren Bestandteilen der Wörter zu schaffen machen und sie auf andere Bedeutungen wenden. Die Liebe aber in ihrer unbefangensten Hingegebenheit versetzt die Seele bei entwickelten Organen und blühender Lebensfülle auf gewisse Weise in den Stand der Kindheit zurück. Ohne es zu wollen, habe ich Petrarcas Apologie gemacht, dessen wunderbare Bilder und Gleichnisse, immer wiederkehrende Gegensätze und leise mystische Anspielungen auch so vielen Lesern und Kunstrichtern ein Ärgernis gegeben haben. Seine idealische, ätherische, im Entsagen schwelgende Anbetung Lauras hat nichts mit der jugendlichen Kraft und Glut gemein, die Romeon und Julien für einander zu leben und zu sterben treibt: aber der Stil seiner Poesie hat viel Ähnlichkeit mit dem Kolorit des zärtlichen Ausdrucks in unserm Schauspiele.

Ich möchte noch weiter gehn und behaupten, nicht nur den Freuden und der süßen Pein einer Leidenschaft, wie die hier dargestellte ist, welche die äußerste Entzündbarkeit der Phantasie voraussetzt, sei kühne Bildlichkeit und antithetische Wortfülle eigen; auch das niederwerfendste Leiden, das aus ihr herfließt, der herbeste Schmerz über Verlust oder Tod des Geliebten verleugne in der Art, sich zu äußern, seinen Ursprung nicht ganz. Aus diesem Gesichtspunkte, dessen Richtigkeit sich durch mancherlei Erfahrungen bestätigen ließe, betrachte man die Szenen, wo die beiden Liebenden über Romeos Verbannung außer sich sind, und Romeos letzte Rede: und sie sind gerechtfertigt.

Immerhin mag der dramatisierende Rhetor bei den frostigen Deklamationen, die er an die Stelle der Ergießungen entflammter Leidenschaft setzt, sich ähnlicher Mittel bedienen: wer irgend Empfänglichkeit hat oder bei wem Vorurteile ihr nicht in den Weg treten, der wird nicht in Gefahr sein, jene mit diesen zu verwechseln; er hat an der Wirkung einen untrüglichen Prüfstein. Es lassen sich auch Kennzeichen angeben, allein ihre Anwendung auf den bestimmten Fall fordert immer noch einen Sinn, den man niemanden geben kann. Das wesentlichste Kennzeichen ist die Natur der dargestellten Empfindungen selbst, ihre Tiefe, ihre Eigentümlichkeit, ihre Konsequenz. Ferner wird durch allen deklamatorischen Pomp das Bildlose und Abstrakte häufig nur schlecht verkleidet: denn nur eine arme Phantasie, die nicht durch das Bedürfnis des Gefühls in Schwung gesetzt wird, braucht zu dem Vorsatze, geschmückt zu erscheinen, ihre Zuflucht zu nehmen; jedoch es ist ein vergebliches Bemühen, durch den Umweg des toten Begriffs in das Leben zurückkehren

zu wollen. Auch wird der Dichter, welcher auf Kosten der
Wahrheit und Schicklichkeit zu glänzen strebt, die vertrauliche
Nachlässigkeit in den Reden, den Schein augenblicklicher Entstehung eher vermeiden als suchen. Er wird besorgen, das Unbewußtsein der redenden Personen, daß sie etwas Außerordentliches sagen, weil es für ihre Lage höchst natürlich ist, möchte
den Zuhörer täuschen und das Gesuchte seinen einzigen Wert
verlieren, indem es für leicht gefunden gilt. Im Romeo bietet
sich das Dialogische, Freie, aus der Quelle Strömende selbst der
bildlichsten und im höchsten Grade antithetischen Reden überall
dar; es im einzelnen zu entwickeln, würde mich zu weit führen.

Da ich dem Tadel so angesehener englischer Kunstrichter habe
widersprechen müssen, so freut es mich dagegen, den Ausspruch
eines deutschen aufstellen zu können, der gewiß unbestechlich
durch falschen Schimmer und ein Antipode alles Phantastischen
und Überspannten war. Lessing erklärte Romeo und Julia für
das einzige Trauerspiel, das er kenne, woran die Liebe selbst
habe arbeiten helfen. Ich weiß nicht schöner zu schließen als mit
diesen einfachen Worten, in denen so viel liegt. Ja man darf dies
Gedicht ein harmonisches Wunder nennen, dessen Bestandteile
nur jene himmlische Gewalt so verschmelzen konnte. Es ist zugleich bezaubernd süß und schmerzlich, rein und glühend, zart
und ungestüm, voll elegischer Weichheit und tragisch erschüt-
ternd.

SALOMON GESSNER

VON JOHANN JAKOB HOTTINGER

Durch diese zugleich unterhaltende und lehrreiche Schrift hat
Herr Hottinger nicht nur seinem unsterblichen Freunde ein wür-
diges Denkmal gesetzt, sondern auch allen, die diesen, ohne ihn
persönlich gekannt zu haben, als Dichter oder Maler lieben und
bewundern, ein sehr wertes Geschenk gemacht und, indem er
die Zeitumstände entwickelt, welche auf die Ausbildung der
dichterischen Anlagen Geßners einwirkten, einen wichtigen
Beitrag zur Geschichte unsrer schönen Literatur geliefert. Das
Verlangen, einen merkwürdigen Schriftsteller oder Künstler
auch als Menschen und neben seinen Werken die Gewohnheiten
und Schicksale seines Lebens zu kennen, ist nicht bloß eine natürliche Neugierde: diese Zusammenstellung kann sehr oft die Gesichtspunkte der Beurteilung berichtigen, es können reichhal-
tige Aufschlüsse aus ihr hervorgehn. Der dadurch geleistete
Dienst wird um so wesentlicher, weil auch der größte Fleiß und
Eifer den Verlust nicht mehr ersetzen kann, wenn einmal der
Zeitpunkt vorüber ist, wo Umstände, von denen meistens keine
schriftliche Spur übrig bleibt, noch aus authentischen mündlichen Nachrichten aufgesammelt werden können. Erschienen
über alle unsre geschätzten Dichter bald nach ihrem Tode solche
Arbeiten wie die vorliegende, so würde ein künftiger deutscher
Johnson nicht so oft über Mangel an Materialien klagen müssen
als der englische. Ungeachtet der bescheidnen Äußerungen des
Verfassers, der alles historische Verdienst seines Buches den wil-
ligen Mitteilungen zuschreibt, womit Geßners Familie und seine
älteren Freunde (die Herren Hirzel, Steinbrüchel, Schultheß
und Heidegger) ihn dabei unterstützt, sieht man doch leicht,

daß schwerlich jemand, als Mitbürger, als vertrauter Freund des
Dichters und als Kenner seiner Muse, mehr Beruf haben konnte,
sein Biograph zu werden, als er. Eine Preisaufgabe der Mann-
heimer Gesellschaft veranlaßte ihn zuerst zu dem Unternehmen;
aber ihre verspätete Vollendung und andre Gründe bewogen
ihn nachher, nicht um den Preis zu werben.

Sehr treffend bestimmt Herr Hottinger gleich am Eingange,
was für Erwartungen man zur Lebensgeschichte eines bloß durch
Geisteswerke denkwürdigen Mannes nicht mitbringen sollte, ob
es gleich häufig geschieht. Auch Geßners Leben ist nicht reich
an auffallenden äußern Begebenheiten, aber durch die Einsicht,
womit bei kleineren Vorfällen immer das Charakteristische hervorgehoben wird, ist es hier ein sehr anziehendes Ganzes geworden. Wir heben nur einige der bedeutendsten Züge aus. Geßners
vorzügliche Anlagen wurden in seinen Knabenjahren, hauptsächlich durch Schuld der verkehrten Methode des Unterrichts,
verkannt. Er machte in den alten Sprachen keine Fortschritte,
weil sie ihm auf alle Art verleidet wurden. Doch fehlte es nicht
an Anzeichen, die schon damals einem aufmerksamen Beobachter hätten verraten können, daß etwas Außerordentliches in
ihm liege. Sein muntrer Witz, seine mutwillige Lebhaftigkeit
machte ihn zur Freude und meistens auch zum Anführer seiner
Spielgenossen. In der Schule beschäftigte er sich damit, Figuren
aus Wachs zu bilden, und weder Verbote noch Züchtigungen
konnten die Leidenschaft des künftigen Künstlers für diese pla-
stische Übung schwächen. Ein Robinson Crusoe, der ihm in die
Hände fiel, weckte früh seinen freilich noch unmündigen Trieb,
zu schaffen und zu dichten, und erzeugte eine Menge Robinso-
niaden. Nachher wurde Brockes, dieser nun vergeßne, unermüdlich andächtige und unermüdlich malende Dichter, sein
Liebling, Lehrer und Muster. Seine frühesten poetischen Versuche trugen das Gepräge dieser Manier; aber auch in spätern
Jahren sprach Geßner immer noch mit großer Wärme von

Brockes und dem, was er ihm verdankte. Ein zweijähriger Aufenthalt zu Berg, wo er unter besserer Leitung in ländlicher Einsamkeit und in einer anmutigen Gegend wohnte, war der Entwickelung seiner Dichtertalente vorzüglich günstig. Bei seiner Rückkehr nach Zürich gewann er durch häufigen Umgang mit den besten Köpfen, die es damals dort gab, beträchtlich an Bildung und Kenntnissen. Er dichtete immerfort, meistens anakreontische Lieder, und trieb auch die Zeichenkunst, doch ganz ohne Unterricht und auch ohne weitere Absicht. Seine Eltern schickten ihn nach Berlin in eine Buchhandlung, um ihn auf seine künftige Bestimmung vorzubereiten. Die Begegnung, die ihm hier widerfuhr, die kleinlichen Geschäfte, womit man ihn plagte, mißfielen ihm; er faßte den kühnen Entschluß, das Haus, unter dessen Aufsicht er stand, ohne Umstände zu verlassen. Unzufrieden darüber, ließen ihn seine Eltern die Abhängigkeit von ihnen durch Zurückbehaltung der ihm bestimmten Gelder empfinden. Jetzt ergriff er die Malerei als ein Mittel, sich selbst seinen Unterhalt zu verschaffen. Er schloß sich verschiedne Wochen in seine Wohnung ein und arbeitete unaufhörlich. Hierauf ging er zum damaligen Hofmaler Hempel, bat ihn, mit auf sein Zimmer zu kommen, wo alle Wände voll frisch gemalter Landschaften hingen, und ihm offenherzig zu sagen, was er als Künstler würde leisten können. Zu Hempels Erstaunen versicherte Geßner, als jener nach den Originalen seiner Gemälde fragte, alle seien von seiner eignen Erfindung, und klagte nur, daß sie durchaus nicht trocknen wollten. Er hatte nämlich die Farben nicht mit Leinöl, sondern mit Baumöl gerieben. «Nun gut», erwiderte Hempel mit Lachen, «ich sehe, daß Sie noch nicht lange bei der Kunst sind. Aber ein Anfänger, der solche Sachen nicht weiß und solche Stücke erfindet, was für Stücke wird uns der nach zehn Jahren aufstellen!» Bei diesem ganzen Vorgange offenbart sich eine Energie und Elastizität des Gemüts, die man gar nicht veranlaßt wird, in dem sanften Idyllendichter zu vermuten.

Seine Eltern söhnten sich bald mit ihm aus und erlaubten ihm nun, den Aufenthalt in Berlin zu seiner weitern Ausbildung zu benutzen. Er hatte dort viel Umgang mit Sulzer und Ramler. Jenem konnte sich Geßner nie über einen gewissen Punkt nähern: ohne wahre Überlegenheit imponierte sein Ton, sein Äußeres dem bescheidnen Jünglinge. Ramler leistete ihm als kritischer Freund große Dienste, beurteilte seine dichterischen Versuche, besonders in Ansehung des Versbaues, mit heilsamer Strenge und riet ihm, weil er bei seinem schweizerischen Dialekt sich schwerlich ein sichres Ohr für metrische Richtigkeit und Schönheit erwerben würde, seine Verse in eine wohlgefügte, harmonische Prosa umzugießen. «Nachher hat Herr Ramler», setzt der Verfasser Seite 61 hinzu, «mehrere seiner Gedichte versifiziert in zwei Bändchen herausgegeben. Es sei mir erlaubt, ein wenig zu zweifeln, ob er ihm durch diesen Dienst oder durch jenen Rat mehr genützt habe.» Unstreitig hat Geßner in Rücksicht auf seine eignen Anlagen recht gehabt, diesen zu befolgen: die wenigen versifizierten Stücke unter seinen Gedichten, wo er zum Teil bei Versarten, welche den Reim gar nicht entbehren können, diese Fessel abgeworfen und doch noch zu Härten und unerlaubten Freiheiten seine Zuflucht genommen hat, beweisen sein gänzliches Unvermögen von dieser Seite. Indessen mangelt doch der Poesie Geßners mit dem Silbenmaße etwas Wesentliches. Vorzüglich hebt es alle Täuschung auf, daß sogar die häufig eingeführten Lieder der Hirten meistenteils prosaisch abgefaßt sind. Die Notwendigkeit des Silbenmaßes für alle Dichtungen, wo die Darstellung der Sprache ein erhöhtes Kolorit gibt, ist bisher in der Theorie noch lange nicht so strenge dargetan worden, als es geschehen kann: aber von jeher haben alle Völker, die ein Ohr für die poetische Musik abgemeßner Rhythmen und eine dafür empfängliche Sprache besitzen, sie anerkannt.

Wir enthalten uns ungern, von Geßners Bekanntschaft mit Hagedorn, von seinem lustigen Zusammentreffen mit dem fran-

zösischen Harlekin Dancourt auf dem Straßburger Theater und
von der gründlichen Entwickelung der damaligen Lage unserer
Literatur, besonders der herrschenden Stimmung in Zürich, als
Geßner dahin zurückkehrte, hier etwas mitzuteilen. Die darauf
folgenden Jahre waren eigentlich die dichterische Periode in seinem Leben. Nach einigen kleinern Proben erschien zuerst
‹Daphnis› im Jahre 1754 (ein Beweis, wie gotisch man damals
noch dachte, ist es, daß die Zensur in Zürich an diesem unschuldigen, harmlosen Produkte Anstoß nahm); zwei Jahre darauf
‹Inkel und Yariko› und die Idyllen, dann ‹Der Tod Abels› und
endlich in einer vollständigen Sammlung im Jahr 1762 zum
ersten Male ‹Der erste Schiffer› und die beiden Schauspiele
‹Evander› und ‹Erast›.

Geßner hatte schon das dreißigste Jahr erreicht, als er den Gedanken faßte, die Malerei zu seiner Hauptbeschäftigung zu machen, wozu seine Verheiratung den nächsten Anlaß gab. Er
studierte von der Zeit an die Kunst sehr angestrengt, bedurfte
aber doch fremder Aufmunterungen; ja er konnte zuweilen,
wenn er das ihm vorschwebende Bild von Vollkommenheit
nicht erreichte, in eine gänzliche Mutlosigkeit versinken. Herr
Hottinger verweist über diesen Teil der Ausbildung seines Freundes auf den bekannten Brief desselben ‹über die Landschafts-
malerei›, führt aber doch einige merkwürdige, dort nicht erwähnte Umstände an. Er unternimmt nicht, über Geßner, den
Maler, ein Kennerurteil zu fällen, redet aber von seinen Werken
mit warmem Schönheitsgefühl und erwähnt auch offenherzig,
was andre daran getadelt haben. Geßners Familie besitzt eine
Sammlung seiner Studien in zwei Foliobänden, und es wird
hier dem Publikum zu einer Auswahl daraus in Kupferstichen
Hoffnung gemacht.

Den Beschluß dieser Biographie macht eine Charakteristik
Geßners nach seinem Geist und Herzen, nach allen häuslichen
und geselligen Verhältnissen, worin er durchaus einfach, edel

und liebenswürdig erscheint. Äußerst merkwürdig ist das, was von seiner jovialischen Laune, seinem Witz und seinem außerordentlichen Talent zur burlesk-komischen Mimik erzählt wird, wodurch er in frühern Zeiten die Seele der Gesellschaften gewesen war, die er aber späterhin nur bei ungewöhnlichen Aufforderungen kundgab. Daß diese Anlagen gar keinen Übergang zu seinen beiden Lieblingskünsten gefunden, ist ein sonderbares Beispiel, wie ganz isoliert ungleichartige Eigenschaften in demselben Menschen neben einander bestehen können. Man möchte wenigstens vermuten, Geßner habe zuweilen zur Unterhaltung Karikaturen gezeichnet; doch Herr Hottinger hätte dies gewiß nicht übergangen, wenn es wirklich der Fall gewesen wäre.

Was seine Kenntnisse betrifft, so konnte er die Versäumnis der alten Sprachen nie ganz nachholen. Doch las er einige lateinische Dichter in der Ursprache, andre in Übersetzungen, die griechischen am liebsten in den lateinischen Versionen. Daß ihm hiebei ein feiner Takt tiefere Sprachkunde entbehrlich gemacht, daß er ihre Schönheiten erraten, wie sein Biograph sagt, könnte man bezweifeln, wenn man sieht, daß er in der Vorrede zu seinen Idyllen den Theokrit für sein großes Vorbild erklärt. Wie konnte ihm, wenn er den Griechen in einem richtigen Sinne las, eine so entschiedene Heterogeneität, wie konnte ihm der unendliche Abstand zwischen schöner Darstellung individueller Natur und einer ganz selbstgeschaffnen Idyllenwelt, zwischen naiver Einfalt, die aber weder vor Roheit noch vor Verderbnis gesichert ist und dadurch desto pikanter wird, und sentimentaler und sittlicher Idealität, wovon dort keine Spur ist, entgehen? Ausdrücklich wird es hier nicht verneint, daß Geßner auch italienische Dichter gelesen: doch zeigen seine Werke keine Spur von Bekanntschaft mit den beiden Meisterstücken der italienischen Schäferpoesie, dem Aminta und dem Pastor fido, aus denen er so viel hätte lernen können.

Ein beträchtlicher Teil des Buches beschäftigt sich mit der Beurteilung der Werke Geßners und der Geschichte seines literarischen Ruhmes. Eine Biographie verliert nicht an Interesse dabei, wenn der freundschaftliche Enthusiasmus ihres Verfassers seinen Helden in ein erhöhtes Licht stellt: nur muß durch das allzu freigebig erteilte Lob den Verdiensten andrer nicht zu nahe getreten werden. Wenn Herr Hottinger sagt: «Wenige Altersgenossen Geßners haben sich an ihrer Stelle behauptet. Sie tragen meist alle den Stempel der Zeit. Wer damals für klassisch galt, ist oft kaum mehr lesbar. Der Ausdruck ist veraltet, Bilder und Wendungen abgenutzt und das ganze Kolorit verblichen», so vergißt er vermutlich, daß Uz, Gleim, Klopstock, Kleist, Ramler zum Teil weit früher, zum Teil ebenso früh geblüht haben als jener. Auch sind Geßners Gedichte, besonders ‹Daphnis› und ‹Inkel und Yariko›, gar nicht frei von Spuren, daß auch seine Jugend nicht so ganz unverwelklich sein möchte, wie Herr Hottinger meint. An einer andern Stelle findet er, seine Jünglingsjahre hätten unmöglich in einen für ihn glücklicheren Zeitpunkt fallen können. Zwanzig Jahre früher hätte sein Talent unter der herrschenden Geschmacklosigkeit und mancherlei Vorurteilen erstickt werden können. Dies wird niemand leugnen. «Zwanzig Jahre später hätte er auf den Beifall seiner Nation Verzicht tun oder dem schon verwöhnten Geschmacke frönen müssen.» Hiemit sagt Herr Hottinger nichts Geringeres als: alle Dichter, welche so viel später als Geßner aufgetreten sind und die öffentliche Bewunderung erlangt haben, also die meisten jetzt lebenden, seien dem echten Schönen abtrünnig geworden. Es liegt dabei die traurige und leider so gemeine Vorstellung zum Grunde, als sei das goldne Zeitalter der deutschen Poesie unwiederbringlich vorüber, da doch der in jener Periode gemachte Anfang teils schon weit übertroffen ist, teils noch übertroffen werden kann und wird. Daß diese Behauptung Herrn Hottingers mit der vorher angeführten im Widerspruche stehe, ist kaum nötig zu bemerken. Er ist mit der Aufnahme, die Geßner von jeher in Deutschland gefunden, gar nicht zufrieden und führt als eine siegende Autorität dagegen den außerordentlichen Beifall an, der ihm in Frankreich zuteil geworden. Vorzüglich unglücklich ist Herrn Hottingers Vermutung, wodurch er diese Verschiedenheit, besonders in Hinsicht auf ‹den Tod Abels›, erklären will. «Das französische Publikum wartet nicht zu, bis seine Journalisten den Ton angeben. Es urteilt selber und urteilt, wofern nicht Leidenschaft und Kabale es mißleiten, richtig und fein. Aber bei einem Publikum von ungebildetem Geschmacke, und ein solches ist das deutsche noch immer, wird ein mittelmäßiges Werk so schnell gehoben als ein vortreffliches niedergehalten oder gestürzt.» Grade umgekehrt: in Deutschland herrscht die größte Anarchie im Reiche des Geschmacks, und selbst die gründliche Kritik vermag nicht das Schlechte zu unterdrücken und Meisterwerke, wenn keine Empfänglichkeit dafür vorhanden ist, zu empfehlen. Wie kann man sich nur überreden, daß eine vor dreißig oder vierzig Jahren geschriebne Rezension, deren kaum ein paar Literatoren sich erinnern, jetzt noch der Schätzung eines Gedichts, das wirklich vortrefflich wäre, Abbruch tun sollte? Dagegen ist es bekannt, welch einen ästhetischen Despotismus im ehemaligen Frankreich Paris über die Provinzen und wiederum wenige den Ton angebende Köpfe über Paris ausübten. Überhaupt befürchten wir, daß Herr Hottinger auf diese französische Bewunderung (sogar das Motto spielt darauf an: Principis urbium Dignatur suboles inter amabilis Vatum ponere te choros) ein viel zu großes Gewicht legt. Es könnte leicht sein, daß nicht sowohl das, was Geßner besitzt, als was ihm fehlt, sein Glück bei unsern Nachbarn gemacht hätte. Wann hat man es wohl erlebt, daß sie einem ausländischen Dichter von origineller Energie und kühner Genialität hätten Gerechtigkeit widerfahren lassen, daß sie ihn nur begriffen hätten? Alle französischen Produkte der höhern lyrischen, der epi-

schen und tragischen Poesie, die französische Sprache selbst, beweisen, daß ein Volk ohne wahrhaft poetischen Geist sehr witzig und sinnreich sein kann. Eine einseitige Empfänglichkeit
wirft sich gewöhnlich mit desto größerer Gewalt auf ihre Gegenstände und hält kein Maß in der Bewunderung dessen, was
in ihrer Sphäre liegt. Es war ein günstiger Umstand für Geßners
Ruhm, daß er an dem würdigen Herrn Huber einen so guten
Übersetzer fand; allein er hatte auch in der Tat durch Übertragung ins Französische weniger zu verlieren als die vorzüglichsten deutschen Dichter. Sein Ausdruck hat keine nationale Eigentümlichkeit. Poetische Prosa, die nur in einer zu den schönen
Verhältnissen der Rhythmik untauglichen Sprache, wie die
französische ist, Feld gewinnen kann, war die ursprüngliche
Form seiner Dichtungen. Daß Rousseau so ungemeines Wohlgefallen an den Idyllen finden würde, hätte sich psychologisch
voraussehn lassen; eine seltsamere Erscheinung ist es, daß der
Held der Enzyklopädie und der Verfasser der Bijoux indiscrets,
Diderot, so enthusiastisch dafür eingenommen war. Doch läßt
es sich aus seinem Ekel an der konventionellen Künstlichkeit der
französischen Modeliteratur und auch daraus erklären, daß er
ästhetische Zwecke nicht für etwas unbedingt Höchstes hielt,
sondern sie den sittlichen unterordnete. Für diese sah er denn in
Geßners einfacher Unschuldswelt einen Spiegel, worin die kul-
tivierte Verderbnis ihre Häßlichkeit erkennen könnte. Wenn
aber Diderot Geßnern einen Griechen genannt hat, so gibt das
keinen sonderlichen Begriff von seiner Kenntnis der Alten.
Denn was ist den Griechen fremder als diese reine, aber zugleich
auch sinnlich unkräftige Sentimentalität?

Die Schwächen der Geßnerschen Poesie gesteht Herr Hottinger zum Teil ein, nimmt aber beinah wieder zurück, was er gesagt. Es fehlt an Charakteristik. Aber dies ist nicht alles. Der
Verlust an individueller Mannigfaltigkeit wird nicht hinlänglich
durch den Gehalt der Ideale oder vielmehr des einzigen Schäfer-

ideals ersetzt. Jene Harmonie des innern Daseins, welches der
Wahrheit nach nur die letzte, schwer errungene Vollendung der
Menschheit sein kann, verliert erstaunlich an Würde und Interesse, wenn sie als ein ursprünglicher Zustand, als ein allgemeines
Erbteil der Beschränktheit dargestellt wird. Dieser Vorwurf
trifft alle sentimentale Schäferpoesie, aber die Geßnersche in ausgezeichnet hohem Grade, eben weil seine Welt unschuldiger,
kindlicher und goldner ist als die der meisten vorhergehenden
Dichter in diesem Fache. Gleichwohl hätte auch in einer solchen
Welt ein weit höherer Grad von Lebendigkeit hervorgebracht
werden können als in Geßners Idyllen. Ganz unverdorbene Nei-
gungen können sich dennoch durchkreuzen; aber mit dem völlig aufgehobnen Antagonismus der Kräfte schlummert auch die
Teilnahme sanft ein. Wo ein geßnerischer Hirt anfängt zu lieben,
da ist gewöhnlich schon die Gegenliebe im voraus bestellt.
Wenn einmal physische Schwierigkeiten vorkommen, zum Beispiel im ersten Schiffer, so ist der Dichter so besorgt, sie zu mildern und auf alle Art zu Hülfe zu eilen, daß doch kein rechter
Knoten der Handlung daraus entsteht. An die hohe Kunst, womit Guarini mitten unter arkadischen Darstellungen den mächtigen Hebel des Schicksals in Bewegung setzt, wollen wir gar
nicht einmal erinnern.

Wenn man sieht, daß es in Geßners größeren Gedichten teils
an Handlung überhaupt, teils an Einheit und einem auf innrer
Notwendigkeit beruhenden Zusammenhange derselben fehlt;
daß in seinen Idyllen oft gar kein wahrer Fortschritt ist; daß
sich selbst die Empfindung nicht selten ohne eigentlich melodischen Gang nur hin und her wiegt; daß mehrere Stücke, die er
als Idyllen gibt, bei bloßen Naturschilderungen stehen bleiben;
wenn man dazu nimmt, daß er auch für die äußre, aber wesentliche Form der poetischen Sukzessionen, für die Verskunst kein
Geschick und keinen Sinn gehabt: so bietet sich natürlich der
Gedanke dar, er habe anfangs sein eignes Talent mißverstanden,

indem er den Stoff zu simultanen Darstellungen, der in seiner Phantasie lag, auf sukzessive verwandte. Auch als Landschaftsmaler blieb er auf gewisse Art Idyllendichter, und er hätte es vielleicht nie in einem andern Sinne werden sollen, als ein Poussin oder Berghem es waren. Als Gruppen auf einer Landschaft betrachtet, sind seine Hirtenfiguren allerliebst: um der ganze Inhalt eines pragmatischen Kunstwerks zu sein, haben sie nicht genug bedeutende, selbständige Lebendigkeit. Die Ansicht der Quartausgabe mit Kupferstichen, wo man Geßner den Zeichner mit Geßner dem Dichter vergleichen kann, bestätigt vielleicht dies Urteil. Die leblose Natur hält in seinen Idyllenlandschaften der lebenden ungefähr das Gleichgewicht, und diese scheint jene nicht entbehren zu können, um anziehend zu sein.

Es war also keinesweges eine unbillige Verkennung, wenn Geßner in den Literaturbriefen ein strenges Urteil erfuhr, wenn schon Bodmer nach der Erscheinung seines ‹Daphnis› mit Anspielung auf die süßliche Flachheit des Gedichtes dem Verfasser selbst den schäferlichen Namen seines Helden beilegte. Wieviel er in Deutschland wirklich noch gelesen oder nach einem von Kindheit an eingesogenen Glauben aus der Ferne verehrt wird, ist nicht leicht auszumachen. Das leidet aber keinen Zweifel, daß sich Geßners Ruhm im Auslande länger erhalten wird als unter uns. Sobald teils die echte mimische Idylle der Alten, teils die romantische Schäferpoesie der Neueren auf dem Boden unserer Sprache recht einheimisch geworden sein wird, kann nicht mehr von ihm die Rede sein. Jene hat man schon angefangen aufzustellen, wiewohl unter einem ungünstigen Lokal; und wenn wir diese nicht durch deutsche Originalwerke bereichern, so ist doch der Zeitpunkt nicht mehr entfernt, wo man von den ausländischen mit Erfolg dichterische Nachbildungen wird geben können. Zu örtlichen Schilderungen des Hirtenlebens bieten die so eignen, altertümlichen, einfachen und kecken Sitten der Alphirten, welche Geßner ganz in der Nähe hatte, den reizendsten Stoff dar, dessen Bearbeitung ihm vielleicht gelungen wäre, da er im Umgange ein ausgezeichnetes mimisches Talent gezeigt haben soll*, wenn ihn nicht eine falsche Ansicht seiner Dichtart irregeleitet hätte.

Das Obige mag genug sein, um unsre Nation von dem Vorwurfe unbilliger Kälte und Gleichgültigkeit zu retten, den Herr Hottinger ihr nicht ohne Bitterkeit macht, weil Geßners Gedichte gleich anfangs bei uns kein großes Aufsehen erregt und auch jetzt mehr aus der Ferne verehrt als häufig gelesen werden. Die wiederholten Ausgaben in den neuesten Zeiten, dergleichen andre sehr achtungswürdige Dichter, zum Beispiel Uz, nicht erlebt haben, sollten jedoch, was das letzte betrifft, eher das Gegenteil vermuten lassen. Es ist hier nicht der Ort, alle die Gründe zu prüfen, womit der Verfasser die gegen einzelne Gedichte Geßners hie und da gemachten Kritiken zu widerlegen sucht; und wäre dies auch vollständig gelungen, so ließen sich vielleicht andre ebenso erhebliche vorbringen. Wir führen nur das eine an, daß er den Evander, um ihn gegen ein strenges Urteil

---

* Von dieser komischen Mimik und der Gabe des genialischen Scherzes findet sich in Geßners Idyllen und Landschaften nicht die mindeste Spur, gleichwohl läßt sich nach den von seinem Biographen beigebrachten Anekdoten nicht bezweifeln, daß er beides wirklich besessen. Ich habe nur eine ganz unscheinbare, vielleicht von niemanden bemerkte, aber, wie mich dünkt, entscheidende Probe davon entdeckt. Dies sind einige mit den Anfangsbuchstaben von Geßners Namen unterzeichnete Titelvignetten zu der Ausgabe der Übersetzung Shakespeares von Eschenburg, welche in Zürich in den Jahren 1775 u. f. erschienen ist. Man sehe die Vignetten zu den beiden Teilen von Heinrich dem Vierten und zu den lustigen Weibern von Windsor. Es ist nicht möglich, auf zwei Zoll großen, flüchtig skizzierten und schmutzig radierten Blättern mehr drollige Charakteristik anzubringen. Jedes Figürchen lebt und verkündigt seine ganze Art zu sein. Besonders ist die Musterung, welche Falstaff mit seinen lumpigen Soldaten anstellt, unvergleichlich. Geßner hat hiedurch bewiesen, daß er ein Meister in Karikaturzeichnungen hätte werden können, wenn er gewollt hätte; und es wäre zu wünschen, daß den großen und kostbaren Kupferstichen, die in England zur Verzierung der Werke Shakespeares erschienen sind, nur ein Funke dieses Geistes inwohnte.

in den Literaturbriefen in Schutz zu nehmen, zwar ein mittelmäßiges Schauspiel, aber ein vortreffliches Gedicht nennt. Rezensent gesteht, daß alles, was darüber vorgebracht wird, ihn
noch nicht von der Vereinbarkeit dieser beiden Prädikate überzeugt. Gesetzt auch, die dramatische Form wäre hier nur Einkleidung eines didaktischen Stoffs, so bleibt es doch gewiß, daß
man zur Erreichung eines ästhetischen Zwecks sich nur ästhe-
tisch befriedigender Mittel bedienen darf und daß eine schlechte
Einkleidung schlimmer ist als gar keine. Kann das ein vortreffliches Gedicht heißen, wobei man die Belehrung, die man in
einem oder in zwei Auftritten empfangen soll, durch Langeweile in allen übrigen erkaufen muß? Jene müßte im Evander
noch ganz anders beschaffen sein, um überhaupt eine Aufopferung lohnen zu können: der unschuldigen Einfalt wird ihr Sieg
über die verderbte Kultur in jenen Szenen in der Tat gar zu
leicht gemacht. Wie kann Herr Hottinger dies Schauspiel auch
nur entfernterweise mit dem Nathan vergleichen, einem Kunstwerke, worin ein tiefer Sinn aus der anziehendsten Verwickelung hervorgeht und das, unbeschadet seiner technischen Richtigkeit und Schönheit als Drama, philosophisch ist?

Bei der gewählten und nachdrücklichen Schreibart des Buches übersieht man gern einige schweizerische Idiotismen. Eine
zweckmäßige Verzierung und ein angenehmes Geschenk nicht
nur für die Verehrer Geßners, sondern auch für die Freunde der
Kunst ist sein, wie man versichert, sehr ähnliches Bild, nach
Graff von Lips gestochen.

BÜRGER

Bürgers Nachlaß ist nun seit einigen Jahren der Welt vollständig übergeben worden: der Ertrag eines auf manche Weise verkümmerten und gedrückten Lebens. Diese wehmütige Betrachtung muß sich zuvörderst denen aufdrängen, welche Bürgern näher gekannt haben: die dem vierten Bande seiner sämtlichen Schriften eingerückte Lebensbeschreibung, die von der Hand der Freundschaft mit schonender Wahrheitsliebe und in einem milden und menschlichen Sinne abgefaßt ist, wird sie auch bei andern erwecken; ja sogar den mit allen Umständen unbekannten, aber aufmerksamen Leser müssen eine Menge Spuren in den Gedichten selbst darauf führen. Sie wird um so trauriger, wenn man bedenkt, daß nebst den Folgen früher Gewöhnungen und Schwächen, welche die natürliche und bürgerliche Ordnung der Dinge weit härter als nach ihrem Verhältnisse zur Sittlichkeit zu bestrafen pflegt, nebst der Zerrüttung einer unglücklichen Leidenschaft und in den letzten Jahren häuslichen Verdrusses gerade seine Neigung zur Poesie und seine Beschäftigung mit ihr es war, was ihn abhielt, sein zeitliches Wohl entschloßner und rüstiger anzubauen; was seine Tage verbitterte und wahrscheinlich verkürzte. Wenige haben die dichterische Weihe und ihr Teil Ruhmes um einen so teuren Preis gekauft. Auch darf man nicht etwa annehmen, eine anhaltende Erhöhung seines innern Daseins habe ihm manche äußere Entbehrung vergütet, und er habe im sorgenlosen Besitze aus der Fülle seiner begeisterten Träume nur gelegentlich einiges festgehalten und durch die Schrift mitgeteilt. Nein, er hat wirklich alles gegeben, was er hatte: der Umfang seiner dichterischen Sphäre in den

vorhandenen Werken bezeichnet uns das ganze Vermögen seines Geistes wie den erlangten Grad von Meisterschaft. Seine heitern regsamen Momente konnten, nur in wenige Brennpunkte
zusammengedrängt, eine glänzende Erscheinung machen, und
was seinen Gedichten den ausgebreitetsten Beifall verschafft hat,
das Frische, Gesunde, die energische Stimmung, hatte sich bei
ihm aus dem Leben in die Poesie hinübergerettet und beurkundet angeborne Ansprüche an eine schönere geistige Jugend, die
ihm in der Wirklichkeit nie zuteil ward.

Bürgers Eintritt in seine Laufbahn war nicht ohne begünsti-
gende Umstände. Ein kühnerer Geist regte sich um diese Zeit in
unsrer ganzen Literatur, gleichgesinnte Freunde begleiteten ihn,
und bald kam ihm der Beifall einer jubelnden Menge entgegen,
die alles Neue mit der lebhaftesten Teilnahme aufnahm und für
die bei der bisherigen Eingeschränktheit so vieles neu war. Er
hielt sich nicht mit Unrecht für einen von den Befreiern der Natur vom Zwange willkürlicher Regeln und ward als der Erfinder oder Wiederbeleber echter Volkspoesie ohne Widerrede anerkannt. Dies gab ihm Mut und Sicherheit, wenn er gleich
nicht in die trunkenen Hoffnungen mancher einstimmen konnte,
die nicht nur ohne Theorie und Kritik, sondern ohne alles
gründliche Kunststudium das Höchste in der Poesie, als die
ihrem wahren Wesen nach nur eine freie Ergießung sich selbst
überlassener Originalität sei, zu ergreifen gedachten. Dagegen
wurde er auch zu den Verirrungen, die bald auffallend überhand
nahmen, nicht mit fortgerissen, und der Einfluß damals herrschender Ansichten auf seine Grundsätze und Ausübung zeigt
sich nur bei einer näheren Prüfung. So viele zuversichtliche
Kraftverheißungen gingen ohne bleibende Spur vorüber, und
nachdem die sogenannte Sturm-und-Drang-Periode in den siebziger Jahren des verflossenen Jahrhunderts ausgetobt hatte, ließ
sich in den achtzigern eine gewisse Erschlaffung spüren, die
durch mancherlei zusammentreffende Umstände vermehrt ward.

Die Lethargie war so unerwecklich, daß selbst das Wiederauftreten jenes großen Geistes, welcher zu der vorhergehenden Periode den ersten Anstoß gegeben hatte und dessen Jugendwerke,
die auf dem Standpunkte einer umfassenden historischen Kritik
nur als vorläufige Protestationen gegen die Anmaßungen der
konventionellen Theorie erscheinen, damals das Ziel verkehrter
Nachahmungen gewesen waren: daß selbst das Wiederauftreten
Goethes, sage ich, in der Gestalt des reifen, selbständigen, besonnenen Künstlers unmittelbar keine sichtbare bedeutende Wirkung hervorbrachte. Der Glaube, der in Rücksicht auf die, welche
ihn hegen, seinen guten Grund zu haben pflegt, das Gebiet der
Dichtung ziehe sich gegen das der Begriffe immer enger zusammen, jede neue und große Hervorbringung in der Poesie werde
immer schwieriger, ja unmöglich: dieser Glaube verriet sich an
mancherlei Symptomen als allgemein herrschend, und Bürger
hatte häufige Anwandlungen von diesem Kleinmut. Eine Kritik,
die ihn noch in den letzten Jahren traf, die Beurteilung der zweiten Ausgabe seiner Gedichte in der Jenaischen Literatur-Zeitung,
war eben nicht gemacht, ihn davon zu heilen: sie drohte seinem
Ruhme einen gefährlichen Stoß, ohne daß er in seinem Innern
einen rechten Gegenhalt wider sie gefunden hätte.* So hatten
sich alle Umstände zu seinem Nachteile gewandt. Zu den allgemeinen Einflüssen einer einschläfernden, isolierenden, ungedeih-
lichen Zeit nehme man nun insbesondre den umwölkten Horizont seiner weltlichen Aussichten, Kränklichkeit, Sorgen und
die Notwendigkeit, zu Beschäftigungen zu greifen, worin er

---

* Der anonyme Verfasser dieser Rezension, welcher sich gleichwohl leicht
erraten ließ und nicht unbekannt bleiben konnte, war Schiller. Dies kränkte
Bürgern um so mehr, weil er für den Dichter der Götter Griechenlandes eine
lebhafte Bewunderung gefaßt hatte. Die Rezension war mit der kalten ab-
gezirkelten Eleganz abgefaßt, welche Schillers damaligen prosaischen Schriften eigen war und in seinen Briefen über ästhetische Erziehung in die äußerste
Erstorbenheit überging; aber sie imponierte dem Publikum und Bürgern
selbst durch eine gewisse Würde, durch den Schein der philosophischen
Tiefe und durch den noch mehr trügerischen Schein der Mäßigung.

sich entweder seines wenigen Berufs oder ihrer Beschaffenheit
wegen nicht hervortun konnte, Trennung von alten Freunden
und Geistesgenossen, Mangel an bereichernden und auffor-
dernden Anschauungen, eine freudenlose Umgebung sowohl
von seiten der Natur als des geselligen Lebens*, endlich das
beständige Ringen eines beleidigten Selbstgefühls gegen den
Übermut von Gelehrten, die sich in geistlosem Sammlerfleiß zur
Verachtung alles Edlen und Schönen verhärtet hatten und mit
denen ihn sein Verhältnis nun einmal zusammenstellte**: so
hat man alle Züge zu dem traurigsten Bilde, das sich von dem
Leben und dem allmählichen Untergange eines Dichters nur
immer entwerfen läßt.

* Bürger pflegte wohl den Ausruf Hallers in einem schwermütigen Gedichte
auf sich anzuwenden:

> Ja, recht in seinem Zorn hat das gerechte Wesen
> Mir diesen fernen Ort zur Wohnung auserlesen!

** Namen zu nennen, ist unnötig: wer das damalige Göttingen gekannt hat,
wird sie leicht ergänzen. Die Tatsache kann ich bezeugen, daß mehrere Pro-
fessoren der berühmten Universität Bürgern mit großer Verachtung begeg-
neten und von ihm sprachen wie von einem Ausgestoßenen der bürgerlichen
Gesellschaft. Und diese Geringschätzung gründete sich nicht sowohl auf
einige Umstände seines Lebens, wobei Bürger mehr zu beklagen als zu verdammen war, als darauf, daß er die brotlose Kunst der Poesie trieb und keine
Kompendien zu schreiben wußte. Einen Dichter in Göttingen zu dulden,
schien ganz unerträglich, und in der Tat paßte es nicht zum besten. Bei meinem Eintritt in das akademische Leben als ein junger Schüler wurde ich sehr
bedenklich gegen den Umgang mit Bürgern gewarnt. Mir aber, einem leidenschaftlichen Versemacher von Kindesbeinen an, war nichts angelegener,
als den Sänger der Lenore kennenzulernen. Da nun nach einiger Zeit der
Umgang lebhafter wurde, bei unsern täglichen Spaziergängen die Poesie der
beständige Gegenstand unsrer Unterredungen war, da Bürger oft ganze
Nachmittage bei mir zubrachte, in meinem Zimmer an seinen Liedern arbeitete oder auch scherzhafte Aufgaben der Versifikation mit mir um die Wette
ausführte: so hielt man mich für einen schon halb verlorenen jungen Menschen. Heyne nahm an jener engen Denkart keinen Anteil: soviel ich weiß,
wurde auf seine Verwendung Bürger zum Professor befördert, welches Amt
ihm jedoch nur neue Qual zuzog. Auch mit einem ebenso witzigen Kopfe
und geistreichen Denker als gründlichen Gelehrten, mit Lichtenberg, stand

Bürger als Mensch wäre also gar leicht gerechtfertigt, wenn er auch mit dem anvertrauten Pfunde seines Talents weit weniger gewuchert hätte, als er wirklich getan hat. Allein die Zufälligkeiten, welche die Entstehung eines Kunstwerkes umgaben, dürfen nicht in Anschlag gebracht werden, wenn von einer Beurteilung nach Kunstgesetzen die Rede ist. Man kann nicht aus Menschenliebe Beifall zollen noch aus Mitleiden bewundern. Es wäre möglich, daß dieser Baum, in einen andern Boden versetzt und bei andrer Witterung, seiner Art nach weit bessere Früchte getragen hätte: aber diese Betrachtung kann mich nicht bewegen, den Geschmack der wirklich getragenen Frucht anders anzugeben, als ich ihn empfinde. Mit dem Hinstellen für die äußere

Bürger, ohne häufigen Umgang, in einem freundschaftlichen Verhältnisse. Ebenso mit dem Mathematiker Kästner. Jedoch zog er sich von diesem bei folgender Gelegenheit ein Epigramm zu. Bürgern wurde für den jährlich erscheinenden Musenalmanach eine Unzahl schlechter Verse eingesandt, die oft der Gegenstand unsers Scherzes und unsrer Verzweiflung waren. Er klagte darüber in dem ‹Gebet eines an das Kreuz der Verlegenheit genagelten Herausgebers›:

> Vergib, o Vater der neun Schwestern,
> Die unter deinem Lorbeer ruhn!
> Vergib es denen, die dich nun
> Und immerdar durch Stümperwerke lästern:
> Sie wissen selbst nicht, was sie tun.

Dieses Epigramm taugte freilich nicht viel: bei der gewaltsam herbeigezogenen Anspielung hatte noch die Überschrift zu Hülfe genommen werden müssen. Kästner, der in allem, was auf die Religion Bezug hatte, sehr strenge gesinnt war, fand darin eine Profanation und schrieb:

> Und spräch' er auch vom Kreuz herab noch frecher:
> Wer fragt darnach? Er ist der linke Schächer!

Diese Zeilen wurden Bürgern in die Hände gespielt. – «Was ist zu tun, mein verehrter Freund?» sagte ich: «Sie werden es schon in Geduld hinnehmen müssen; denn hier ist wirklich epigrammatischer Witz, und es war nicht möglich, treffender zu erwidern.» – Worin mir denn Bürger bereitwillig beistimmte. Indessen wünschte Kästner seine oft unbedeutenden Verse wieder in den Musenalmanach eingerückt zu sehen, und so wurde bald ein Friede vermittelt.

Anschauung ist das Gedicht oder sonstige Erzeugnis des Geistes von der Person des Hervorbringers ebenso abgelöst wie die Frucht, welche genossen wird, vom Baume; und wenngleich die sämtlichen Gedichte eines Mannes seinen poetischen Lebenslauf darstellen und zusammen gleichsam eine künstlerische Person bilden, in welcher sich die Eigentümlichkeit der wirklichen mehr oder weniger, unmittelbar oder mittelbar offenbart: so müssen wir sie doch als Erzeugnisse der Freiheit, ja der Willkür, ansehen und es dahingestellt sein lassen, ob der Dichter sein Inneres nicht auf ganz andere Weise in seinen Werken hätte abspiegeln können, wenn er gewollt hätte.

Das war es wohl eben, was Bürgern in der oben erwähnten Beurteilung in der Jenaischen Literatur-Zeitung am empfindlichsten kränkte, daß sie diese Trennung nicht zugab, daß so bestimmt darin ausgesprochen wurde, was man am Dichter vermisse, gehe dem Menschen ab. Es ward ihm Mangel an Bildung vorgeworfen in einem Alter, wo man eine solche Versäumnis schwerlich mehr nachholt. Dadurch spielte der Kritiker die Frage eigentlich in ein ihm fremdes Gebiet. Spekulativ und im voraus betrachtet, erscheint eines Menschen freie, in ihn selbst zurückgehende Tätigkeit als eine Schöpfung aus nichts; historisch aber von hinten nach angesehen, wird sie zu einem bedingten Gliede in einer Reihe von Ursachen und Wirkungen: und wenn sich aus jenem Standpunkte alles von ihm fordern läßt, so muß man auf diesem schlechthin mit dem vorlieb nehmen, was er wirklich geworden ist. Ob jemand die äußeren und inneren Anregungen zu einer höheren Ausbildung gehörig benutzt hat, ob nicht, wenn bei seinem redlichen Bestreben noch Roheit in ihm zurückblieb, ursprüngliche und unüberwindliche Anlagen ihm den weiteren Fortschritt wehrten, dies sind Fragen, die er in der geheimsten Stille mit sich auszumachen hat; und die moralischen Angelegenheiten eines noch lebenden Menschen vor das große Publikum zu ziehen, ist in der Tat grausam, wenn ihm auch in der Sache selbst nicht das mindeste Unrecht geschähe.* Davor ist man aber niemals sicher: denn zwischen das Innerste des Gemüts und seine Erscheinung in einem Kunstwerke treten Organe und Medien ein, welche die Mitteilung leicht unvollständig machen oder entstellen. Es gibt Menschen, die nicht ohne widerliche Verzerrungen weinen können, wenn ihr Gefühl auch das mildeste und edelste wäre; es gibt harthörige Musiker, die ihre Zuhörer mit häufigem Fortissimo heimsuchen, weil sie nur Piano hören, wenn sie schon Forte angeben. Wenn wir uns, ohne über den Urheber richten zu wollen, bloß an das Geleistete halten, so bekommen wir statt eines unbekannten, unergründlichen und ins Unendliche hin be-

---

* Damals, als ich den obigen Aufsatz schrieb, hatte ich Ursache, mit Schillers Betragen in seinem persönlichen Verhältnisse zu mir sehr unzufrieden zu sein. Dies machte mich eben zurückhaltend. Auch hielt ich mich nicht für berechtigt, die Schutzmauer der Anonymität zu durchbrechen, wohinter Schiller, ungeachtet der Aufforderung Bürgers, sich zu nennen, verschanzt geblieben war. Jetzt, nachdem die beiden Gegner seit so vielen Jahren aus dem Leben geschieden sind, steht der Freimütigkeit kein Bedenken im Wege. Schillers Rezension war meines Erachtens eine nach den Gesetzen der literarischen Moral nicht wohl zu rechtfertigende Handlung. Wie kam gerade Schiller dazu, über einige in Bürgers Gedichten stehen gebliebene gesunde Derbheiten wie ein Rhadamanthus zu Gericht zu sitzen? Der Verfasser der Räuber, in dessen früheren Gedichten und Dramen so manche Züge jedes zarte Gefühl verletzen, mußte wissen, wie leicht genialischer Übermut zu wilden Ausschweifungen fortreißt. Oder war es gerade das Bewußtsein dieser neuerdings mit ihm selbst vorgegangenen Verwandlung, was ihn so unerbittlich strenge machte? Und hatte er denn wirklich die alte Haut so vollständig abgestreift, als er damals glaubte? Überdies hat Schiller durch diese Beurteilung nur eine schwache Probe seiner Kennerschaft gegeben. Er hätte Bürgern nicht tadeln sollen, weil er ihn nicht gehörig zu loben verstand. Wie er das Wesen der Gattung, worin Bürger wenigstens zuweilen ein vollendeter Meister war, begriffen hatte, das zeigen die Balladen, die er später, wetteifernd mit Goethe, aber gegen den Willen der Minerva, dichtete. Es hat hiebei eine Nemesis gewaltet, und Bürgern ist, zwar erst nach seinem Tode, die vollständigste Genugtuung zuteil geworden, indem nun die Vergleichung zwischen der Lenore, dem wilden Jäger, der Tochter des Pfarrers zu Taubenhain, den Weibern von Weinsberg und dem Fridolin, dem Taucher, dem Ritter von Rhodus usw. angestellt werden kann.

stimmbaren Subjekts, das auf sich selbst hätte handeln sollen und
können, bestimmte Objekte, auf die der Dichter gehandelt hat:
nämlich seine Vorbilder; die poetischen Gattungen, wie sie sich
historisch gebildet haben oder durch ihren Begriff unwandelbar
festgesetzt sind; die gewählten Gegenstände, die ihm vielleicht
zum Teil von außen her überliefert wurden; endlich die Sprache
und die äußerlichen Formen der Poesie, die Silbenmaße, wie er
sie vorfand und bearbeitete.

Sollte bei einer Prüfung der Bürgerischen Gedichte nach diesen Rücksichten und ihrer Zusammenhaltung mit dem unbedingten Maßstabe des Kunstgesetzes auch vieles von dem wegfallen müssen, was Bürger sich selbst zuschrieb und was ihm
seine mitlebenden Leser größtenteils bereitwillig zugestanden:
so glaube ich doch den Schatten meines Freundes durch offene
Darlegung meiner jetzigen Überzeugungen darüber nicht zu
kränken. Er ist jetzt aus dem Reiche sinnlicher Täuschungen ent-
rückt, und wenn sich die Abgeschiedenen noch um unsre Angelegenheiten bekümmern, so liegt ihm unstreitig das Gedeihen
der göttlichen Poesie überhaupt mehr am Herzen als die Beiträge seines beschränkten Selbst, wiewohl er im Leben es vielleicht nie völlig zu dieser Entäußerung bringen konnte. Zudem
ist es eine vergebliche Hoffnung, einem menschlichen Werke
durch Verschweigung der Mängel einen höheren Ruhm fristen
zu wollen, als der ihm zukommt: vielmehr steht zu befürchten, in
der Folge möchte mit dem so lange eingebildeten Wert, der sich
nicht bewährt gefunden, auch der echte verkannt und beiseite
geschoben werden; und es ist daher in jedem Falle heilsam, die
Sichtung zeitig ohne Rückhalt vorzunehmen. Man muß wünschen, daß Bürgers Gedichte künftig nur nach ihrem reinen Gehalt wirken: da jedoch, wie es scheint, unsre Literatur die ganze
Schule möglicher Mißverständnisse durchmachen mußte, um zu
dem Rechten zu gelangen, so ist ihnen auch die bisherige negative
Wirkung, daß sie hievon ihr Teil getragen, zugute zu rechnen.

Bei einem Dichter wie Bürger, der gar nicht etwa wie ein begünstigter Liebling der Natur den ersten Anmutungen folgte und alles mit fruchtbarer Leichtigkeit hinschüttete, sondern meistens langsam und mit Mühe, ja nicht selten mit ängstlichem Fleiße seine Sachen ausarbeitete und überarbeitete, sind die leitenden Begriffe bei seiner Ausübung der Kunst von großer Wichtigkeit, um uns über die Ursachen des Gelingens und Verfehlens aufzuklären. Ich finde deren hauptsächlich zwei während seines ganzen poetischen Lebenslaufes herrschend: Popularität und Korrektheit; obschon natürlicherweise jener in dessen erster Hälfte, dieser in der letzten mehr hervorstach. Dazu kam noch in den späteren Jahren, als ihn eine stolz verkennende Kritik an sich selbst irre gemacht hatte, der ihm eigentlich fremde und aufgedrungene Begriff der Idealität. Er hat zwar in einem eignen Spottgedichte, ‹Der Vogel Urselbst, seine Rezensenten und der Genius›, seinen Unglauben daran erklärt, aber nichtsdestoweniger sich dadurch zu mancherlei Änderungen und Umschmelzungen bestimmen lassen. Dagegen verließen ihn in dieser Periode die Begriffe von Originalität und Genialität beinahe gänzlich, auf die er immer nur mißtrauend gefußt hatte und gleichsam, um die Sitte seiner Altersgenossen mitzumachen, welche darauf wie auf eine glückliche Karte ihr ganzes Vermögen wagten. Auf das allgemeine Wesen der Poesie, auf die Notwendigkeit und strenge Reinheit der Gattungen, sogar auf die Anlage eines einzelnen Gedichtes im ganzen scheint er wenig Nachdenken verwendet zu haben.

Den Satz, welchen Bürger schon in der Vorrede zur ersten Ausgabe seiner Gedichte ohne Beweis postuliert hatte: Volkspoesie sei die vollkommenste und die einzige wahre; diesen Satz, folgendermaßen modifiziert: «Popularität eines poetischen Werkes ist das Siegel seiner Vollkommenheit»; erkannte er in der Vorrede zur zweiten Ausgabe von neuem an und suchte ihn zu begründen. Wenn man das, was er dabei sagt, um seine Meinung mit dem Worte ‹Volk› deutlich zu machen, zusammenfaßt, so läuft es auf einen mittleren Durchschnitt aus allen Ständen hinaus, und zwar in Ansehung der natürlichen Anlagen und Fähigkeiten; denn in betreff des Angebildeten und Erworbenen gibt es einen solchen mittleren Durchschnitt überhaupt nicht, indem die an wissenschaftlicher und konventioneller Bildung teilnehmenden und die davon ausgeschloßnen Stände gänzlich getrennt bleiben. Nun läßt sich aber nicht einsehen, warum die Poesie, der es gegeben ist, das Höchste im Menschen auszusprechen, sich irgend nach der Mittelmäßigkeit bequemen sollte, statt sich an die vortrefflichsten und von der Natur am reichsten begabten Geister zu wenden und die übrigen sorgen zu lassen, wie sie mit ihr fertig werden möchten. Bürger verstand sich mit dieser Forderung selber nicht recht und verwechselte sie mit dem allerdings erreichbaren Zwecke, den er sich bei einem großen Teile seiner Lieder vorgesetzt hatte: für Leser aus verschiednen Ständen und namentlich auch aus den unteren und ungelehrten zugleich zu dichten. Es dürfte auch dazu nicht eben eine so bewundernswürdige Herablassung nötig sein, als manche haben vorgeben wollen; denn die Natur teilt Phantasie und Empfänglichkeit ohne Rücksicht auf hohe oder niedre Geburt aus; konventionelle Kultur wird nur zu den Gattungen erfordert, welche Gemälde des feineren geselligen Lebens aufstellen; und gelehrte Kenntnisse können durch die Wahl des Stoffes überflüssig gemacht werden. In diesem Sinne ist es sehr möglich, ein würdiger und edler Volksdichter zu sein. Allein es läßt sich wiederum nicht einsehen, warum jeder Dichter, und zwar jederzeit, es wollen müßte, warum er nicht zum Beispiel Leser sollte voraussetzen dürfen, welche die Natur mit einem philosophischen Auge betrachtet haben oder mit dem klassischen Altertume vertraut sind. Was er an Ausdehnung seiner Wirkung verliert, könnte ihm leicht ihr Gewicht ersetzen. Wie eng würde die Sphäre der Poesie begrenzt, welche herrliche Erscheinungen in ihr würden unmöglich gemacht werden, wenn Bürgers

Grundsatz allgemein gelten sollte! Seiner Behauptung, ‹alle großen Dichter seien Volksdichter gewesen; und was sie nicht popular gedichtet, sei zuverlässig bei ihren lebendigen Leibern bereits vergessen oder gar niemals in die Vorstellungskraft und das Gedächtnis ihrer Leser aufgenommen worden›, widerspricht die Geschichte, wenigstens der modernen Poesie, die uns hier zunächst angeht, geradezu. Dante und Petrarca, die beiden ältesten Häupter derselben, sind auf jede Weise, sowohl nach dem Maßstabe der Kenntnisse als der Geisteskräfte, so unpopular wie möglich. Guarini ferner, der erste große Verbinder des Antiken und Modernen, ist keineswegs popular; und Shakespeare und Cervantes scheinen es nur, indem sie die Menge in ihren meisten Werken durch rasche Bewegung oder heitre Darstellung befriedigen und sie mit einem oberflächlichen Verständnisse täuschen, während der tiefe Sinn und eine Unendlichkeit zarter Beziehungen gemeinen Lesern und Zuschauern verborgen bleibt. Die Frage, inwiefern Homers Rhapsodien ursprünglich volksmäßig waren oder bloß für die Edlen und Großen gesungen wurden, würde uns hier zu weit führen; allein daß die Troubadours und Minnesänger im ganzen nicht eigentlich Volksdichter zu nennen sind, darf ich ohne Bedenken behaupten. Sie übten vielmehr eine adelige und Ritterpoesie, auf die Sitten, Ansichten und Empfindungsweise des obersten und damals gebildetsten Standes gebaut. Wir haben von Dichtern aus derselben Zeit, die sich um den Beifall der unteren Stände bewarben, noch manches, was mit jener den schneidendsten Gegensatz macht; auch äußert einer und der andre edle Minnesänger keine geringe Verachtung der bürgerlichen und bäurischen Lieder.

Wenn Bürger mit seiner allgemeinen Forderung der Popularität, die er denn doch vornehmlich durch Klarheit und leichte Verständlichkeit erklärt, nur das meinte, daß jedes Gedicht diese Eigenschaften in möglichst hohem Grade nach dem Verhältnisse seines Inhaltes besitzen solle, so kann man sie gern zugeben, bis

auf die Ausnahmen, wo ein Schleier von Verworrenheit und
Dunkelheit selbst den bezweckten Eindruck hervorbringen hilft
und also ein Mittel der Darstellung wird. Seine Bemerkung
scheint dann auch nicht überflüssig, da manche unsrer Dichter
ganz gewöhnliche Gedanken durch grammatische rhetorische
Künstelei zu einem schwerfälligen Tiefsinne ungenießbar aufge-
schraubt haben: eine Verkehrtheit, wovon Bürger überall frei
blieb. Will man aber behaupten, vollkommene Deutlichkeit sei
das wesentlichste Erfordernis zur Volkspoesie, so möchte man
mit ihr ganz auf den Irrweg geraten. Unser Dasein ruhet auf
dem Unbegreiflichen, und die Poesie, die aus dessen Tiefen hervorgeht, kann dieses nicht rein auflösen wollen. Dasjenige Volk,
wofür es sich der Mühe verlohnt zu dichten, hat hierüber, wie
über vieles, die natürliche Gesinnung beibehalten; alles verstehen, das heißt, mit dem Verstande begreifen wollen, ist gewiß
ein sehr unpopulares Begehren. Beispiele werden dies einleuch-
tender machen. Die Bibel, wie sie gegenwärtig in den Händen
des Volks ist, wird nur sehr unvollkommen verstanden, ja viel-
fältigst mißverstanden, und dennoch ist sie ein äußerst populares
Buch. Von unsern neueren Exegeten zum allgemeinen Verständnisse zugerichtet, würde sie unfehlbar ihre Popularität großenteils einbüßen. Die alten, besonders katholischen Kirchen-
lieder, voll der kühnsten Allegorie und Mystik, waren und sind
höchst popular; die neuen, bild- und schwunglosen, vernünftig
gemeinten und wasserklaren, die man an ihre Stelle gesetzt hat,
sind es ganz und gar nicht. Und warum sind sie es nicht? Weil
in ihrer ekeln Einförmigkeit nichts die Aufmerksamkeit weckt,
nichts das Gemüt plötzlich trifft und es in die Mitte desjenigen
versetzt, was ihm durch förmliche Belehrung nicht zugänglich
werden würde. Mit einem Wort, wer für das Volk etwas schreiben will, das über dessen irdische Bedürfnisse hinausgehen soll,
darf in der weißen Magie oder in der Kunst der Offenbarung
durch Wort und Zeichen nicht unerfahren sein.

Bürger wollte nun überdies nicht bloß ein Volkssänger, sondern auch ein korrekter Dichter sein, und zwar, wie wir sehen werden, nicht etwa in einigen seiner Gedichte volksmäßig und in andern korrekt, sondern in demselben beides zugleich. Da Korrektheit aber durchaus ein Schulbegriff ist, so muß dies, nebst seinen übrigen Vorstellungen von der Popularität, billig an der seinigen Zweifel erregen. Man wende nicht ein, der Erfolg habe dafür entschieden: Bürger werde überhaupt in einem ausgebreiteteren Kreise gelesen als vielleicht irgendein deutscher Dichter, er habe mit einigen seiner Stücke sogar bei den Ständen Eingang gefunden, die sonst nicht zu lesen pflegen. Denn auch diese sind jetzt durch eine einseitige Aufklärung so vielfältig bearbeitet worden, der Einfluß eines unpoetischen, alles für den Nutzen erziehenden Zeitalters hat sich auf so manchen Wegen bis zu ihnen erstreckt, daß sich von der Popularität bei unserm jetzigen Volke kein Schluß auf die gültigere bei einem für Naturpoesie noch nicht verbildeten machen läßt. Gedichte, sie seien nun für Könige oder Bettler bestimmt, sollen kein Beitrag zu einem Not- und Hülfsbüchlein, sondern eine freie Ergötzung sein; und die Denkarten und Ansichten, die man als Vorurteile auszurotten bemüht ist, möchten gar nahe mit den wunderbaren Dichtungen alter Volkspoesie zusammenhängen.

Eine Vergleichung mit dieser wird also die besten Aufschlüsse geben. Die Frage: war Bürger ein Volksdichter? verwandelt sich demnach in folgende: sind seine Romanzen echte und unvermischte Romanzen? Seine Begriffe von dieser Dichtart können uns die Prüfung nicht erleichtern: er hat sie bloß in seiner Ausübung niedergelegt; denn daß er bei der zweiten Ausgabe seiner Gedichte, was er sonst Balladen und Romanzen genannt, unter dem Titel ‹episch-lyrische Gedichte› zusammenordnete, darf man nicht zu hoch anrechnen. Werden diese Kunstwörter streng im Sinne der Alten genommen, so läßt sich nichts Widersinnigeres denken; aber ihre Vereinigung soll wohl nichts weiter bedeuten, als daß in der Romanze etwas erzählt wird und daß sie auch gesungen werden kann: folglich ist sie ein episch-lyrisches Gedicht. Man sieht, dies Stück Theorie ist wohlfeil zu haben, und Bürger hatte es in der guten Zeit, als noch Engels Theorie der Dichtarten oder gar der Batteux etwas galt, unbesehens angenommen. Ich will hier nicht entscheiden, ob sich die Romanze und die übrigen eigentümlich modernen Gattungen anders als historisch und genetisch ableiten lassen, da die neuere oder romantische Poesie sich nicht wie die klassische unmittelbar aus reinen Kunstgesetzen stetig entwickelt hat, sondern unter der Vermittlung aller Zeitumstände, welche die Wiedergeburt der Welt begleiteten, vielleicht als Gegensatz notwendig, aber doch mit dem Scheine der Zufälligkeit entstanden ist. Es wird für unsern Zweck hinreichend sein, die alten Romanzen, die nicht mit Absicht für das Volk, sondern unter dem Volke gedichtet wurden, deren Dichter gewissermaßen das Volk im ganzen war, zu charakterisieren, wie wir bei den Spaniern, Engländern, Schotten, Dänen und Deutschen wirklich vorfinden.

Der Name ‹Romanze›, der bei den Spaniern wohl zuerst in dieser Bedeutung gebraucht worden, ist sehr sprechend. Romance heißt soviel als lingua volgare, die neuere Volkssprache, die sich im Konflikt einer barbarischen mit einer gelehrten und klassisch vollendeten endlich gebildet hatte, so wie überhaupt aus diesem Chaos streitender Elemente die romantische Gestaltung des Mittelalters hervorging. Romanze als Dichtart ist eine romantische Darstellung in volksmäßiger Weise. Aus dem letzten Punkte mußte in einem Zeitalter, wo alles Lesen schon zur gelehrten Bildung gehörte, die Bestimmung zum leichten Gesange von selbst herfließen, so wie auch die Kürze in der Behandlung und die Einfachheit der erzählten Geschichten, da sie sich dem Gedächtnis einprägen sollten. So schieden sich die Romanzen von den umfassenderen Romanen, die ursprünglich Ritterbücher waren und erst späterhin, in Prosa aufgelöst, zu

Volksbüchern bearbeitet sind. Natürlich wurden dazu nicht
fremde und unbekannte Gegenstände herbeigezogen, sondern
solche gewählt, die, wenn auch ganz im Gebiete der Phantasie,
doch innerhalb des Horizontes möglicher Anschauungen lagen:
die Romanzen waren durch ihren Inhalt sowie durch die einheimischen Akzente und Töne, die sich darin regten, national. Das
Ritterwesen bildete in den Ländern, wo es herrschte, eine ge-
meinsame Nationalität, und was darauf Bezug hat, ist sich daher
überall ähnlich, wiewohl immer noch durch feinere Schattie-
rungen abweichend bezeichnet. Sonst sind aber den alten Volks-
gesängen die eigentümlichsten Züge der ganzen Denk- und
Empfindungsweise jedes Volkes anvertraut, oft mit unauslöschlichen und die Gesinnung bestimmenden Erinnerungen innigst
verwebt. So hallten in manchen spanischen Romanzen Szenen
aus dem letzten Mohrenkriege so rührend wider, daß es unter-
sagt ward, sie zu singen, weil sich dabei eine unbezwingliche
Trauer aller Hörer bemächtigte. In andern schimmert die stille
und brennende Liebe, die verwegne Eifersucht, die phantastische
Galanterie des Kastilianers unter mohrischen Namen und in der
seidnen Pracht des untergegangenen Hofes zu Granada. Es ist
bemerkenswert, daß in diesen südlichen Dichtungen nirgends
eine Spur von Gespenstern oder andern Schreckbildern der
Phantasie anzutreffen ist, da in den nordischen Balladen besonders der Engländer, Schotten und Dänen alle Schauer der Gei-
sterwelt kalt und leise und um so erschütternder ins Leben her-
über wehen.

Die Darstellung ist in den alten Romanzen überhaupt summa-
risch und abgerissen; manchmal zählt sie Tatsachen und Namen
chronikenmäßig auf; aber nie ist sie bemüht, auch das Wunder-
barste vorzubereiten, noch läßt sie sich mit Entwickelung der
Triebfedern ein. Jenes beglaubigt, und dieses bringt, da nichts
mit klügelnder Willkür erfunden, sondern alles mit der reinsten
und kindlichsten Anschauung aufgefaßt ist, einen ahndungsvol-

len Unzusammenhang hervor, der uns mit unaussprechlichem
Zauber festhält. Keine Rhetorik im Ausdruck der Leidenschaften, bei deren fast schüchterner Andeutung die rege Handlung
um so gewaltiger trifft. Überhaupt wird man niemals mit der
Schilderung der Gegenstände überteuert, wenn ich so sagen
darf: die Sache gibt sich selbst ohne Anspruch und Bewußtsein,
und nirgends ist eine Richtung auf den Effekt wahrzunehmen.
Durch alles dies sind die alten Romanzen in der Kühnheit weise,
in der Ruhe herzlich rührend, im Abenteuerlichen und Phantastischen natürlich und einfältig und im scheinbar Kindischen oft
unergründlich tief und göttlich edel. Dem sorglos dichtenden
Triebe gelang, wozu nur der absichtsvolle Meister zurückkehrt:
mit den unscheinbarsten Mitteln das Größte auszurichten. Ein
gebildetes Zeitalter betrachtet diese Naturerzeugnisse mit einer
Art von Vergnügen, wie es Kenner der Malerei an leichten Skiz-
zen und hingeworfenen Gedanken finden, wo man gleichsam
die Grundanschauung eines großen und reichen Kunstwerks in
wenigen geistvollen Strichen vor sich hat. Es wird Ergänzung
der Einbildungskraft dazu erfordert, und so begreift sich's, wie
ein Kunstrichter, dem es gänzlich an der Fähigkeit dazu gebrach, Johnson, der herrlichen Chevy-Jagd unbelebte Kraftlosigkeit vorwerfen konnte.

Es versteht sich, daß das Obige nur von den ältesten und
eigentlich ursprünglichen Romanzen in seinem ganzen Umfange gilt, die späteren, wenn auch sonst im Geiste jener gedichtet, haben doch eine regelmäßigere Ausführlichkeit. Die spanische Romanze wurde nachher zu einer sehr mannigfaltigen und
kunstreichen Dichtart ausgebildet. Die englischen Balladen hingegen blieben für das Volk bestimmt, aber sie sanken mehr: viele
vor Shakespeares Zeiten vorhandene sind schon äußerst flach,
weitschweifig, mit prosaischen Aufforderungen zur Teilnahme
und Nutzanwendungen verbrämt, wie auch die damaligen
Bearbeitungen der beliebten, nur in der Sprache veralteten Stücke

durchgehends Verwässerungen sind. Nur selten ließ sich damals
noch ein wahrhaft romantischer Anklang hören. Was Dichter
des achtzehnten Jahrhunderts, ein Shenstone, Collins, Mallet,
Goldsmith usw., als Balladen haben geben wollen, seit die Lieb-
haberei für diese Gattung wieder erweckt war, sind empfind-
same Reimereien ohne einen Funken vom Geist der alten. Verglichen mit der Ohnmacht und Verkehrtheit dieser Versuche
bei einer Nation, die an aufbehaltenen einheimischen Vorbildern weit reicher ist als die unsrige, erscheint Bürgers Verdienst
um die Wiederherstellung der echteren Romanze unermeßlich
groß, und es ist nicht mehr als billig, daß seine Lenore in England ein solches Erstaunen erregt und so end- und grenzenlosen
Beifall erworben hat.

Es ist wahr, Bürger verdankt den englischen Balladensängern
und besonders der Percyschen Sammlung sehr viel. Ohne diese
Anregung wäre er wohl schwerlich seinen Beruf innegeworden,
da das Deutsche, zum Teil Schätzbare, was sich in dieser Art erhalten hat, beim Anfange seiner Laufbahn ganz unbekannt war.
Nicht weniger als fünf und darunter zwei von Bürgers beliebte-
sten Balladen, die Entführung und der Bruder Graurock, sind
nach englischen Stücken gearbeitet und fast nur frei übersetzt.
Ich will sie sämtlich durchgehen und mit den nachgebildeten
den Anfang machen, weil sie bestimmte Vergleichungspunkte
darbieten. Freilich muß das Urteil dabei ganz anders ausfallen
als im Vergleich mit jenen modernen Vers-Balladen-Krämern.

‹Die Entführung› heißt im Original ‹The Child of Elle› und
gehört nicht zu den uralten Balladen, sondern ist aus der mittleren Periode, jedoch von echtem Schrot und Korn. Die Handschrift, woraus Percy sie abdrucken ließ, war mangelhaft und
verstümmelt, so daß er hier und da hat zu Hülfe kommen müssen und namentlich einen neuen Schluß dazu gemacht hat, wo
man denn auch, wiewohl er ein vorsichtiger und enthaltsamer
und daher nicht unglücklicher Ergänzer ist, wenn man leise

hört, eine etwas empfindsamere Einmischung spürt. Bei allem
dem scheint mir das Gedicht in seiner Art so vortrefflich, daß
ich es nicht anders wünschen kann und es höchst bedenklich finden würde, etwas mehr damit vorzunehmen als eine so viel
möglich treue Übersetzung. Bürger ist nicht dieser Meinung
gewesen: er hat, während er alle Hauptzüge der Geschichte bei-
behielt, das Kolorit, die Weise, den ganzen Charakter der Behandlung völlig umgewandelt. Man vergleiche nur seine neun
ersten Strophen mit den entsprechenden im Englischen:

> On yonder hill a castle standes,
>   With walles and towres bedight:
> And yonder lives the Child of Elle,
>   A young an comely Knight.
>
> The Child of Elle to his garden went,
>   And stood at his garden pale.
> When lo! he beheld fair Emmelines page,
>   Come trippinge downe the dale.
>
> The Child of Elle he hyed him thence,
>   Y-wis he stoode not stille,
> And soone he mette fair Emmelines page
>   Come climbing up the hille.
>
> Nowe Christe thee save, thou little foot-page,
>   Now Christe thee save and see!
> Oh thelle me how does thy ladye gaye,
>   And what may thy tydinges bee?
>
> My lady shee is all woe-begone,
>   And the teares they falle from her eyne;
> And aye shee laments the deadlye feude
>   Betweene her house and thine.

And here shee sends thee a silken skarfe
    Bedewde with many a teare,
And bids thee sometimes thinke on her,
    Who loved thee so deare.

And here shee sends thee a ring of golde
    The last boone thou mayst have,
And biddes thee weare it for her sake,
    When she is layde in grave.

For ah! her gentle heart is broke,
    And in grave soon must she bee.
Sith her father has chose her a new new love,
    And forbidde her to think of thee.

Her father has brought her a carlish Knight,
    Sir John of the north countraye,
And within three dayes shee must him wedde,
    Or he vowes he will her slaye.

Nowe hye thee backe, thou little foot-page,
    And greet thy ladye from mee,
And telle her that I her owne true love
    Will dye, or sette her free.

Nowe hye thee backe, thou little foot-page,
    And let thy fair ladye know,
This night will I bee at her bowre-windowe,
    Betide me weale or woe.

Die erste Strophe halte ich für einen Zusatz von Percy, der vielleicht irrig den Anfang vermißte: sie enthält eine im alten Romanzenstil schon überflüssige Erläuterung, und es kann sehr gut mit der zweiten anfangen. Das Silbenmaß, wenn man es so nennen kann, ist im Original einfach und lose gehalten; im Deutschen sind die Verse genau abgemessen, die Strophe ist

komponierter und hat den verstärkten Reiz eines Reims am
Schluß jeder Zeile, und zwar in der letzten Hälfte unmittelbar
aufeinander folgender Reime erhalten. So wird schon durch den
Klang die raschere Bewegung, die rüstigere Leidenschaft angekündigt, die Bürger bei seiner Umarbeitung bezweckte. Dort
steht der Ritter am Gartenzaun, er verlangt von seiner Geliebten
zu hören und eilt dem Boten entgegen; hier wird er von einer
Ahndung umhergetrieben, welche die bald darauf kommende
üble Botschaft vorbereiten soll und wobei er sich in der Tat
etwas ungebärdig nimmt; ehe noch die Botin ihren Mund
öffnet, schrickt er zusammen. Von seinem Schreck und Betäu-
bung bei der Nachricht selbst wird dort nicht eine Silbe erwähnt, hier lesen wir eine riesenhafte Beschreibung davon. Dort
hat der Vater mit einem Wort gedroht, seine Tochter umzubringen, wenn sie sich nicht zu dem für sie ausgewählten Ge-
mahle bequemt; hier häuft er ausführlich alle Greuel: er will die
Tochter «tief ins Burgverlies stecken, wo Molch und Unke
nistet, nicht rasten, bis er ihrem Geliebten das Herz ausgerissen
hat, und ihr das nachschmeißen». Dort will der Ritter sie befreien oder sterben, hier prahlt er im voraus, er wolle sie Riesen
gegen Hieb und Stich abgewinnen. Diese Vergleichung ließe
sich auch im folgenden durch alle Züge, ja bis in die kleinsten
Bestandteile jedes Zuges hinein verfolgen, und man wird überall dasselbe Verhältnis finden. Wenn es heißt, als das Fräulein
aus dem Fenster gestiegen ist:

> And thrice he clasp'd her to his breste,
>   And kist her tenderlie,
> The tears that fell from her fair eyes,
>   Ranne like the fountaine free,

so ist der Inhalt der letzten Zeilen, die ein so schönes Bild banger
Weiblichkeit geben, ganz weggelassen, und die ersten sind dagegen so erweitert:

> Ach! was ein Herzen, Mund und Brust,
> Mit Rang und Drang, voll Angst und Lust,
> Belauschten jetzt die Sterne
> Aus hoher Himmelsferne.

Wenn die Hofmeisterin des Fräuleins mit dichterischer Unparteilichkeit nach ihren Gesinnungen redend und handelnd eingeführt wird:

> All this beheard her own damselle,
>   In her bed whereas shee lay,
> Quoth shee: My lord shall knowe of this,
>   Soe I shall have golde and fee

so kann der deutsche Dichter sein Verdammungsurteil nicht zurückhalten!

> Im nächsten Bett war aufgewacht
> Ein Paar Verräterohren.
> Des Fräuleins Sittenmeisterin,
> Voll Gier nach schnödem Goldgewinn,
> Sprang hurtig auf, die Taten
> Dem Alten zu verraten.

Wenn das Fräulein sich dort gegen ihren Vater entschuldigt:

> Trust me, but for the carlish knyght,
>   I never had fled from thee

so platzt sie hier heraus:

> Glaubt, bester Vater, diese Flucht
> Ich hätte nimmer sie versucht,
> Wenn vor des Junkers Bette
> Mich nicht geekelt hätte,

ohne zu bedenken, daß jedem feinen Sinne vor solchem Ekel ekeln muß. Kurz, in Haupt- und Nebensachen ist im Original alles edler und zierlicher: gegen den Junker Plump von Pom-

merland hat selbst der ‹carlish Knight of the North countraye›
noch Anstand und Würde.

Nach einer so durchaus vergröbernden gewaltsamen Parodie
kann man schwerlich in Abrede sein, daß Bürger hier den bescheidnen Farbenauftrag, die Mäßigung und Enthaltsamkeit,
das Zarte, Gemütliche und Leise gänzlich verkannte. Wie hätte
er sonst glauben können, dem englischen Sänger nur etwas und
vielleicht nicht sonderlich viel schuldig zu sein, da er ihm in der
Tat mehr als alles schuldig ist? Ich halte mich überzeugt, daß
ihm sein Original an vielen Stellen matt und im ganzen unvollkommen vorkam; er dachte nach dem Grundsatze ‹Mehr hilft
mehr› die gesamte Wirkung zu erhöhen, wenn er jeder einzelnen Regung, soviel er konnte, an Heftigkeit zusetzte; und bei
einem großen Haufen von Lesern, die tüchtig getroffen sein
wollen, ehe sie etwas fühlen, verrechnete er sich allerdings nicht.
Damit hoffte er denn auch, wenn alle Glieder fester ineinander
griffen, den Zusammenhang des Ganzen straffer angezogen und
es vollständiger motiviert zu haben. Manche meiner Leser erinnern sich vielleicht noch, daß ein jetzt in Ruhestand versetzter
Kunstrichter das Gedicht in dieser Hinsicht als ein Muster der
pragmatischen Gattung zergliedert hat: allein einem Kunstwerke
die Tiefe zu geben, welche durch solch eine Kritik bis auf den
Grund ausgeschöpft werden kann, ist eben nicht schwer. In den
alten Volkspoesien sind oft aus Instinkt, wie in den Werken großer Meister mit Absicht, die innersten Motive in den Hinter-
grund geschoben, und nur hie und da kommt, wie zufällig,
etwas davon zum Vorschein: darin liegt eine ganz andre Art
von Verstand als in der arithmetischen Richtigkeit, die sich an
den Fingern aufzählen läßt. Überall, wo Bürger nicht bloß verstärkt, sondern verändert und anders gestellt hat, ist es nachteilig
geworden. So kamen ihm die Vasallen im Englischen zu plötzlich herbei: er hat sie vorbereiten wollen, indem er den Ritter
sie vorher zu sich berufen und von seinen Absichten unterrich-

ten läßt. Dadurch ist nun die ganze Überraschung aufgehoben; diesen Hülfstruppen wird eine zu große Wichtigkeit beigelegt, Karl droht zum Überflusse noch dem alten Baron mit ihnen, was der englische Ritter weislich unterläßt; endlich ist es klar, wenn die Vasallen zum erstenmal auf den bloßen Ton des Horns erschienen, so hätten sie es das zweite Mal ohne besondere Bestellung auch gekonnt. Im Englischen ist dadurch, daß der Ritter bei Entführung des Fräuleins sein Horn umgeschlungen hat, leise, aber gerade hinlänglich auf den Erfolg angespielt. Von der Feindschaft der beiden Familien, die im Original gleich in der Rede des kleinen Boten erwähnt wird, erfährt man dagegen im Deutschen erst ganz am Schlusse etwas, wodurch der Baron zu Anfange mit seinen Drohungen als ein ohne Ursach tobender Unmensch erscheint, von dem keine Erweichung des väterlichen Herzens zu erwarten steht. So läßt zum Beispiel Junker Plump «zu Trudchens Grausen vorbei die Lanze sausen», da im Original Sir John bloß einen Degen führt. Die Lanze gehörte zur vollständigen schweren Rüstung, in der wir zwar die fabelhaften, mit Riesenkräften begabten Ritter in den alten Romanen weite Reisen machen sehen, die aber zum flüchtigen Nachsetzen gar nicht taugte. Überdies, wenn Plump eine Lanze bei sich hat, so sieht man nicht ein, warum er bei seiner unritterlichen Gesinnung nicht gleich unversehens auf seinen Feind damit einrennt, warum er sich bequemt, vom Pferde zu steigen, um mit den Schwertern zu fechten, die nachher gegen alles Kostüm sogar Säbel genannt werden. Im Englischen kommen die Vasallen über den Hügel geritten, im Deutschen «durch Korn und Dorn herangesprengt». Wie kann man durch Korn und Dorn heransprengen? Die Vasallen werden doch nicht ihre eignen oder ihres Herrn Kornfelder niedergeritten haben, was der Ausdruck ‹durch Korn› offenbar sagt; sondern ordentlich auf den Wegen und Pfaden dazwischen geblieben sein. Und vollends durch Dorn! Dies möchte unbequem fallen. Der Reim, der allerdings

in unserer Sprache in manchen sprichwörtlichen Redensarten
Begriffe entgegenstellt und verbindet, hat den Dichter verleitet,
und Korn und Dorn ist nur eine andre Art von Sang und Klang.
Bürger hatte eine solche Vorliebe für diese Formel, daß in dieser
einzigen Romanze außer Korn und Dorn noch Laub und Staub,
Rang und Drang, Kling und Klang und Ach und Krach vor-
kömmt.

Ich habe mich mit Fleiß bei diesem Beispiele verweilt, weil es
dazu dienen kann, uns mit einem Male von Bürgers Manier die
klarste Vorstellung zu geben. Denn eine Manier hat er, und
zwar eine sehr auffallende und unverrücklich festgesetzte, die
sich bei allem Wechsel der Gegenstände gleichbleibt. Sie ist derb
und zuweilen nicht ohne Roheit; sie hat einen großen Anschein
von Kraft, aber es ist nicht die ruhige sichere Kraft, sondern wie
mit willkürlicher Spannung hervorgedrängte Muskeln. Ihr
größter Fehler ist wohl die nicht selten überflüssige Häßlichkeit
der dargestellten Sitten: wenn man sich darüber hinwegsetzt, so
muß sie sich durch Keckheit und Raschheit im Ausdrucke, im
Versbau und im Gange der Erzählung, durch Sauberkeit und
Genauigkeit in der ganzen Ausführung empfehlen. Einfachheit
kann man ihr nicht zuschreiben, vielmehr verschwendet sie die
materiellsten Reize und ist reich an überladenden Ausschmük-
kungen, da doch nichts der Einfalt des Volksgesanges mehr zuwider ist, als statt des stillen Zutrauens, die Sache werde für sich
schon wirken, sie durch ein lautes davon gemachtes Aufheben
aufzudringen. Dieser letzte Punkt bezeichnet es hauptsächlich,
was einigen Romanzen Bürgers abgeht oder, genauer zu reden,
was sie zuviel haben, um ganz echte Romanzen zu sein. Er ist
mit einem Wort immer demagogisch, aber sehr oft nicht popular.

Was unstreitig beitrug, Bürgern über das Fehlerhafte seiner
Manier zu verblenden oder sie vielleicht ganz seinem Bewußtsein zu entziehen, war die Sicherheit und Meisterschaft, womit
er sie ausübte: denn alles, was mit einer gewissen Konsequenz

durchgeführt ist, kann aus sich selbst nicht widerlegt werden. So sind in der ‹Entführung› lauter Unschicklichkeiten zu einem gewissermaßen schicklichen Ganzen zusammengearbeitet, das Haltung hat und seine Wirkung nicht verfehlt. Ich gestehe gern, daß die Vergleichung mit dem Englischen für manches, was ich daran rügte, meinen Blick geschärft, und bin um so weniger durch den Beifall befremdet, den sie bei so vielen deutschen Lesern, für welche sie Original war, gefunden hat und noch findet. Wenn Bürgern diese Vergleichung und das Studium seiner Vorbilder überhaupt nicht vor dem bewahren konnte, wozu ihn seine natürliche Anlage hinzog, so muß es dabei in Anschlag kommen, daß das Medium einer fremden Sprache leicht die Ansicht eines Gedichtes verfälschen kann. Herder hat die Volkslieder der verschiedensten Nationen und Zeitalter mit gänzlicher Reinheit von aller Manier und poetischem Schulwesen, jedes treu in seinem Charakter, übertragen; hier wäre Bürgern das Rechte so nahe gerückt worden, daß er es fast nicht hätte verfehlen können. Aber leider erschien diese in ihrer Art einzige Sammlung, wo die eigensten Naturlaute mit allseitiger Empfänglichkeit herausgefühlt sind, erst im Jahre 1778, also zugleich mit der ersten Ausgabe von Bürgers Gedichten, als seine Manier schon völlig fertig war. Auch Goethes meiste und wichtigste Romanzen sind aus späterer Zeit.

Bei den übrigen aus dem Englischen entlehnten Balladen können wir uns kürzer fassen. Dem ‹Friar of orders gray›, dem Urbilde ‹des Graurocks und der Pilgerin›, ist die Bearbeitung nicht so verderblich geworden als dem ‹Child of Elle›. Die von Bürgern gewählte Liederweise ist nicht mißfällig; allerlei Vertraulichkeiten und dann wieder gesuchte Sonderbarkeiten des Ausdrucks nebst Verzierungen wie ‹Ringellockenhaar› und ‹Tausendtränenguß› findet man freilich auch hier; doch ist die Nachbildung dem Original näher geblieben und folgt ihm strophenweise nach. Der vornehmste veränderte Umstand ist, daß die

Pilgerin ihren Geliebten schon im Kloster vermutet, da sie ihn im Englischen als Pilger beschreibt und nur fragt, ob er an dem heiligen Orte nicht etwa seine Andacht verrichtet hat. Dies schien Bürgern den Schluß noch nicht genug vorzubereiten, er schildert die Regung des jungen Mönches beim Anblick der von ihm erkannten Geliebten:

> Gar wunderseltsam ihm geschah,
> Und als er ihr ins Auge sah,
> Da schlug sein Herz noch mehr,

und verrät somit gleich vorn sein Geheimnis. Das Merkwürdigste bleibt aber, daß seine Wahl überhaupt auf dieses Stück fiel, welches gar keine alte Ballade, sondern von Percy aus Bruchstücken von dergleichen bei Shakespeare, mit Hinzusetzung eigner Strophen, sinnreich genug zusammengestückt ist. Zwar hat er Zeilen verknüpft, die nimmermehr in demselben alten Liede gestanden haben; und um jenes noch ganz zu besitzen, woraus die verwirrte Ophelia einige Strophen singt:

> Wie erkenn' ich dein Treu-Lieb
> Vor den andern nun? –
> «An dem Muschelhut und Stab,
> Und den Sandelschuhn.»
> Er ist lange tot und hin,
> Tot und hin, Fräulein!
> Ihm zu Häupten ein Rasen grün,
> Ihm zu Fuß ein Stein,

möchte man leicht seine und seines Nachbildners Arbeit und noch viel anderes dazu hingeben. Allein man sieht doch, was treues Studium tut: an dichterischem Talent konnte sich Percy gewiß nicht mit Bürgern messen, und doch hätte dieser bei einer ähnlichen Aufgabe sich schwerlich mit gleicher Enthaltsamkeit an das Alte anzuschließen vermocht. Zum Beweise, daß Bürgern nicht gerade das Echteste und Einfachste ansprach, enthält Percys Sammlung eine wirkliche alte Ballade von ganz ähnlichem Inhalte, ein Gespräch einer reuigen Pilgerin mit einem Hirten (Gentle herdsman, tell to me), welche schon darum weit romantischer ist, weil sie nicht mit dem Theaterstreich einer Wiedererkennung endigt, sondern die Pilgerin ungetröstet ihre Wallfahrt fortsetzt.

‹Frau Schnips› ist nach ‹The wanton wife of Bath›, ‹Der Kaiser und der Abt› nach ‹King John and the Abbot of Canterbury›. Beide Originale sind nicht alt, wie Sprache und Silbenmaß ausweisen, das letzte nach Percys Zeugnis schon Umarbeitung eines älteren. Sie sind das, was man im Altdeutschen einen Schwank nannte, ein Stoff, der bei der gehörigen Behandlung wohl nicht vom Gebiet der Romanze auszuschließen ist, so wie jeder, der es versteht, zugeben wird, ‹Lazarillo de Tormes› sei ein romantisches Buch, wiewohl es lauter lustige Bettlergeschichten enthält. In dem Weibe von Bath ist jedoch eine zwar genialisch eingekleidete Belehrung zu sichtbar das Ziel, wodurch es mehr eine religiöse Fabel wird, in dem Geist wie die Legende von Sankt Peter mit der Geiß, von dem betrügerischen Schneider im Himmelreich und andre bei unserm Hans Sachs. Der Gedanke ist äußerst keck, und schonende Behandlung war daher anzuraten: eine Weisheit, die der englische Dichter unstreitig bewiesen hat. Bürger, dem der Gedanke nicht gehörte, hat von dem Seinigen bloß eine verwegene Ausführung hinzugetan.

Daß es auf einen gewissen Grad drollig herauskommen muß, wenn man die Patriarchen und Apostel niedrige Redensarten führen und wie Kärrner fluchen läßt, begreift sich: aber dem Zwecke ist es hier ganz fremd, und wäre Bürger diesem treuer geblieben, so hätte er nicht nötig gehabt, das zuvor schlimm Gemachte durch eine angehängte Apologie wieder gut machen zu wollen. Es könnte jemand dem scherzhaften Mutwillen das Äußerste für erlaubt halten und doch manche von den Verstär-

kungen und Erweiterungen, womit das Original hier ausgestattet ist, platt und ekelhaft finden. Der possenhafte Gebrauch
lateinischer Wörter, moderne Titulaturen, Anreden der Personen mit Er und Sie und andre Züge erinnern an den Ton der
‹Prinzessin Europa›, die weder eine Romanze noch volksmäßig,
sondern bloß gemein ist, und wo die Verkleidung des Dichters
als eines Bänkelsängers in allzu wahre Bänkelsängerei übergeht.

‹Der Kaiser und der Abt› hat auch mancherlei Zusätze und
Erweiterungen bekommen, doch ist der gute Humor des Originals ohne Entstellung übertragen, und manche von den Veränderungen können sogar Verbesserungen genannt werden. Sonderbar ist es bei Bürgers gewöhnlicher Sorgfalt für die Wahrscheinlichkeiten, daß er die Ähnlichkeit des Schäfers mit dem
Abt zu erwähnen unterlassen hat:

I am like your lordship, as ever may bee;

auch ist es ein Verstoß gegen Kostüm und Schicklichkeit, den
Abt in seiner Bedrängnis mit dem Helden eines neueren Romans («ein bleicher hohlwangiger Werther») zu vergleichen.

‹Graf Walther›, im Englischen ‹Child Waters›, ist die letzte
unter den entlehnten und überhaupt in der Reihe der Bürgerschen Romanzen. Es ist, ungeachtet der etwas vermehrten Stro-
phenzahl, eigentlich nur eine Übersetzung, aber freilich eine
manierierte. Der Gegenstand hat etwas Beleidigendes für die
Würde des weiblichen Geschlechtes, als ob die Treue der Männer großmütige Gabe, die der Frauen aber Pflicht wäre. Nachdem Graf Walter die Liebe oder vielmehr die Unterwürfigkeit
seiner Geliebten auf die erniedrigendsten Proben gestellt hat,
kann er ihr nichts zum Ersatz anbieten, als worauf sie ohnehin
Anspruch hatte. Sie war indessen von geringem Stande, und
nach dem damals nicht ganz ungegründeten Glauben des Mittelalters war Biederkeit und Adel der Gesinnungen an den Adel

der Geburt geknüpft. * Das Empörende findet also im Geist der Zeiten allerdings seine Entschuldigung, und das Zeitalter hätte uns deswegen auch in allem Äußern gegenwärtig erhalten werden müssen. Sprache und Versbau sind zu fleißig ausgeputzt: jene, ungeachtet einiger beibehaltenen Archaismen, glänzt gleichsam von Neuheit, und dieser ist gegen die lose Nachlässigkeit des Originals straff und rasch, wiewohl nicht ohne Härten. Gleich die erste Strophe ist übel geraten.

> Childe Waters in his stable stoode
> And stroakt his milk-white steede:
> To him a fayre yonge ladye came,
> As ever ware womans weede.

> Graf Walter rief am Marstallstor:
> Knapp, schwemm' und kämm' mein Roß.
> Da trat ihn an die schönste Maid,
> Die je ein Graf genoß.

Auf die Stallbeschäftigungen ist durch Klang, Wendung und veränderten Inhalt der ersten beiden Zeilen viel zu viel Nachdruck gelegt; und wie unfein wird in der letzten das Verhältnis der Schönen mit dem Grafen vorausgemeldet! Im folgenden

* Hiemit soll jedoch die damalige Verfassung der Gesellschaft keineswegs gerechtfertigt werden: willkürlich mißhandelte und verachtete Leibeigene mußten wohl körperlich, geistig und sittlich ausarten. Jene Denkart des Mittelalters ist aber in dem Sprachgebrauche aller romanischen Sprachen niedergelegt: Villano, vilain, ursprünglich ein Dorfbewohner, wurde für einen Menschen von rohen Sitten und niedriger Gesinnung gebraucht. Als nachher die Verhältnisse sich milderten, kamen andre Namen für den Bauernstand auf, um ihn durch die vorwaltende Nebenbedeutung nicht zu beleidigen: contadino, paysan. Merkwürdig ist die Ableitung der Wörter: cattivo, chétif. Sie bedeuteten eigentlich einen Kriegsgefangenen, vom lateinischen captivus, dann einen Sklaven, endlich einen schlechten Menschen und überhaupt alles Schlechte und Verwerfliche. Nur im Spanischen und Portugiesischen hat sich die zweite Bedeutung erhalten. Die Normannen haben diese Wörter, womöglich mit verstärktem Sinn, auch nach England hinübergebracht: villain, caitiff.

hat Bürger einen der schönsten Züge übersehn oder mit Fleiß weggelassen. Wie die Geliebte neben dem reitenden Grafen durch das Wasser schwimmt, heißt es bei ihm bloß:

> Sie rudert wohl mit Arm und Bein,
> Hält hoch empor ihr Kinn.

Im Englischen steht die Heilige Jungfrau der Armen bei:

> The salt waters bare up her clothes,
> Our Ladye bare upp her chinne.

Auch das Rudern mit Arm und Bein gibt hier, wo von einem hochschwangern jungen Weibe in Mannstracht die Rede ist, ein widerwärtiges Bild. Diese Beispiele aus vielen von der verminderten Zartheit der Behandlung mögen hinreichen.

Wir kommen jetzt auf Bürgers eigne Romanzen, wo der Gehalt und die Kraft seines Geistes weit reiner erscheint, da wir bei der Vergleichung mit fremden Mustern immer nur auf seine Manier, das heißt auf dessen Beschränkung, geführt wurden. Ihre Reihe eröffnet auf das glänzendste ‹Lenore›, die ihm, wenn er sonst nichts gedichtet hätte, allein die Unsterblichkeit sichern würde. Man hat neuerdings gegen die Originalität der Erfindung Zweifel erregen wollen, die aber hinreichend widerlegt worden sind. Es ist ausgemacht, daß Bürgern, wie er mir selbst auch mehrmals mündlich versicherte, nichts dabei vorgeschwebt hat als einzelne verlorne Laute eines alten Volksliedes. Hat es in England auch Sagen und Lieder von einer ähnlichen Geschichte gegeben, so ist dies ein Beweis mehr, daß die Dichtung in nordischen Ländern mit örtlicher Wahrheit einheimisch ist. Mit einer solchen Erfindung darf man gar nicht einmal aus willkürlichem Vorsatze weiter gehen, als volksmäßiger Glaube und Stimmung der Phantasie Gewähr leistet. Lenore bleibt immer Bürgers Kleinod, der kostbare Ring, wodurch er sich der Volkspoesie, wie der Doge von Venedig dem Meere, für immer antraute.

Mit Recht entstand in Deutschland bei ihrer Erscheinung ein
Jubel, wie wenn der Vorhang einer noch unbekannten wunderbaren Welt aufgezogen würde. Die Begünstigungen der Jugend
und Neuheit kamen dem Dichter zustatten, allein es war auch
an sich selbst sein glücklichster und gelungenster Wurf. Eine
Geschichte, welche die getäuschten Hoffnungen und die vergebliche Empörung eines menschlichen Herzens, dann alle
Schauer eines verzweiflungsvollen Todes in wenigen leicht faß-
lichen Zügen und lebendig vorüberfliehenden Bildern entfaltet,
ist ohne erkünsteltes Beiwerk, ohne vom Ziel schweifende Aus-
schmückungen in die regste Handlung und fast ganz in wech-
selnde Reden gesetzt, während welcher man die Gestalten ohne
den Beistand störender Schilderungen sich bewegen und gebärden sieht. In dem Ganzen ist eine einfache und große Anordnung: es gliedert sich außer der kurzen Einleitung und den
Übergängen in drei Hauptteile, wovon der erste das heitre Bild
eines friedlich heimkehrenden Heeres darbietet und mit den
beiden andern, der wilden Leidenschaft Lenorens und ihrer Entführung in das Reich des Todes, den hebendsten Gegensatz
macht. Diese stehen einander wiederum gegenüber: was dort
die Warnungen der Mutter, sind hier Lenorens Bangigkeiten,
und mit eben der Steigerung, die in den frevelnden Ausbrüchen
ihres Schmerzes sich zeigt, wird sie immer gewaltsamer und
eilender und zuletzt mit einem Sturm des Grausens ihrem Untergange entgegengerissen. Auch in dem schauerlichen Teile ist
alles verständig ausgespart und für den Fortgang und Schluß
immer etwas zurückbehalten, was eben bei solchen Eindrücken
von der größten Wichtigkeit ist. Denn es ist ja eine bekannte
Erfahrung, daß man, um ein Gespenst verschwinden zu machen,
grade darauf zugehn muß: die so tief in der menschlichen Natur
gegründete Furcht vor nächtlichen Erscheinungen aus der Gei-
sterwelt bezieht sich eigentlich auf das Unbekannte und wird
vielmehr durch das Unheimliche der Ahndung und zweifelhaf-

ten Erwartung erregt als durch die Deutlichkeit einer schreckenden Gegenwart; und mit dieser kann der Dichter erst dann die
großen Streiche führen, wenn er sich schon durch jene allmählich der Gemüter bemächtigt hat.* Ohne diese Vorsicht kann
ein ganzes Füllhorn von Schreckphantomen ausgeschüttet werden, und es bleibt ohne die mindeste Wirkung. In der Lenore ist
nichts zuviel: die vorgeführten Geistererscheinungen sind leicht
und luftig und fallen nicht ins Gräßliche und körperlich Angrei-
fende. Dabei ist von dem Rabenhaare an, das sie zerrauft, jeder
Zug bedeutend; der schöne Leichtsinn, womit sie der Gestalt
des Geliebten folgt; die Schnelligkeit des nächtlichen Rittes; der
wilde lustige Ton in den Reden des Reiters: alles spricht mit der
Entschiedenheit des frischen Lebens zwischen die Ohnmacht der
Schattenwelt hinein, deren endlicher Sieg um so mächtiger er-
schüttert.

Vielleicht lassen sich von den meisten Eigenheiten, die Bürgers
nachherige Manier bezeichnen, in der Lenore wenigstens Spuren und Keime auffinden: aber eine werdende Manier, die sich
noch schwebend erhält, ist eigentlich keine, und hier wird sie
durch die Übereinstimmung mit dem Gegenstande gewissermaßen zum Stil erhoben. Die häufigen ‹Hop hop hop, Hurre,
hurre, Husch husch husch› usw. haben am meisten Anstoß ge-

---

* Bürger erzählte mir, als er die eben vollendete Lenore seinem Freunde
Friedrich Leopold Grafen zu Stolberg zum erstenmal vorgelesen, habe er
gewünscht, die Wirkung recht zu erproben, und deswegen eine kleine Überraschung vorbereitet. Er hielt nämlich, wie von ungefähr, eine Reitgerte in
der Hand, und als er an die Stelle kam:

> Rasch auf ein eisern Gittertor
> Ging's mit verhängtem Zügel,
> Mit schlanker Gert' ein Schlag davor
> Zersprengte Schloß und Riegel;

schlug er damit an eine gegenüber stehende Tür. Stolberg, damals ein Jüngling von entzündbarer Einbildungskraft, durch die vorhergehende Schilderung schon ganz ergriffen, sprang hiebei mit Entsetzen auf, als ob die ge-
schilderte Sache wirklich unter seinen Augen vorginge.

geben. Die altgläubigen Kritiker tadelten sie nicht mit Unrecht, aber aus dem unstatthaften Grunde, weil sie nicht in der Büchersprache vorkommen; da sie vielmehr deswegen wegzuwünschen wären, weil es rhetorische Kunstgriffe sind, welche die Romanze verwirft; weil sie anschaulich machen sollen und nur wie eine unberedte kindische Lebhaftigkeit des Erzählers herauskommen. Daß der Mangel dieser Interjektionen und Onomatopöien keine Lücke hinterlassen würde, davon kann man sich an der vortrefflichen Übersetzung von Beresford (der besten unter den englischen, die ich kenne) überzeugen, wo sie bei aller Treue ohne Schaden weggeblieben sind. Der schlechteste Vers in der Lenore scheint mir demnach folgender:

Hu hu! ein gräßlich Wunder!

Der Dichter hätte in der Tat seine Bestrebungen vergeblich aufgewandt, wenn die Leser noch bedürften benachrichtigt zu werden, daß das, was in dieser Strophe vorgeht, ein gräßliches Wunder ist.

Daß er die Geschichte in so neue Zeit gesetzt hat, an das Ende des Siebenjährigen Krieges*, ist wohl nicht zu tadeln: denn, wenn fabelhafte Begebenheiten gern in der Ferne der Zeiten und Örter geschehen, so nimmt man dagegen ein warnendes

---

* Die geschichtlichen Angaben:

               Er war mit König Friedrichs Macht
               Gezogen in die Prager Schlacht;
und dann: Der König und die Kaiserin,
               Des langen Haders müde,
               Erweichten ihren harten Sinn
               Und machten endlich Friede;

könnten unbestimmt scheinen. Da Friedrich der Große im Siebenjährigen Kriege mehrere mächtige Gegner hatte und hier nur die Kaiserin erwähnt wird, so möchte man an seine früheren Feldzüge gegen Maria Theresia denken, wo auch Kriegsvorfälle bei Prag stattgefunden haben. Aber darauf paßt ‹der lange Hader› nicht, auch war der Friede mit Rußland schon früher geschlossen, und mit der Prager Schlacht ist ohne Zweifel die vom 6. Mai 1757 gemeint.

Beispiel am liebsten aus der Nähe; und es liegt in dem Sinne der
Dichtung, daß sie dies sein soll. Weniger schicklich ist der Umstand, daß Lenorens Geliebter zu einem preußischen Krieger
gemacht wird: dies führt auf ein protestantisches Land als Szene,
worin man durch die Äußerung der Mutter, er könne wohl in
Ungarn seinen Glauben abgeschworen haben, bestärkt wird.
Nach dem ganzen Gespräch zwischen ihr und der Tochter hingegen fällt man eher darauf, sie für katholisch erzogen zu halten,
was auch unstreitig besser paßt. Soviel ich weiß, ist diese Mißhelligkeit noch nicht bemerkt worden, sie muß daher wohl
nicht sehr auffallend sein.

Am meisten Verwandtschaft mit der Lenore hat ‹Der wilde
Jäger›, und vielleicht ist er nur darum nicht zu gleicher Zelebrität gelangt, weil er der jüngere Bruder war. Der Gegenstand ist
mit strenger Enthaltung von allem Fremdartigen behandelt; die
Erfindung, den guten und bösen Engel in Gestalt zwei beglei-
tender Reiter erscheinen zu lassen, ist ganz der geschilderten
Sitte und dem Glauben des angenommenen Zeitalters gemäß;
die verhängnisvolle Symmetrie ihrer Warnungen und Aufrei-
zungen sondert die Momente der Handlung und läßt zwischen
ihrer stürmenden Eile die Betrachtung zu Atem kommen, die
immer ernster einem nahenden Strafgericht entgegensieht. In
den ersten beiden Strophen, in dem Gegensatz des wilden Jagd-
getöses mit der feierlichen Heiligkeit des Gottesdienstes, liegt
schon der Sinn des Ganzen beschlossen, der sich nachher nur
stetig entwickelt. Die Darstellung ist meisterlich, vielleicht für
eine Romanze zu kunstvoll, wenigstens von einer Kunst, wobei
die studierte Wahl und Ausbildung der Züge zu sichtbar bleibt.
Überhaupt, bis auf das so sprechende und gewissermaßen große
Silbenmaß, das aber nicht faßlich ins Gehör fällt und am wenigsten sich einer Melodie anneigt, ist dem Gedichte eine Gründlichkeit der Ausführung mitgegeben, woran es zu schwer trägt,
um ganz die Bahn des leichten Volksgesanges zu fliegen, wie-

wohl es in der Anlage höchst popular gedacht ist. Die Ausrufungen, grellen Tonmalereien und was es sonst zuviel hat, ohne welches das Weniger mehr sein würde: das versteht sich von selbst.

Die beiden Stücke ‹Der Raubgraf› und ‹Die Weiber von Weinsberg› stehen ungefähr auf derselben Stufe. Sie sind munter und drollig, jedoch nicht ohne Anwandlungen von den Späßen, die in der ‹Europa›, ‹Herrn Bachus› und der ‹Menagerie der Götter› herrschen und viel mehr studentenhaft als volksmäßig zu nennen sind. Die Weiber von Weinsberg nähern sich noch eher der reinen Romanze, da der Raubgraf durch die weitläuftige Peroration des Schwagers Matz und die Anspielung auf einen modernen Zeitumstand am Schlusse ein seltsam gemischtes Ding wird. Die gut geratene vertrauliche Mimik, womit die Geschichte episodisch eingeführt ist, eignete sich zu einer durchaus verschiedenen Behandlung. Daß ich es für die Kenner mit einem Worte sage: es sollte eine mimische Idylle sein.

‹Lenardo und Blandine› ist unstreitig von allen Seiten Bürgers schlimmste Verirrung. Eine üble Vorbedeutung gibt schon die hingeworfene Art, womit er in der Vorrede zur ersten Ausgabe ‹alter Novellen› erwähnt, worin ‹die Geschichte unter dem Namen Guiscardo und Gismunda ähnlich vorkomme›, als ob seinem Vorbilde nichts abzugewinnen gewesen wäre, außer ungefähr die erste Grundlage. Jene alte Novelle rührt doch von keinem geringeren Meister her als dem Boccaz: bestimmte Einzelheiten zeigen bei aller Abweichung unwidersprechlich, daß Bürger den Decamerone vor Augen gehabt, und man kann ihn also nicht von dem Vorwurfe freisprechen, für den großen Stil dieser Erzählung und ihre sittliche Schönheit ganz unempfindlich geblieben zu sein. Wer sie in der Ursprache lesen und fühlen kann (denn keine bisherige Übersetzung möchte wohl den Charakter ganz wiedergeben), dem muß die Ballade, damit verglichen, zugleich wie ein ungestümes Toben und ein kindisches Lallen gegen die hohe und ruhige Beredsamkeit eines Weisen erschei-

nen. Vom ersten bis zum letzten sind alle Züge vergröbert, entstellt, überladen, und ein Schmerz, der von der edelsten Seelenstärke zeugt und dem die Fürstin ihr Leben mit stiller tragischer
Würde hingibt, ist in wilde Wut umgeschaffen. Die Gismunda
des Boccaz ist schon vermählt gewesen, aber bald als Witwe zu
ihrem Vater zurückgekehrt, der aus Anhänglichkeit an sie vermeidet, sie durch eine zweite Vermählung nochmals von sich zu
entfernen. Die Scham hält sie ab, ihm darum anzuliegen, sie
meinte besser zu tun, wenn sie sich unter den Hofleuten und
Dienern ihres Vaters einen wackern Liebhaber wählte. Guiscardo war einer der niedern Diener, aber sie erblickte keinen,
der an Sitten höher gewesen wäre. Ihr Verständnis befestigt sich
unter dem Schutz eines tiefen Geheimnisses, der Vater ist es
selbst, der es endlich durch einen Zufall entdeckt. Er läßt den
Guiscardo gefangen nehmen und stellt seine Tochter zur Rede,
die nun, sobald sie das Schicksal ihres Geliebten innewird, sich
jede weibliche Wehklage verbietet und, mit dem Entschluß der
Liebe im Herzen, ihm nur durch die ruhige und ungeheuchelte
Darlegung ihrer Antriebe und ihrer Rechte antwortet. Der
Vater erkennt das hohe Gemüt seiner Tochter, hofft aber durch
Strenge sie zum Gehorsam und zum Gefühl der Ehre zurückzuführen und läßt den Liebhaber umbringen. Da er ihr durch
einen Vertrauten sein Herz in einem goldnen Gefäße sendet, hat
sie schon den hülfreichen Trank bereitet, und nach einer kurzen
Totenfeier nimmt sie ihn, legt sich anständig auf ihrem Bette
zurecht, drückt das teure Herz an ihre Brust und scheidet so aus
der wehevollen Welt.

Bürgers ‹Blandine› kündigt sich wie ein leichtsinniges Mädchen an, das ohne Jungfräulichkeit der ersten Aufwallung folgt.
Alles, was ihr Verhältnis zum Geliebten bezeichnet, ist grob ausgedrückt, und der spanische Molch ist gleich bei der Hand, um
die Geschichte auf der einen Seite durch gräßliche Worte zu
heben, auf der andern wahrscheinlich, um ein Teil von der grau-

samen Tat des Vaters auf sich zu nehmen, der, ob er gleich beim Boccaz sie ohne solche Milderung begeht, dort als der liebendste und mitleidenswerteste Vater erscheint, hier aber ein sehr gleichgültiger Gegenstand ist. Die Unterredung der Liebenden ist ein Gemisch von allem, was jemals bei Bürgern als ‹Geschwätz der Liebe getrieben› wird; an einer Stelle ist das Duo in Shakespeares Romeo und Julia beim Anbruch des Tages auffallend benutzt; zuletzt artet sie in eine Tändelei aus, die bedeutend sein soll, aber um so mißfälliger wird. Der von Bürgern hinzugefügte Aufzug der drei Junker ist der einzige glückliche Moment im ganzen Gemälde, so wie er es uns gegeben hat. Der plötzliche Wahnsinn der Prinzessin aber, wie sie «zusammenstürzt und nach Luft schnappt und mit zuckender strebender Kraft sich wieder dem Boden entrafft», zeigt auf das stärkste den unbedingten Widerspruch der beiden Behandlungen. Bürger konnte sich in der Tat nicht anders helfen: nach dieser ungezügelten Anlage mußte sich die Leidenschaft toll gebärden und mit einem ‹Juchheisa Trallah› endigen. Zu dem Mittel des Wahnsinns zu greifen, mochte er sich durch Shakespeares Ansehn berechtigt halten, dessen Darstellungen der Verrücktheit ziemlich verrückt angepriesen wurden: und ich glaube hier ganz deutlich das Unheil zu sehen, was die mißkennende Ansicht dieses Dichters und die damals herrschende, leider immer noch nicht ganz erloschene Zuversicht, als stände das Höchste der Poesie durch ein ungebührliches Getobe der Leidenschaften zu erreichen, auch bei Bürgern angerichtet hatte. Denn sonst hätte er sich nimmermehr eine Ausführung dieses Wahnsinns erlaubt, die alle Sitte und Grazie unter die Füße tritt. Von seiner Blandine, «die zum Sprunge singt und zum Sange springt», unter Ausrufungen wie:

> Weg, Edelgesindel! Pfui! stinkest mir an!
> Du stinkest nach stinkender Hoffart mir an!
>
> – – – – – –
>
> Und speiet in euer hochadliges Blut,

kann man gewiß nicht rühmen, was Laertes von der Ophelia:

> Schwermut und Trauer, Leid, die Hölle selbst,
> Macht sie zur Anmut und zur Artigkeit.

Ihr ist sowenig mit der Reihe von Zeichnungen, die ein Dilettant in psychologisch-künstlerischer Hinsicht nach der Ballade von Augenblick zu Augenblick etwas fratzenmäßig entworfen hat, als mit den unseligen Nachahmungen, deren keine von Bürgers Romanzen so viele nach sich gezogen, eine unverdiente Schmach widerfahren. Noch näher liegt die Parallele mit der Gismunda des Hogarth. Dieser hielt das, was seine Freunde von dem edlen Stil der italienischen Geschichtsmaler rühmten, für leere Einbildung: er vermaß sich, ebenso gut zu malen wie Correggio, wählte dazu eine Szene aus dieser Novelle, und es fiel aus, wie sich's erwarten ließ. Nach dem Zeugnisse seines Freundes Walpole war Hogarths Heldin Gismunden ähnlich ‹wie ich dem Herkules› und sah aus wie eine heulende, aus dem Dienst gejagte Küchenmagd. So hart wurde der Künstler für seinen Unglauben an eine höhere Gattung als die seinige bestraft! Und so steht denn auch Bürgers Ballade in ihrer ganzen Gestaltung, von der an zu rechnen, die in dem hüpfenden Silbenmaße liegt, höchst maniriert, und also in seiner schlechtesten Manier gearbeitet, als ein Beispiel da, daß, wer ein vollendetes Kunstwerk für den rohen Stoff ansieht, aus dem er erst das Kunstwerk zu bilden hätte, statt dessen es unfehlbar auf rohen Stoff zurückführen wird.

In dem ‹Liede vom braven Manne› hat der Dichter der biedern herzlichen Freude über eine wackre Tat Ton und Stimme geliehen, und die Absicht macht seinem Herzen Ehre. Nur daß das Gedicht eine echte Romanze und wahrhaft volksmäßig sei, muß ich mehr als bezweifeln, wenn man auch für das letzte noch so viele Beweise von allgemeinem Beifall anführen möchte. Eine gute Tat wird sittliche Vorsätze im Gemüte rege machen, aber die Phantasie trifft sie an und für sich noch nicht. Dies hat der

Dichter auch gefühlt und die von ihm besungene Tat durch ihre
Umgebungen in das Gebiet des Romantischen und Wunderbaren zu heben gesucht: und indem er den möglichsten Nachdruck
auf die Furchtbarkeit des Eisganges, auf das Dringende der Gefahr, auf die lange vergeblich gespannte Erwartung eines Retters
legen will, verbreitet er sich in geschmückten Schilderungen
und rhetorischen Wendungen, die in der Romanze durchaus un-
statthaft sind. Zu den letzten rechne ich die wiederholten ‹O
braver Mann! braver Mann! zeige dich!› und ‹O Retter! Retter!
komm geschwind!›, das Beteuern ‹beim höchsten Gott!› der
Graf sei brav gewesen usw.; vor allem aber das viele Reden des
Liedes von sich und mit sich selbst, das Rühmen des Dichters
von dem Liede, seine Aufforderungen und Fragen an selbiges,
die kein Ende nehmen. Mir deucht, wenn das Lied in allem
Ernste voll von dem braven Manne gewesen wäre, so hätte es
gar nicht weiter an sich denken müssen. Jede wahrhaft begeisterte Darstellung verliert sich in ihrem Gegenstande. Zudem
führt dieses Selbstbewußtsein, diese Wichtigkeit auf die Vermutung, es sei bei dem Vortrage ein Aufwand von Künstlichkeit
und Zurüstungen gemacht, der sich weder mit dem Vertrauen
auf die Sache noch mit der Einfalt des echten Volksliedes verträgt. Dieses ist gleichsam nur die Sache selbst, auf dem kürzesten Wege aus einer Sage in eine Melodie umgewandelt: das
Lied wird sich also nicht der Sache ausdrücklich entgegenstellen.
Die ursprünglichsten Volksgesänge hat, wie oben bemerkt
wurde, das Volk gewissermaßen selbst gedichtet; wo der Dichter
als Person hervortritt, da ist schon die Grenze der künstlichen
Poesie. Ich wäre neugierig, eine wahre alte Romanze zu sehen,
deren Sänger so viel und mit solchem Pomp von sich und seinem
Liede spräche, als in dem Liede vom braven Manne geschieht.
Wenn einmal eine solche Erwähnung vorkommt, so wird sie
dem Gedichte nur als Anhang außerhalb der Darstellung und in
den schlichtesten Ausdrücken mitgegeben. So in dem ganz

romanzenartigen alten Liede von den heiligen drei Königen, zu
Anfange:

> Ich lag in einer Nacht und schlief,
> Mir träumt, wie mir König David rief,
> Daß ich sollt dichten und reimen,
> Von heiligen dreien Königen ein neues Lied;
> Sie liegen zu Köln am Rheine;

und nun folgt gleich die Geschichte. Oder in einer andern Ballade am Schluß:

> Wer ist's, der uns dies Liedlein sang?
> So frei ist es gesungen.
> Das haben drei Jungfräulein getan
> Zu Wien in Österreiche.

Ferner, was den Inhalt betrifft, so ist es ein unkünstlerisches
Beginnen, eine gute Handlung als solche darstellen zu wollen;
denn das, was eigentlich ihren sittlichen Wert ausmacht, die
Reinheit der Bewegungsgründe, kann auf keine Weise zur Erscheinung kommen. Es ist aber auch der unverfälschten geraden
Gesinnung des Volkes gar nicht gemäß. Das Bekanntmachen
sogenannter edler Handlungen durch die Zeitungen, die dafür
erteilten Ehrenbezeugungen oder gar darauf gesetzten Preise,
alles dies sind Mißgeburten einer leidigen Aufklärung. Ich will
nicht so übel von unserm Zeitalter denken, nicht zu glauben,
daß eine Menge viel besserer Handlungen geschehen, als die
unsre albernen Volksschriftsteller aufzeichnen. Dem Staate liegt
es ob, dem Bürger, der zum Beispiel einem andern das Leben
gerettet, eine corona civica zu verehren: allein dies ist ganz
etwas anders, es ist eine Belohnung für den ihm geleisteten
Dienst, wobei die über allen Lohn erhabene Sittlichkeit des
Täters dahingestellt bleibt.

Jede Anstalt ist unsittlich, die es zweideutig macht, ob sich in
ein wohltuendes Bestreben nicht eitle Ruhmsucht mischte. Der

wahrhaft tugendhafte Mensch, der so innig fühlt, daß das Beste, was er tun kann, nur seine Schuldigkeit ist, wird bei dem Getanen nicht selbstgefällig verweilen und sich vornehmlich allem Schaugepränge damit entziehen. Die christliche Gesinnung vollends, die wohl noch immer die popularste ist, bringt es mit sich, wenn man Ursache zur Zufriedenheit mit sich zu haben glaubt, sich in seinem Innern zu demütigen, damit nicht der Stolz auf das vollbrachte Gute die gefährlichste Versuchung werde.

Eine kleine Inkonsequenz ist es, daß der Dichter so oft wiederholt erklärt, er wolle einen einzelnen Menschen, einen Zeitgenossen verherrlichen, und doch alle örtlichen Bestimmungen wegläßt, woran man ihn erkennen könnte. Es würde, wie mir scheint, auch poetisch weit vorteilhafter sein, wenn der Fluß und der Schauplatz der Überschwemmung, das Vaterland und der Name des Retters angegeben wäre. Der Grund des Verschweigens liegt freilich in der Erzählung selbst:

> So rief er, mit adligem Biederton,
> Und wandte den Rücken und ging davon.

Der Bauer entzog sich schnell der Dankbarkeit und Bewunderung, man hat vielleicht nicht einmal seinen Namen erfahren; er hätte sich eine öffentliche Lobpreisung gewiß ebenso verbeten wie den Lohn des Grafen. Dieser wahrhaft große Zug krönt seine Handlung; und da Bürger das, was ihre Sittlichkeit beglaubigt, so gut gefühlt und ausgedrückt hat, so ist es zu beklagen, daß er die Tat nicht den Täter hat loben lassen, ohne zu sagen, zu melden und anzukündigen, daß er sie herrlich preisen wolle. Man mache den Versuch, mit Weglassung aller Strophen und Zeilen, welche Deklamation enthalten, die bloße Erzählung herauszuheben: man wird nicht nur die Entbehrlichkeit jener Einschiebsel einleuchtend, sondern auch die Wirkung der Geschichte um vieles erhöht finden. Besonders hat alles, was den

Bauer und seine Tat darstellt, den Ton der gediegensten Biederkeit: und es ist keine Frage, daß bei einem etwas anders gerück-
ten Gesichtspunkte (das Irrige der jetzigen Behandlung liegt
schon zum Teil in der Überschrift) ein vortreffliches Gedicht
daraus hätte werden können.

Wir sehen dies gleich an der Romanze ‹Die Kuh oder Frau
Magdalis› durch ein Beispiel bestätigt. Der Inhalt ist hier ebenfalls eine edle Handlung, und zwar von geringerem Belange,
eine bloße Handlung der Mildtätigkeit. Allein der Nachdruck
ist auch gar nicht auf sie gelegt: sie kommt erst ganz am Ende
zum Vorschein, nicht während sie geschieht, sondern schon geschehen: und wir werden zuerst auf die überraschende und sinnreiche Art gelenkt, womit die Wohltat erwiesen worden ist. Die
Nachrede, womit der Dichter sie begleitet, ist schmucklos und
enthält nur das Nötige, um die Geschichte als wahr zu beurkun-
den. Vorn führt er uns mit der naivsten Wahrheit in die Beschränktheit einer Glückslage hinein, wo der Verlust einer Kuh
zum großen und unüberwindlichen Leiden wird. Daß die arme
Witwe bei dem Brüllen im Stalle sich vor einem bösen Geiste
ängstigt, gibt der Sache etwas Wunderbares und ist doch ebenso
natürlich, als ihre verdoppelte Freude beim Anblick der Kuh
rührend. Es ist alles aus dem Stoffe gemacht, was daraus werden
konnte, ohne Prunk und Künstelei; das Ganze ist durchaus liebenswürdig und gemütlich.

‹Des Pfarrers Tochter von Taubenhain› wird unfehlbar jedes
empfängliche Herz erschüttern, aber leider mit peinigenden
Gefühlen, gegen die nur derbe Nerven gestählt sein möchten.
Das Gedicht hat eine moralische Tendenz, in dem Sinne wie
unsere bürgerlichen Familiengemälde: und wie diese zum romantischen Schauspiel, so verhält es sich ungefähr zur wahren
Romanze. Das Drückende dieser Rücksicht liegt gar nicht darin,
daß überhaupt ein bestraftes Verbrechen zur Warnung aufgestellt wird; dies geschieht ja auch in der Lenore und im wilden

Jäger. Freilich werden die Vergehen beider als Frevel gegen den Himmel und die Strafe als ein übernatürliches Verhängnis vorgestellt, wodurch die Dichtung einen weit kühneren Charakter bekömmt. Allein es gibt nicht wenige alte Romanzen, welche Mordgeschichten enthalten und mit der natürlichen oder bürgerlichen Bestrafung endigen und nichtsdestoweniger vollkommen romantisch sind. Die genaue psychologische Entwicklung der Motive, womit der Fortschritt der unglücklichen Verführten vom ersten Fehltritt bis zum Verbrechen begleitet wird, ist es, was weder ein heitres noch ein ernst erhebendes Bild des Lebens aufkommen läßt. Die Akten zum Kriminalprozeß der Kindermörderin sind in dem Gedichte vollständig dargelegt: daß er, bei allem, was sie entschuldigt, dennoch mit ihrer ungemilderten Verdammung endigt, während der niederträchtige Verführer und der brutale Vater (denn an Häßlichkeit der Sitten ist nichts gespart) frei ausgehen, ist empörend und stellt uns die höchste Widerrechtlichkeit und Verkehrtheit so mancher bürgerlichen Einrichtungen vor Augen. Des menschlichen Elendes haben wir leider zu viel in der Wirklichkeit, um in der Poesie noch damit behelligt zu werden. Ich sehe wohl, daß Bürger, vielleicht mehr aus einem bewußtlosen Triebe als mit Überlegung, überall zu der Region hinstrebt, wovon ihn die einmal genommene und nunmehr unabänderliche Richtung ausschloß, und insofern ist dies Gedicht lehrreicher als manches andre. Einige haben vorzüglich die Schilderung der Schwangerschaft bewundert, mir scheinen die anfangenden Strophen das Meisterhafte zu sein. Auch die auf Unschuld anspielende Wahl des Namens ‹Taubenhain› ist glücklich, und die wiederum auf Namen und Sache anspielende Gestalt der Geistererscheinungen:

> Da rasselt, da flattert und sträubet es sich,
> Wie gegen den Falken die Taube,

gehört zu den zarteren Geheimnissen der Poesie.

Das ‹Lied von der Treue› ist aus einem alten und vielfach wiederholten Fabliau genommen. Da die Geschichte bloß auf einen beißenden Spott gegen die weibliche Treue hinausläuft, so sollte sie entweder kurz als witzige Anekdote erzählt werden oder in einer größeren Komposition der Ironie dienen, wie wir sie wirklich in den Roman vom Tristan eingeflochten sehen, der ganz auf die höchste Treue der Liebenden gebaut ist. Wenigstens fühlt man sehr entschieden, daß Bürgers Romanze keinen rechten Schluß hat. Graf Friedrich Leopold zu Stolberg hat bei der Behandlung des nämlichen Gegenstandes unter dem Namen ‹Schön Klärchen› (Musenalmanach von Voß und Göckingk, 1781) mit einer glücklicheren Wendung geendet, überhaupt eine weit anmutigere Erzählung daraus gemacht, wiewohl nicht im reinen Ton der Ballade, aber so duftig und rosenfarben gehalten, daß der helle Leichtsinn uns noch zierlich daraus anspricht und der herzliche Kummer des Betrogenen wie eine kindliche Klage. Es ist alles besser zusammengewebt: die drei dänischen Doggen erscheinen nicht erst mit der Katastrophe zugleich, sie sind schon als Schön Klärchens Gefolge bekannt, samt dem getigerten Spanier, den sie auf der Jagd zu reiten pflegte; und wieviel artiger nimmt sich der Liebhaber aus, der ihr, wie sie mit ihm davonzieht, Lieder und Märchen vorsagt (ein Zug, der sich so hübsch zu diesem leichten Handel schickt), als der schwere Junker vom Steine. Für die Wahl der Romanzenform läßt sich zwar das Lied vom Knaben mit dem Mantel anführen, ebenfalls ein Fabliau und eine Satire auf die weibliche Treue: allein in dieser alten Ballade ist die ganze Darstellung scherzhaft, und es wartet nicht, wie hier, alles auf eine einzige epigrammatische Spitze. Bürgers Behandlung tut sich durch nichts sonderlich hervor. Auf der einen Seite der ‹Donnergaloppschlag des Hufs› und die ‹Stürme der Nase› auf der andern:

Herr Junker, was hau'n wir das Leder uns wund?
Wir hau'n, als hackten wir Fleisch zur Bank,

bezeichnen die beiden Endpunkte seiner Manier; nämlich eine
unpopulare Künstlichkeit der Darstellung, und dann wieder
Popularität, die nicht durch bloße Enthaltung von allem nicht
Volksmäßigen, negativ, sondern durch Annahme gemeiner
Sprecharten erreicht werden sollte.

Wir haben jetzt die größeren Romanzen sämtlich durchgegangen; es ist aber noch eine Anzahl kleinerer Stücke zurück,
die zum Teil romanzenartig, zum Teil Lieder im Volkstone
sind und worunter die meisten, wie mich dünkt, nicht leicht zu
sehr gelobt werden können. Sie sind eigentümlich ohne Bizar-
rerie und frei und leicht wie aus voller gesunder Brust gesungen.
Dahin gehören gleich die von Minne redenden Lieder, die mit
den alten Minnesingern nichts gemein haben, aber ein heiteres
von Bürgern selbst entworfenes Bild des Minnesingers darbieten. In ‹Des armen Suschens Traum› ist der so natürliche volksmäßige Glaube an sinnbildliche Deutung der Träume rührend
benutzt: die Folge und Verknüpfung der Bilder ist wirklich
träumerisch und das Pathetische anspruchslos. ‹Der Ritter und
sein Liebchen› drückt schon im Gange des Silbenmaßes treu-
losen Leichtsinn aus: das Abgerissene des Anfangs und wie der
Ritter unbekehrt davongeht, ohne daß eine weitere Auflösung
erfolgt, ist im Geiste der echtesten Romanze. Ebenso ‹Schön
Suschen›; es läßt sich nicht bescheidner, sinniger und zierlicher
über die Wandelbarkeit der Liebe scherzen. Dem ‹Liebeszauber›
ist gar nicht zu widerstehen, so lebendig gaukelt er in dem mun-
tern Liede, bei dem man gleich die Melodie mit zu hören glaubt,
wenn man es nur liest. ‹Das Ständchen› und ‹Trautel› sind gefällige Weisen, das ‹Schwanenlied› und ‹Mollys Wert› von der
naivsten Innigkeit. ‹Das Mädel, das ich meine› (denn ich bleibe
bei dem ‹Mädel› und kann mich nicht zu der ‹Holden› bekehren),
blüht in frischen Farben: da der Dichter sie hinterdrein noch
duftiger verblasen wollte, hat die Einheit des Tons darunter ge-
litten. Zu den Fragen und wiederholenden Antworten, über-

haupt zu der tändelnden Einfalt, womit sinnlicher Liebreiz als
ein Wunderwerk des Schöpfers gepriesen wird, paßte der Ausruf ‹der liebe Gott! der hat's getan› vollkommen.

‹Die Elemente› sind ein religiöser Volksgesang und Natur-
hymnus voll höherer Weihe und Offenbarungsgabe. Das Heiligste ist ganz in die Nähe gerückt, die mystische Symbolik der
Natur in allgemeine menschliche Gefühle übersetzt, und nicht
unbefugt hat der Sänger Aussprüche aus der Heiligen Schrift
entlehnt. Ich glaube, Luther würde dies Gedicht für ein würdi-
ges Kirchenlied anerkannt haben. ‹Untreue über alles› ist ein
süßes Liebesgekose: kindlich aus einem Nichts gesponnen, zart
empfunden, phantastisch ersonnen und romantisch ausgeführt.
Es muß erfreuen, daß die muntere Laune den Dichter auch in
den letzten Jahren nicht verließ. Das ‹Hummellied›, ‹Sinnen-
liebe›, ‹Lied› (Ausgabe von 1796, T. II, S. 266), ‹Der wohlge-
sinnte Liebhaber› und ‹Sinnesänderung›, alle von der zierlichsten
Schalkheit und zuweilen von einer markigen, aber unverdor-
benen Lüsternheit beseelt, sind angenehme Beweise davon. Ich
kann nicht umhin, diese kleinen Sachen im Range weit über
manche berühmtere zu stellen: das Maß des Kunstwertes wird
nicht durch den äußeren Umfang und den Inhalt begrenzt; und
sogar ein ‹Spinnerlied›, das ganz leistet, was es soll, wie das Bür-
gerische, ist nichts Geringes.

Doch muß ich erinnern, daß ich unter den obigen Stücken die
früheren in ihrer ursprünglichen Gestalt meine, so wie ich auch
bei den vielerlei Veränderungen, die Bürger mit seinen übrigen
lyrischen Gedichten vorgenommen hat, fast durchgängig für
die alten Lesearten stimmen würde. Zuweilen ist die Umarbeitung so entstellend, daß der Liebhaber, der die postume Ausgabe aufschlägt, seine vormaligen Lieblinge kaum wieder erkennen wird. Ich glaube, die Herstellung des Besseren würde
keine Verletzung der Rechte des Dichters sein, der zwar mit seinen Hervorbringungen nach Willkür schalten, aber nichts ein-

mal Gegebenes zurücknehmen kann. Konnte doch Tasso, der
mit den Korrekturen ins Große ging, sein umgearbeitetes, mit
mühsam demonstrierten Vorzügen ausgestattetes Jerusalem nicht
durchsetzen!

Zu nicht wenigen Veränderungen hat Bürgern das Bemühen
bewogen, die ihm vorgerückte Versäumnis des Idealischen nach-
zuholen; dazu gehören zum Beispiel verschiedene im ‹Hohen
Liede›. Da sich dies auch auf Gedichte erstreckte, die bisher recht
gut ohne dergleichen fertig geworden waren, so sind darin die
Idealität und die Volksmäßigkeit ins Gedränge miteinander geraten: die letzte als im wohlhergebrachten Besitz hat nicht ganz
weichen wollen, und so schieben sie sich wie zwei Personen auf
einem zu schmalen Sitze hin und her. An dem ‹Mädel›, nunmehr der ‹Holden, die ich meine›, hat man das deutlichste Beispiel davon. ‹Der Minnesinger› hat nunmehr den dritten Namen
bekommen; er hieß in der zweiten Ausgabe ‹Der Liebesdichter›
und jetzt ‹Lieb' und Lob der Schönen›. Das gute ‹Ständchen›
«Trallyrum larum, höre mich!» ist ebenfalls ein etwas idealisier-
tes Ständchen geworden. Bei weitem die meisten Veränderungen rühren jedoch von dem Streben nach Korrektheit her. Noch
von andern fällt es schwer, irgendeinen Grund zu entdecken,
und man kann sie mit nichts anderm vergleichen als mit dem
willkürlichen Wundreiben der gesunden Haut. Wenn man in
der ältesten Ausgabe liest:

> Wüßt' ich, wüßt' ich, daß du mich
> Lieb und wert ein bißchen hieltest,
> Und von dem, was ich für dich,
> Nur ein Hundertteilchen fühltest,
>
> Daß dein Danken meinem Gruß
> Halben Wegs entgegen käme,
> Und dein Mund den Wechselkuß
> Gerne gäb' und wiedernähme:

> Dann, o Himmel, außer sich
>   Würde ganz mein Herz zerlodern!
>   Leib und Leben könnt' ich dich
>   Nicht vergebens lassen fodern! –
>
> Gegengunst erhöhet Gunst,
>   Liebe nähret Gegenliebe,
>   Und entflammt zur Feuersbrunst,
>   Was ein Aschenfünkchen bliebe,

so begreift man nicht, was dies harmlose artige Liedchen so
Schweres verschulden konnte, das ihm folgende Ummodelung
seiner drei ersten Strophen zuzog:

> Wenn, o Mädchen, wenn dein Blut
>   Reger dir am Herzen wühlte;
>   Wenn dies Herz von meiner Glut
>   Nur die leise Wärme fühlte;
>
> Wenn dein schöner Herzensdank
>   Meiner Liebe Gruß empfinge;
>   Und dir willig ohne Zwang
>   Kuß um Kuß vom Munde ginge:
>
> O dann würde meine Brust
>   Ihre Flammen nicht mehr fassen;
>   Alles könnt' ich dann mit Lust,
>   Leib und Leben könnt' ich lassen.

Ähnliche Beispiele sind die vierte Strophe des ‹Winterliedes›, die
erste und zweite des ‹Schwanenliedes›, jetzt ‹Der Liebeskranke›
genannt, und die erste des Gedichtes ‹An Adonide›, jetzt ‹An
Molly›. Ich unternähme allenfalls, auch in den befremdlichsten
Fällen die Gründe zu erraten, die Bürgern geleitet haben mögen; und noch weniger sollte es mir schwerfallen, die Vorzüge

der alten und die Mängel der neuen Lesearten aufzuzählen. Allein ich kann mich unmöglich zu dieser Erörterung entschließen und lasse es auf die Gunst meiner Leser ankommen, ob sie mich dazu imstande halten wollen.Wie unerfreulich und trocken es ausfällt, wenn man sich vornimmt, dergleichen mit erschöpfender Gründlichkeit abzuhandeln, zeigt uns Bürgers ‹Rechenschaft über die Veränderungen in der ‚Nachtfeier der Venus'›. Er hat darin über die vier ersten Zeilen des Gedichtes oder den Refrain mehr als vierzig eng bedruckte Seiten, einige kleine Episoden mit eingerechnet, geschrieben. Da das Resultat nun nichts weniger als befriedigend ausfällt, so ließe sich leicht ein mäßiger Band zur Widerlegung schreiben, welchen dann Bürger, oder wer seine Sache verföchte, mit einem noch stärkeren beantworten müßte; in dieser Progression könnte es ins Endlose fortgehen, und so brächten zwei Menschen (die Leser, wenn deren welche aushielten, noch nicht einmal in Anschlag gebracht) ihr Leben vortrefflich mit vier Versen hin. Nein, in dieser Art von Kritik will ich gern jenen Rabbinern den Vorrang gönnen, welche genau wußten, wie oft jeder Buchstabe und jedes Tüttelchen im gesamten Alten Testament vorkomme. Lieber will ich die Sache an der Quelle angreifen, woraus die einzelnen mit den Gedichten vorgenommenen Veränderungen und Bürgers mühseliges Schreiben darüber hergeflossen; und somit komme ich auf den schon anfangs berührten Einfluß, den seine Begriffe von der Korrektheit auf seine Ausübung gehabt haben. Wenn Bürger als strenger Kritiker auftritt, und zwar gegen sich selbst, so möchte dies bei vielen ein großes Ansehn haben, besonders da man gewohnt war, ihn als einen originalen und genialischen Dichter und als einen Befreier der Poesie von willkürlichen Konventionen zu betrachten. Allein es wird sich zeigen, daß, während er von den Altgläubigen in der Poetik als ein arger Ketzer verschrien ward, der alte Glaube ihm selbst weit mehr als billig anhing.

Korrekt kommt von korrigieren her, und demnach lautet dann das Hauptaxiom dieser gebenedeiten Dogmatik: durch Korrigieren werden die Gedichte korrekt. Umgekehrt: wenn sie nicht schon im Mutterleibe korrekt waren, so werden sie auf diesem Wege nimmermehr dazu gelangen. Pope sagt, die letzte und größte Kunst sei das Ausstreichen, und für einen Menschen wie er, der immer nur Verse und niemals ein Gedicht hervorgebracht hat, mag es hingehen; sonst aber sollte man denken, es wäre eine viel größere Kunst, nichts hinzuschreiben, was man wieder auszustreichen braucht. Jene Sätze mußten zu einem sehr allgemein verbreiteten Vorurteile werden, weil die meisten Menschen von der organischen Entstehung eines Kunstwerkes nicht den mindesten Begriff und an dessen Einheit und Unteilbarkeit keinen Glauben haben; weil es ihnen an Fähigkeit und Übung gebricht, es als Ganzes zu betrachten. Vollends geistlose Kritiker (welches zwar ein Widerspruch im Beiworte ist) lassen sich für die Korrektheit totschlagen; sie ist ihr Eins und Alles, und wenn man sie ihnen nähme, würden sie schlechterdings nichts mehr zu sagen wissen.

Es gibt allerdings in der Poesie Geist und Buchstaben, einen schaffenden und einen ausführenden Teil. Ein Gedicht kann nur unter bestimmten Bedingungen zum äußerlichen Dasein gelangen, und insofern es diese in Übereinstimmung mit dem Innern und ohne Widerspruch untereinander erfüllt, kann es korrekt heißen. Niemand darf auf den Namen eines Künstlers Anspruch machen, der nicht in dieser Technik Meister ist. Allein sie geht zuvörderst auf das Große und Ganze, Reinheit der Dichtart, Anordnung, Gliederbau und Verhältnis, und betrachtet das Einzelne immer in Beziehung auf jenes. Die korrekten Kritiker hingegen bleiben an lauter Einzelnheiten hängen, außer wo ihnen etwa ein arithmetischer Begriff überliefert ist wie die drei Einheiten, welche deswegen auch ihr Lieblingsthema wurden. Diktion und Versbau ist ihre Losung, und wenn sie denn nur diese letzten

Kapitel der Poetik recht begriffen hätten! Aber was ist ihnen
fremder als philosophische Grammatik, Studium der eignen
Sprache aus den Quellen und die Wissenschaft der Metrik? Er-
barmungswürdig ist es, wenn zum Beispiel Ramler immer noch
als der Held der Korrektheit aufgestellt wird, der all sein Leben
lang nicht hat lernen können, einen ordentlichen Hexameter zu
machen; der den Gedichten anderer immerfort die unpassend-
sten, mattesten und übellautendsten Veränderungen aufgedrungen hat; dem man endlich in seinen eignen Sachen wahre Schü-
lerhaftigkeit in der Technik, wenn man damit nicht bei dem
nächsten Herkommen stehen bleibt, nachweisen könnte.

Es tut mir leid, jenen dürftigen Begriff von Korrektheit, der
sich bloß auf Diktion und Versbau beschränkt, auch bei Bürgern
wieder zu finden. Er hat sich zu deutlich darüber erklärt, um
Zweifel übrig zu lassen. Er setzt in der schon angeführten ‹Rechenschaft› Form und Stoff eines Gedichtes einander entgegen.
Unter Stoff versteht er den geistigen Gehalt. Dieser Ausdruck
ist nicht schicklich: der geistige Gehalt ist kein bloßer Stoff, der
durch die äußere Darstellung erst geformt werden müßte; er ist
selbst schon Form, wovon die äußere Form nur der getreue Ab-
druck sein soll. Was Bürger über die Unerschöpflichkeit der
ästhetischen Ideen sagt, das einzige in dem Aufsatze, was von
einer höheren Ansicht der Poesie zeugt, ist aus Kants Kritik der
Urteilskraft entlehnt. Dies hat seine Richtigkeit: es gibt Forderungen an ein Kunstwerk, die keine Grenze kennen und die es
nur gradweise befriedigen kann; und dann gibt es wiederum
Gesetze, die es entweder erfüllt oder übertritt. Diese Gesetze er-
strecken sich aber auf weit wesentlichere und tiefer eingreifende
Punkte, als die Einzelnheiten der Diktion und des Versbaues
sind. Bürger ist nicht der Meinung gewesen, oder er hatte vielmehr damals vergessen, was ihm sein besserer Genius sonst darüber eingegeben. «Das Gebiet der Formen», sagt er, «erstreckt
sich nicht weiter als der Umfang der Sprache, die Bildbarkeit

des Verses und die Möglichkeit des Reimes, vermittelst welcher
man poetisch darstellt.» Und man halte dies nicht etwa für eine
übereilte Äußerung, welcher der Inhalt seiner Bemerkungen
widerspräche. «Ich hoffe», sagt er von der jetzigen Gestalt der
Nachtfeier, «jeder Vers wird die strengste Prüfung der poetischen Grammatik aushalten, ohne gleichwohl in Ansehung des
poetischen Geistes, der den toten Buchstaben beleben muß, ge-
rechten Vorwürfen ausgesetzt zu sein.» Als ob sich der poetische
Geist auch so in einzelnen Zeilen offenbarte! Als ob es nicht sehr
möglich wäre, bei dem in der Welt vorhandenen Vorrat von
Versen, ohne allen poetischen Geist, nur mit Verstand und Geschick, Verse zusammenzusetzen, denen man, für sich betrachtet, den Namen schöner Verse nicht verweigern dürfte!

Daß Bürger sich mit seinen Korrekturen besonders an die
‹Nachtfeier der Venus› gehalten, ist ganz in der Ordnung: denn
dieses Gedicht, wie er es dem Lateinischen frei nachgebildet,
war vom Anfange an zum Korrigieren eingerichtet und kann
für nichts weiter gelten als ein phraseologisches Studium. Von
dem Original, über dessen Zeitalter und Urheber die gelehrtesten Philologen verschiedner Meinung sind und worein, in der
Gestalt, wie wir es haben, unter barbarischen Spuren doch manches aus echteren Quellen des klassischen Altertums geflossen
sein mag, redet Bürger selbst nicht mit sonderlicher Ehrerbietung. Demungeachtet betreffen, einige gleich zuerst angeord-
nete Umstellungen ausgenommen, alle nachherigen Veränderungen nicht Anlage, Charakter, Haltung und Bedeutung des
Ganzen, sondern bloß einzelne Bilder, Wörter, Laute und Silben. Um nur ein paar Beispiele zu geben, so ist es ihm niemals
eingefallen, daß die Stelle von der Venus als Mutter des Ahn-
herrn und Schutzgöttin des römischen Volkes bloß örtliche
Wahrheit und nationales Interesse hat, daß sie bei einem für uns
noch gültigen symbolischen Gebrauche der Mythologie durchaus wegfallen mußte. Ferner, da der römische Dichter sich erst

in den vier letzten Zeilen mit Vorwürfen über sein bisheriges Schweigen und mit Anmahnungen, in den allgemeinen Jubel mit einzustimmen, erwähnt, so hat Bürger dies beibehalten, aber zweimal vorher den Gesang und die Leier so feierlich hervorgehoben, als ob der Dichter einem Chor vorsänge, und den Widerspruch darin nimmer bemerkt. Von den Einteilungen in Vorgesang, Weihgesang und Lobgesang mag ich gar nicht einmal reden. Und bei dieser Gedankenlosigkeit über die Ausbildung des Ganzen meinte Bürger dennoch mit der letzten ausgeputzten Gestalt des Gedichtes einen Kanon für die Poesie aufzustellen, wie der des Polyklet für die Bildnerei gewesen, Das ist gerade, als hätte Polyklet seinen Kanon nicht durch die Vollkommenheit der Proportionen, sondern durch fleißiges Polieren der Bronze zustande bringen wollen. Ja er hoffte, dieses Gedicht sollte vermögend sein, die Sprache auf mehrere Jahrhunderte zu fixieren, «soweit es nämlich in deutsche Diktion und Versmechanik vermittelst ewig schöner Gedanken und Bilder hineingriffe». Den beschränkenden Zusatz verstehe ich nicht recht; denn da in der Sprache alles zusammenhängt, so möchte sie schwerlich teilweise zu fixieren sein. Aber zu welchem Minimum mußte ihm die unendliche Fülle und der ewige Wandel des menschlichen Geistes, der auch nur in einer Sprache sich regt und bewegt, zusammengeschrumpft sein, um dergleichen Wirkungen von einem Gedichte zu erwarten, das bei geringem äußern Umfange, auf das glimpflichste gesagt, leer ist und nichts von dem besitzt, was die Gemüter in allen ihren Tiefen ergreift und sich unauslöschlich einprägt.

Bei den Zweifelsknoten, zwischen denen sich Bürger mühselig herumwindet, hätte er oft nur die Frage um einen Schritt weiter zurückführen dürfen, um zu sehen, daß sie ganz anders gestellt werden müsse, und um dann auch eine ganz verschiedene Antwort auszumitteln. Gleich anfangs erzählt er das lächerliche Unglück, welches ihm mit dem Refrain begegnete, den er

auf keine Weise sich und andern völlig recht machen konnte,
der, je öfter er ihn umschmolz, um so übler geriet, so daß er
endlich genötigt war, durch einen Machtspruch Einhalt zu tun.
Ich glaube es wohl: er hätte noch zwanzigtausend solche Re-
frains machen können, ohne einen vollkommen guten darunter
zu finden; die Aufgabe gehört ihrer Natur nach zu den unmög-
lichen. Der Refrain des Originals, der in einem einzigen Tetrameter besteht, soll in die doppelte Länge ausgedehnt werden,
dabei findet keine Erweiterung des Inhalts statt, und die Schmük-
kung des Ausdrucks will Bürger selbst mit gutem Grunde möglichst vermieden wissen. Wie soll das in aller Welt ohne Zerren
und Künstelei zugehn? Überdies verursacht der so verlängerte
Refrain notwendig ein Mißverhältnis: er trennt die Absätze des
Gedichtes viel weiter voneinander, und ebensooft wiederholt,
wie ihn Bürger wirklich gebraucht hat, nimmt er doppelt soviel
Raum ein wie im Original. Aber wenn der Refrain in zwei kür-
zere, einem Tetrameter gleichgeltende Zeilen übersetzt worden
wäre, so hätten diese ohne Reim bleiben müssen. Allerdings: es
fragt sich eben, ob es überhaupt rätlich war, das «Pervigilium»
auch bei einer freien Nachbildung in gereimte Verse zu übertragen. Zwar scheint keine gereimte Versart größere Ähnlichkeit mit den trochäischen Tetrametern zu haben als unsre sogenannten vierfüßigen Trochäen mit alternierenden männlichen
und weiblichen Reimen. Allein sie verketten immer vier Zeilen
zu einer kleinen Strophe, da in dem antiken Silbenmaße Vers
auf Vers unaufhaltsam fortgeht. Alsdann trennt auch der weibliche Reim die erste Zeile weit bestimmter von der zweiten als
der Abschnitt die beiden Hälften des Tetrameters, der eben wegen seiner Länge bei dem leichten Rhythmus rasch zum Ende
eilt. Bei uns hat jenes Silbenmaß daher den sanftesten und ruhigsten Liederton, da hingegen die griechischen Kunstrichter dem
choreischen Tetrameter den beweglichsten und leidenschaftlichsten Gang zuschreiben. Dieser stimmt auch im Original sehr gut

zu dem Ausdruck trunkener Freude und allgemeinen Taumels
bei der Wiederbelebung der Natur, worin allein ich einen Hauch
vom Geiste des klassischen Altertums zu fühlen glaube. Durch
die Hauptzierde der Bürgerschen Nachbildung, die Reime, ist
der Charakter des Gedichtes nicht nur verändert, sondern es ist
eigentlich charakterlos geworden.

Ohne das hätte die Wahl der Bilder und Züge unmöglich eine
solche Breite gehabt. Wie schon gesagt: durch Korrigieren war
hier wenigstens für das Ganze nichts zu verderben; im einzelnen
ist es häufig geschehen, wie sich leicht zeigen ließe, wenn für
unsern Zweck nicht der Beweis hinreichte, daß Bürger bei der
Beschränkung seiner Kritik auf Diktion und Versbau selbst über
diese Punkte nicht auf die Grundsätze zurückging und aus irrigen Vordersätzen schloß. So nimmt er bei den metrischen Bemerkungen gar keine Rücksicht auf den Gegensatz der gereimten und rhythmischen Versarten. Nicht selten liegt der Satz im
Hinterhalte, die Poesie solle keine Freiheiten der Sprache vor
der Prosa voraus haben: eine oft genug wiederholte und einge-
schärfte Meinung, die aber von Leuten aufgebracht ist, welche
Poesie und Prosa als entgegengesetzte und unabhängige Wesen
in ihrem Kopfe nicht vereinbaren konnten und deswegen, da
man der Prosa zum nächsten Gebrauch doch nicht wohl entraten kann, lieber die Poesie aufheben wollten. Meistens aber
rügt er Versehen gegen die logisch-grammatische Genauigkeit,
die nur durch eine ängstliche Zergliederung merkbar werden,
auf welche die Poesie als eine Kunst des schönen Scheines gar
nicht eingerichtet zu sein braucht. Es gibt zwar in ihr sowohl
Miniaturen als Dekorationsmalereien, aber für diese mikrosko-
pische Betrachtungsart ist keines ihrer Werke bestimmt, und ein
Gedicht, welches dem Leser Muße und Lust dazu ließe, könnte
schon desfalls keinen Wert haben. Und doch ist Bürger seiner
Sache dabei so gewiß, daß er den Vorwurf der Kleinlichkeit und
Pedanterie mit folgendem Ausspruche abweist: «Ich verkündige

allen denen, die es noch nicht wissen, ein großes und wahres
Wort: Ohne diese Silbenstecherei darf kein ästhetisches Werk
auf Leben und Unsterblichkeit rechnen.» Die Geschichte der
Poesie muß ihm, als er dieses schrieb, gar nicht gegenwärtig gewesen sein. Oder haben etwa Homer, Pindar, Äschylus, Sophokles und Aristophanes diese Silbenstecherei geübt? Und um aus
der modernen Poesie nur ein Beispiel anzuführen, wer war weiter von ihr entfernt als Shakespeare? Ja wie läßt sich bei den alt-
englischen Volksliedern, die Bürgern zu seinen schönsten Hervorbringungen die Anregung gaben und also hoffentlich noch
leben, nur daran denken? Dagegen sind manche, sogar auf die
Nachwelt gekommene Werke der alexandrinischen Dichter, die
in dieser Silbenstecherei keine gemeine Meisterschaft besaßen,
doch nicht am Leben. In der neueren Poesie kann man diejenigen, welche sie mit besonderem Fleiße getrieben und dennoch
nie, außer im Wahne eines verkehrten Geschmacks, gelebt haben,
zu hellen Haufen aufzählen. Bürger verkannte sich selbst und
seinen Wert mit dieser ängstlichen Sorge um die kleinen Äußerlichkeiten der Poesie, worauf man den Spruch des Evangeliums
anwenden kann: «Ihr sollt nicht sorgen und sagen: was werden
wir essen? was werden wir trinken? womit werden wir uns kleiden? Nach solchem allen trachten die Heiden. Trachtet am
ersten nach dem Reiche Gottes und nach seiner Gerechtigkeit,
so wird euch solches alles zufallen.»

Ich habe im obigen Bürgers Maximen über Korrektheit und
sein Verfahren beim Ausbessern lebhaft bestritten: eine wider
ihn ausfallende Entscheidung würde indessen zu seinem Vorteil
gereichen, indem sie ihn von so vielem ungerechten Tadel seiner
selbst und von den ertötenden Korrekturen befreite. Es tut weh,
zu sehen, wie Bürger zum Beispiel bei ‹Mollys Wert› (S. 501 u. f.)
gegen sein eignes Fleisch wütet und Ausdrücke matt und gemein schilt, die nur dem Tone der Gesinnungen gemäß einfältig
und naiv sind; wie er selbst in einem Gedichte von nicht mehr

als drei Strophen Veränderungen ohne Rücksicht auf das Ganze vornimmt und so aus einem süßen herzigen Liede ein steifes verzwängtes Unding herausbringt, an dem nichts mehr zu erkennen und zu fühlen ist. Glücklicherweise sind die Romanzen von allem solchen Ungemach verschont geblieben. Bürger mochte wohl einsehen, daß sein allgemeines rhetorisches Ideal einer guten reinen Schreibart (dem er bei den lyrischen Gedichten unbedingt opferte, da doch nichts unter der Rubrik rhetorischer Fehler aufgeführt werden kann, was nicht in der Poesie an seiner Stelle gut wäre) hier nicht anwendbar sei, ohne alles umzustoßen. Daß indessen in den meisten Romanzen viel und oft ausgestrichen worden, ehe sie öffentlich erschienen, ist gewiß, und daß sie zum Teil besser, nämlich ungekünstelter und freier von Manier, würden ausgefallen sein, wenn frühere Lesearten stehen geblieben wären, nur zu wahrscheinlich.

Die kritischen Aufsätze und Veränderungen, womit wir uns bisher beschäftigt haben, sind zwar aus Bürgers letzter Periode; allein in der Vorrede zur zweiten Ausgabe kommen schon starke Äußerungen über seine absondernde Ansicht des technischen Teils der Poesie vor; und in der Vorrede zur ersten verrät sich der grammatische Hang wenigstens durch die eigne so hitzig verfochtene Orthographie. Wenn man ferner bedenkt, daß ‹Die Nachtfeier der Venus›, sein frühestes, und ‹Das Hohe Lied›, eines seiner spätesten Werke, ungefähr nach derselben Idee der Tadellosigkeit und einer absoluten Vollkommenheit der Diktion und des Versbaues, da es doch nur eine relative gibt, ausgeführt und durchgearbeitet sind: so kann man schwerlich zweifeln, daß die Maximen der Korrektheit während seiner ganzen Laufbahn großen Einfluß gehabt haben.

Die Erwähnung des hohen Liedes führt mich auf einige seiner geliebten Molly gewidmete lyrische Stücke, die noch zurück sind. Ihr dichterischer Wert ist aber so mit der Verworrenheit wirklicher Verhältnisse verwebt, daß sie keine reine Kunstbeur-

teilung zulassen. Man kann zum Teil die himmlischen Zeilen im
‹Blümchen Wunderhold› auf sie anwenden:

> Der Laute gleicht des Menschen Herz,
> Zu Sang und Klang gebaut,
> Doch spielen sie oft Lust und Schmerz
> Zu stürmisch und zu laut.

Besonders ist die ‹Elegie, als Molly sich losreißen wollte›, ein
wahrer Notruf der Leidenschaft, wobei das Mitgefühl jeden
Tadel erstickt. Dagegen ist ‹Das Hohe Lied› durch die Ausführung ein kaltes Prachtstück geworden, wiewohl die innige Wahrheit der Gefühle als Grundlage durchblickt. Man muß es der
Zeit anheimstellen, ob sie diesen blendenden Farbenputz und
Firnis mit ihrer magischen Nachdunkelung genugsam überziehn
wird, um es die Nachwelt für etwas andres halten zu lassen.

Bürger hat das Verdienst, das bei uns gänzlich vergessene und
nach lächerlichen Vorurteilen verachtete Sonett zuerst wieder
zu einigen Ehren gebracht zu haben. Indessen zeigt sowohl seine
Behandlung desselben als was er in der Vorrede darüber sagt,
daß er die Gattung nicht aus der Betrachtung ihres wahren Wesens begriffen hatte. Alles läuft bei ihm auf die Merkmale der
Kleinheit, Niedlichkeit und Glätte hinaus, durch welche Forderungen die antithetische Symmetrie und unveränderliche Archi-
tektonik des Sonetts durchaus nicht erklärbar wird. Er nennt es
«eine bequeme Form, allerlei poetischen Stoff von kleinerm
Umfange, womit man sonst nichts anzufangen weiß, auf eine
sehr gefällige Art an den Mann zu bringen; einen schicklichen
Rahmen um kleine Gemälde jeder Art; eine artige Einfassung zu
allerlei Bescherungen für Freunde und Freundinnen»; und ich
befürchte, daß diese lose, diminutive und also dem Obigen zu-
folge sonettähnliche Vorstellung vom Sonett immer noch nicht
ganz außer Umlauf gesetzt ist. Das Beispiel der großen italienischen und spanischen Meister belehrt uns, daß für das Sonett

nichts zu groß, stark und majestätisch sei, was sich nur irgend
nach materiellen Bedingungen des Raumes darein fügen will.
Ja, es fordert seiner Natur nach die möglichste Fülle und Gedrängtheit, und Bürgers Sonette scheinen mir nicht genug ge-
diegnen Gedankengehalt zu haben, um dem Nachdruck ihrer
Form ganz zu entsprechen. Auch die bei den meisten getroffene
Wahl der fünffüßigen Trochäen statt der eilfsilbigen Verse oder
sogenannten Jamben, worin er fleißige Nachfolge gefunden, ist
ein Fehlgriff; was jedoch nur aus der Theorie des Sonetts, auf die
ich hier nicht näher eingehen kann, sich einleuchtend dartun läßt.

Es ist nun noch übrig, etwas von Bürgers Übersetzungen und
dem Charakter seiner Prosa zu sagen. Unter jenen ist seine Arbeit am Homer die wichtigste: er hat sie früh unternommen
und lange dabei ausgeharrt. Über sein erstes Vorhaben, die Ilias
zu jambisieren, hat er selbst in der Folge das Nötige gesagt. Die
Gründe, womit er es in jugendlichem Eifer verteidigte, können
jetzt, nach den Fortschritten unserer Sprache in der rhythmischen Verskunst und nach der Entwickelung richtiger Begriffe
vom epischen Gedicht, niemanden mehr aufhalten: doch ist es
interessant, zu sehen, wie damals Punkte zweifelhaft schienen,
über die der Erfolg nun so siegreich entschieden hat, und welche
Stufen die poetische Übersetzungskunst durchgehen mußte, um
auf die jetzige zu gelangen. Auch die jambischen Proben sind
für das Studium der Sprache und um zu sehen, wie sich Bürger
bei einer solchen Aufgabe aus dem Handel gezogen, immer
noch lehrreich.

Bei der hexametrischen Übersetzung hatte er sich eine bei-
spiellose Treue vorgesetzt, und dies redliche Streben, da sonst
Entäußerung von seinen Eigenheiten eben nicht seine Sache war,
ist nicht unbelohnt geblieben; unter allem, was er poetisch nachgebildet, ist nichts so frei von Manier, und sein langer Umgang
mit dem Sänger hat ihm manches von seiner traulichen und
naiven Weise zu eigen gemacht. Hätte Bürger Fertigkeit und

Ausdauer genug gehabt, das Ganze zu beendigen und aufzustellen, so würde man seine Ilias neben die ältere Odyssee von
Voß gesetzt haben, und ihm wären durch die Übung die Kräfte
gewachsen, noch fernerhin mit seinem alten Freunde zu wetteifern; da er jetzt an der Vossischen Ilias und umgearbeiteten
Odyssee Nebenbuhler von zu großer Überlegenheit bekam,
wodurch seine Bruchstücke, die ohnehin als solche nur eine bedenkliche Existenz haben, ganz in den Schatten zurückgedrängt
wurden.

Älter als seine homerischen Hexameter sind die in einem frei
übersetzten Stücke des vierten Buchs der Äneide, welche für die
damalige Zeit (1777), wo es mit der Bearbeitung der alten Silbenmaße fast rückgängig werden wollte, allerdings zu loben
sind. Die gelehrte Ausbildung des Originals sowohl in der Diktion als im Versbaue, besonders in den Übergängen der Sätze
aus einem Hexameter in den andern, darf man nicht erwarten;
auch fehlt es nicht an Überladungen und Manieren, doch zieht
ein gewisser Schwung und leichte Fülle den Leser fort. Wie Bürger aus der Episode der Dido durch eigne Zusätze ein für sich
bestehendes episches Gedicht hätte machen wollen, sehe ich
nicht wohl ein; seine Äußerung darüber war wohl nicht so
ernstlich gemeint.

Auch Proben einer Übersetzung von Ossians Gedichten finden sich in der Sammlung. Ich sehe die Meinung sich immer er-
neuern, die Bürger ebenfalls hegte, daß dies ein schweres Unternehmen sei; ich für mein Teil begreife nicht, wie man es anfangen wollte, den Ossian anders als gut zu übersetzen. Wenn man
mich aber fragt: ob so etwas verdient, übersetzt zu werden? so
antworte ich dreist wie Macduff: Nein, nicht zu leben! Indessen
stände von diesem empfindsamen, gestaltlosen, zusammenge-
borgten, modernen Machwerk, über dessen absoluten Unwert
ich mich nicht stark genug auszudrücken weiß, dennoch vielleicht ein Gebrauch zu machen. Da, wie es scheint, in unserm

Zeitalter jeder poetische Jüngling die sentimentale Melancholie einmal zu überstehen hat, so schlage ich vor, wie man jetzt statt der Kinderblattern mit den Kuhpocken abkömmt, sie künftig mit dem Ossian einzuimpfen; das Übel wird auf diese Art am unschädlichsten und am wenigsten anhaltend sein.

Bürgers Arbeit am Macbeth hat Zelebrität erlangt, und doch ist sie die mißlungenste unter allen. Bei den Hexengesängen erwartete man ihn in seinem eignen Fach, und er war es so sehr, daß sie manierierter ausgefallen sind als sein Manieriertestes. Shakespeare hat auch hier seine gewöhnliche Mäßigung und Enthaltsamkeit geübt; man sieht, daß er die Zauberinnen, ohne den Volksglauben zu verlassen, der Würde einer tragischen Darstellung leise anzunähern suchte. In der Übertragung ist alles ins Scheußliche und Fratzenhafte getrieben. Zwei Zeilen reichen zum Beweise hin.

> Round about the chauldron go;
> In the poison'd entrails throw.

> *Trippelt, Trappelt, Tritt und Trott,*
> *Rund um unsern Zauberpott!*
> *Werft hinein den Hexenplunder.*

Wo ist im Original nur eine Spur von der kindischen Tonmalerei des ersten Verses? Und wie verrucht müßten sich die Hexen auf dem Theater gebärden, um den Worten mit ihren Bewegungen zu entsprechen? Nach dem Zauber‹pott› zu urteilen, müssen sie aus Niedersachsen gebürtig sein. Aber wenn wir auch den ‹Hexenplunder› fahren lassen, kommen wir mit dem übrigen nicht besser fort. Es leistet durchaus nicht, was es als prosaische Übersetzung leisten könnte. Bei vielen Kraftausdrücken und schwächenden Ausrufungen, die pathetisch sein sollen, ist der Dialog nicht selten in platte Vertraulichkeit ausgeartet. Die Unschicklichkeit aller mit dem Schauspiel vorgenommenen Veränderungen, der Auslassungen, Umstellungen und verschieden verteilten Reden nach der Strenge zu rügen, würde unbillig sein, da Bürger sich so bescheiden darüber erklärt und bei der Bearbeitung durch einen fremden Antrieb geleitet ward. Wie seine eignen Zusätze beschaffen sind, kann jeder bei der Vergleichung sehen. So viel erhellt aus allem, und es dient zur Bestätigung des bei Gelegenheit von Lenardo und Blandine Bemerkten, daß Bürger sich zu keiner reinen und ruhigen Ansicht des Shakespeare erhoben hatte.

‹Bellin›, ein Fragment, nach dem Giocondo des Ariost, mußte freilich Fragment bleiben: denn wo hätte es nach diesem Anfange mit dem Ganzen hinausgewollt? Im Ariost ist die Geschichte, wie sich's für eine solche Novelle in Versen gehört, mit geistreicher Kürze erzählt; hier verliert sich der Erzähler nach einer schon zu weitläuftigen Vorrede sogleich wieder in endlose Abschweifungen, macht den Bellin, seinen Giocondo, ohne allen erdenklichen Zweck zu einem Dichter und läßt den lombardischen König über die ungerechte Verachtung der Poeten und der Poesie, endlich sogar über eine obskure Provinzialzeitschrift Dinge sagen, die, Gott weiß wie, dahin gehören mögen. Es ist ein sprechendes Beispiel, wie sorglos Bürger über Plan und Anlage eines Gedichtes sein konnte, während ihn die Ausputzung des einzelnen bis ins Feinste hinein beschäftigte. Denn sehr sauber gearbeitet sind die Stanzen wirklich: sie verdienen bei den Studien über den Gebrauch dieser Versart zum Scherzhaften und Drolligen in Betrachtung zu kommen. Nur wäre ihnen mehr Freiheit und Wechsel zu wünschen; sogar der Abschnitt nach der vierten Silbe ist immer beobachtet, der als Regel bei fünffüßigen, nicht mit längeren und kürzeren Versen untermischten Jamben eine ganz unnütze und nachteilige Fessel ist.

Popes Brief der Heloise an Abälard ist in der Nachbildung ohne eigentlichen Zusatz fast um das Doppelte verlängert, was bei der einmal gewählten Versart unvermeidlich war. Die spruchreiche Kürze des Originals, die unter dem Pomp der Deklamation seinen besten Reiz ausmacht, ist in elegische Weichheit verwandelt. Die fünffüßigen Trochäen, die überhaupt nur in wenig Fällen zu empfehlen sind, machen bei einem so langen Gedicht ein ermüdendes Geschleppe. In fünffüßigen gereimten Jamben ließe sich schwerlich Couplet um Couplet geben; eher in Alexandrinern, die aber den Charakter schwächen würden. Das Gedicht soll eine Heroide sein, und wenn es nur im Geiste dieser antiken Untergattung gedichtet wäre, so müßte sich's in elegischen Distichen schicklich übersetzen lassen. Da das aber nicht ist und sich sonst kein passendes Silbenmaß dazu finden will und auch sonst noch allerlei, so müssen wir schon sehen, wie wir uns im Deutschen ohne selbiges behelfen.

Die ‹Königin von Golkonde› ist das phantasielose, aber witzige Märchen von Boufflers in freie gereimte Verse gebracht, nicht ohne manchen Verlust, wie schon irgendwo ein Beurteiler durch eine umständliche Vergleichung gezeigt hat. Wie mich dünkt, hat Bürger dabei einen Versuch gemacht, Wielands Manier mit der seinigen zu vereinbaren.

Seine prosaischen Aufsätze bestehen fast nur in Vor- und Nachreden, und zwar meistens in geharnischten: in dieser Gattung hat er etwas getan. Wenn er noch so ruhig und gehalten anfängt, so überfällt ihn, ehe man sich's versieht, plötzlich eine heftige ärgerliche Stimmung; ja er kann kaum eine rechtfertigende Anmerkung ohne diese widerwärtige Polemik zu Ende führen, worin ihn nur seine Lage entschuldigt. Seine frühesten und spätesten Aufsätze scheinen mir am besten geschrieben; in denen aus der mittleren Epoche gesellten sich noch die üblen Sitten der Zeit dazu. Daß das rhetorische Ideal nicht vor manierierten Eigenheiten schützt, davon sieht man an allen ein Beispiel: sie sind mit dem größten Fleiß durchgearbeitet, und doch ist Bürgers Manier womöglich noch stärker darin ausgedrückt als in seinen Gedichten; sie erscheinen fast durchgehends gesucht, bald in neuen Wörtern und Wendungen, bald in veralteten, und selbst in der Einfachheit anmaßend.

Das Resultat unsrer Prüfung, wenn wir es mit Übergehung der nicht probehaltigen Nebensachen zusammenfassen, wäre etwa folgendes: Bürger ist ein Dichter von mehr eigentümlicher als umfassender Phantasie, von mehr biedrer und treuherziger als zarter Empfindungsweise; von mehr Gründlichkeit im Ausführen, besonders in der grammatischen Technik, als von tiefem Verstand im Entwerfen; mehr in der Romanze und dem leichten Liede als in der höhern lyrischen Gattung einheimisch; in einem Teil seiner Hervorbringungen echter Volksdichter, dessen Kunststil, wo ihn nicht Grundsätze und Gewöhnungen hindern, sich ganz aus der Manier zu erheben, Klarheit, rege Kraft, Frische und zuweilen Zierlichkeit, seltner Größe hat.

TERPSICHORE VON J. G. HERDER

Wenn je ein Geist dazu bestimmt schien, sehr abweichende Ansichten und Empfindungsarten, da, wo jede derselben ihre eigentümlichsten Äußerungen niederlegt, in der Poesie, miteinander zu befreunden, so ist es der, welcher in dieser Sammlung die auserlesensten Lieder eines längst gestorbnen und auch aus dem Andenken der Welt abgeschiedenen Dichters neu belebt hat. An ihm bewundern wir nicht allein die ebenso rege als zarte, vielseitige, ja man möchte beinah sagen allseitige Empfänglichkeit; den reinen, unbestechlichen und dennoch milden Sinn, der, durch innige Verwandtschaft zu dem Edelsten und Schönsten hingezogen, auch das Geringere nicht verschmäht, wofern es der Menschheit angehört; das innere Gleichgewicht, die ruhige Überlegenheit des Gemüts, wodurch es in den Stand gesetzt wird, eine Welt der verschiedenartigsten Eindrücke, jeden in seiner Eigenheit, ohne Streit und Verwirrung in sich zu bewahren; sondern auch die Biegsamkeit, mit der sich seine Einbildungskraft aller Formen bemächtigt, und, wie unverkennbar auch das Gepräge selbständiger Bestimmtheit in allem dem ist, was er ursprünglich gedichtet hat, dennoch auch die Kunstgebilde andrer Meister aus den verschiedensten Zeiten und Völkern in treffenden Kopien darzustellen versteht. Jetzt erweckt er einen einheimischen Dichter aus dem Grabe einer ausgestorbenen Sprache, worin er über ein Jahrhundert geschlummert hatte, und gibt ihm seine Muttersprache zurück. Balde, der vergeßne Balde, fand nicht nur einen vortrefflichen Übersetzer, was sich doch in unsern Zeiten kaum erwarten ließ: ein Geist, der den seinigen durch Umfang und Höhe der Bildung entschieden verdunkelt, verbrüdert sich mit ihm und führt ihn verjüngt der Nachwelt entgegen.

Es gibt für die Prüfung der vorliegenden Gedichte einen doppelten Gesichtspunkt. Man kann entweder fragen: was sind sie, für sich selbst betrachtet? oder: wie verhalten sie sich zu ihren lateinischen Originalen? Da unsre Landsleute hier nicht mit einem Schriftsteller des Altertums bekannt gemacht werden, dessen Werke, wenn sie auch keinen ausgezeichneten Wert hätten, doch das Gemälde desselben vollständiger machen helfen, so muß freilich durch jene erste Untersuchung am Ende die Wahl des Verfassers gerechtfertigt werden. Aber um zu erfahren, was wir dem lateinischen Dichter und was wir seinem deutschen Wortführer verdanken, dürfen wir uns nicht auf sie beschränken. Was die zweite Frage betrifft, so leuchtet es von selbst ein, daß Treue und Genauigkeit der Übertragung hier nicht der Maßstab der Würdigung sein kann. Gedichte, von deren Dasein bei weitem die meisten Leser erst durch die Verdeutschung unterrichtet wurden, um die in ihrer ursprünglichen Gestalt sich kaum einer oder der andre bekümmerte, gelten für neue. Alle mit ihnen vorgenommenen Umbildungen, wodurch sie gewannen, sind nicht nur erlaubt, sondern willkommen. Wer sie in einer gelehrten Absicht kennenlernen will, kann und muß sie in der Ursprache lesen.

Ehe wir bestimmte Vergleichungen anstellen, müssen wir einiges im allgemeinen über den Dichter Jakob Balde bemerken, was auf jene erst ihr volles Licht werfen kann. Herder hat sowohl in der Vorrede als in dem schönen Ehrendenkmal, das er ihm noch besonders gesetzt, seinen Geist mit wenigen, aber treffenden Zügen bezeichnet und zugleich die nachteiligen oder vorteilhaften Einflüsse der äußern Lage auf denselben in der Kürze sehr befriedigend erwogen. Diese letzten Rücksichten darf man nie aus den Augen verlieren, um über die Verdienste des Menschen einen billigen Ausspruch zu tun. Über seine

Poesie hingegen ließe sich gar wohl ein davon unabhängiges Urteil fällen; ja sie müßten sogar geflissentlich beiseite gestellt werden, wenn es ein reines Kunsturteil sein sollte. Die Gesetze des Schönen gelten überall und zu allen Zeiten: nichts kann den, der sich als einen Eingeweihten in die Geheimnisse desselben, als einen Dichter ankündigt, von ihrer Befolgung lossprechen. Bei Balde erhalten uns noch überdies die Sprache, worin er gedichtet, und die dem Altertume abgeborgten Formen die höchsten Forderungen der Kunst gegenwärtig. Wenn wir erst darüber zu einer Entscheidung gelangt sind, inwieweit er ihnen Genüge geleistet oder nicht, so kann ein Blick auf den Stand, auf das Zeitalter, auf die ganze umgebende Welt des Dichters dazu dienen, seine Mängel und Verirrungen zu erklären und zu entschuldigen.

Balde dichtete lateinisch. Einer fremden Sprache kann man sich allerdings, auch für den dichterischen Gebrauch, in dem Grade bemächtigen (und die Beispiele davon sind nicht selten), daß die Vorstellungen und Empfindungen ebenso innig mit ihren Zeichen verschwistert und damit eins geworden scheinen, als hätten sie sich schon beim Erwachen des Bewußtseins, an der Quelle des Lebens zueinander gesellt und gemeinschaftlich zum Strome ausgebreitet. Beträchtlich anders verhält es sich, wenn die vom Dichter erwählte fremde Sprache zugleich eine tote ist. Zwar haben Sprachen, die sich bis zur Vollendung entfalteten, das Vorrecht, in unsterblichen Denkmalen sich selbst zu überdauern. Allein das geistige Leben, das diese Wundergebilde bis in die zartesten Adern durchglüht, kann nur gefühlt, allenfalls nachgeahmt werden, nie sich wahrhaft mitteilen. Eine Sprache, die nicht mehr im Munde eines ganzen Volkes ist, kann sich nicht fortbilden: sie muß bleiben wie sie ist oder ausarten; und diese Unveränderlichkeit der, wenn auch noch so schönen, Züge hat da, wo wir unentlehnten Reiz, ursprüngliche Bewegung erwarten, etwas Erstorbnes. Eben dadurch, daß jede lebende Sprache auf gewisse Weise unbegrenzt und unerschöpflich ist, werden wahre Schöpfungen des Genius aus ihr möglich; sobald sie, vollständig abgeschlossen, übersehen werden kann, muß das eigentliche Geheimnis des dichterischen Zaubers wegfallen. Balde selbst sah wohl ein, daß dem neueren lateinischen Dichter nur die Wahl bleibt, ob er in seinem Ausdrucke der treue Widerhall eines römischen Vorbildes oder auf die Gefahr hin, unlateinisch zu reden, neu und eigentümlich sein will. Ihm war es nicht darum zu tun, goldne Redensarten der Alten, fertig und glücklich spielend, von neuem zusammenzuwürfeln (was er freilich wohl auch zuweilen als Übung treiben mochte), sondern die ganze Kraft eines von seinem Gegenstande erfüllten Gemüts ungeschwächt in Liedern zu ergießen. Er konnte sich daher auch nicht an jener reinen, zierlichen Beschränktheit andrer Neueren begnügen lassen und nötigte ohne Bedenken alles, was ihm seine gründliche Gelehrsamkeit, sein umfassendes Gedächtnis von lateinischen Ausdrücken darbot, wofern er es für seinen jedesmaligen Zweck irgend tauglich fand, sich in horazische Weisen und Wendungen zu fügen. Wenn Schönheit der Sprache auf einem Gewebe der feinsten Beziehungen beruht, wovon sehr viele nur den Mitlebenden fühlbar sind, so wird unstreitig manches in Baldes Gedichten auch den geübtesten Sprachkundigen unsrer Tage nicht im Genusse stören, was ein Metius Tarpa, sollte er wieder auferstehen, strenge verdammen würde. Allein da wir den neuern Dichter gleichsam nicht unmittelbar, sondern durch Dazwischenkunft der alten vernehmen, so haben wir auch an diesen einen Maßstab des Urteils und müssen notwendig Haltung und Harmonie vermissen, wenn wir Bruchstücke aus dem Latein des Plautus oder Catullus mit dem des Statius, Martialis usw. verflochten finden. Wie dem auch sei, es war ein Glück für Balde, daß ihm dieser Ausweg ins Altertum offenstand. Hätte er nie anders als in seiner Muttersprache geschrieben, so wäre sein echter Dichtergeist wahrscheinlich nie erkannt worden, ja er hätte vielleicht in ihm selbst immer geschlummert. Daß seine deutschen Verse so unfein und niedrig sind, läßt sich wohl nicht ganz aus dem damaligen Zustande unsrer Sprache im allgemeinen, aber mehr aus seiner besondern Lage entschuldigen. Mit kräftiger Hand hatte Luther schon früher die Umrisse der deutschen Prosa angegeben; Opitz, Fleming und andre protestantische Dichter, die eine ganz neue Bahn für die vaterländische Poesie eröffneten, lebten wie Balde zur Zeit des Dreißigjährigen Kriegs. Doch für den katholischen Geistlichen war dies alles vermutlich so gut als nicht vorhanden. Aus dem Elsaß gebürtig, hatte er gewiß eine fehlerhafte und rauhe Mundart des Deutschen an sich, die er in Bayern eben nicht wird verfeinert haben. Auch glaubte er sich nach der Gemütsart des Volks im südlichen Deutschland, die überhaupt fröhlicher ist und handgreifliche Schwänke forderte, bequemen zu müssen. Man hat ja den Fall öfter gehabt, daß Männer, die von einer geschmacklosen Welt umgeben waren, den Sinn für würdigen Ernst und für Anmut des Ausdrucks erst mit den alten Sprachen, wo diese Vorzüge einheimisch sind, einzuatmen schienen und ihn nur in denselben wieder aushauchen konnten.

Ein tiefes, regsames, oft schwärmerisch ungestümes Gefühl; eine Einbildungskraft, woraus starke und wunderbare Bilder sich zahllos hervordrängen; ein erfinderischer, immer an entfernten Vergleichungen, an überraschenden Einkleidungen geschäftiger Witz; ein scharfer Verstand, der da, wo er nicht durch Parteilichkeit oder früh angewöhnte Vorurteile geblendet wird, die menschlichen Verhältnisse durchschauend ergreift; große sittliche Schnellkraft und Selbständigkeit; kühne Sicherheit des Geistes, welche sich immer eigne Wege wählt und auch die ungebahntesten nicht scheut: alle diese Eigenschaften erscheinen in Baldes Werken allzu hervorstechend, als daß man ihn nicht für einen gebornen, und zwar einen ungewöhnlich reichbegabten Dichter erkennen müßte. Auf der andern Seite erheben sich nur wenige seiner Lieder zu einer fleckenlosen Vollendung; manche

werden durch die seltsamsten Ausschweifungen entstellt. Oft
wird sein Ausdruck durch das Bestreben nach Kraft und Neuheit hart, gesucht und verworren; die Darstellung ist nicht selten überspannt und mit völliger Aufopferung der Natur und
Wahrheit ins Ungeheure getrieben; sein Reichtum ermüdet,
wenn er zuweilen gar kein Ziel zu finden und nichts zu ver-
schweigen weiß. Von Schonung und dichterischer Enthaltsamkeit scheint er gar keinen Begriff gehabt zu haben: er verweilt
manchmal, wie mit Wohlgefallen, bei ekelhaften oder empören-
den Schilderungen. Dennoch kann man ihm Gefühl für das
Schöne nicht ganz absprechen, das er in einzelnen Stellen bis auf
einen sehr hohen Grad erreicht. Eher gebrach es ihm wohl an
eigentlichem Kunstsinn: wenigstens lassen viele seiner Lieder im
Ganzen ihres Baues Rundung, harmonisches Ebenmaß und zart
gehaltne Einheit des Tons vermissen. Eine witzelnde Spielerei
unterbricht dann und wann den Erguß der Empfindungen, ohne
daß man doch zweifeln kann, es sei ihm der heiligste Ernst damit gewesen. Die Grenze des Schicklichen überspringt er oft bis
ins Abgeschmackte hinein.

Vielleicht waren hier alle persönlichen Anlagen zu einem einzig großen Dichter vorhanden: nur eine dichterische Muttersprache fehlte. Die Summe der für seine Bildung ungünstigen
Umstände, ob sie sich gleich in die wenigen Worte zusammenfassen läßt: er war ein deutscher Jesuit und lebte zur Zeit des
Dreißigjährigen Krieges in Bayern, war so groß, daß man über
das, was dennoch aus ihm geworden, billig erstaunen muß. Und
wer würde unteilnehmend vorübergehn, wenn er auf dem
Grabmale des edeln Mannes, den so viele Fesseln und Entbeh-
rungen niederdrückten, die traurige Geschichte seines Lebens,
von ihm selbst geschildert, läse?

Tristibus imperiis spatio retinemur in arcto,
Et curtum male perdimus aevum.

DIE HOREN

Bei den vor uns liegenden Heften dieser Monatsschrift finden wir uns durch die Menge trefflicher und lesenswürdiger Stücke, die denjenigen, welche sie schon kennen, in Erinnerung zu bringen, andern aber zu empfehlen sind, wirklich im Gedränge zwischen den Schranken, die uns der Raum setzt, und den Forderungen, welche diese Monatsschrift an die Kritik zu machen berechtigt ist. Wir werden jene etwas überschreiten und von diesen uns einen Nachlaß erbitten müssen, um uns mit Ehren aus der Verlegenheit zu ziehn. Bei der Verschiedenheit des Inhalts und der Form so vieler anziehender Aufsätze halten wir fürs beste, dieser Anzeige zwei Abteilungen zu geben und in der ersten die poetischen Stükke, in der zweiten die von historischem und philosophischem Inhalte durchzugehn und mit unserm Urteile zu begleiten.

Goethes Episteln. Die beiden Episteln im ersten und zweiten Stück gehören sowohl durch die darin herrschende Manier (wenn anders dieser Ausdruck für die natürlichste und ungesuchteste Eigentümlichkeit passend ist) als durch den Inhalt zueinander. Die zweite ist eine an denselben Freund gerichtete Fortsetzung der ersten. Diese redet im allgemeinen vom Bücherschreiben und Bücherlesen. Beides, behauptet der Dichter, habe im Guten und Bösen weit geringern Einfluß als man sich gewöhnlich vorstelle. Der gemeine Leser erblicke überall nur den Widerschein seiner eignen Plattheit; der klügere verarbeitet den dargebotenen Stoff eigenmächtig bis zur Gleichartigkeit mit seinen Begriffen und Gesinnungen. Der Menge gefalle ein Schriftsteller nur, wenn er geschickt ihren Meinungen und Wünschen zu schmeicheln wisse. Wie leicht das Leerste und Luftigste Ein-

gang findet, wird in einer artigen Erzählung gezeigt, womit die
Epistel schließt. Der Gang der zweiten ist noch einfacher; der
Dichter beantwortet darin die Frage seines Freundes: wie bewahrt man seine Töchter vor der Lesung verderblicher Bücher?
indem er häusliche Geschäftigkeit empfiehlt und in ihren mannigfaltigen Zweigen schildert. Eine heitre Laune, welche die
Angelegenheiten des Lebens auf die leichte Achsel nimmt, gut-
mütige Schalkheit und freundlicher Ernst beseelen in diesen Briefen den schmucklosen, aber selbst in seiner Geschwätzigkeit gefälligen Vortrag. Sie vereinigen den Reiz, den man an prosaischen Briefen vorzüglich liebt, den zutraulichen Ton und unvorbereiteten freien Gang des mündlichen Gesprächs mit dem
fließenden Wohlklange eines Silbenmaßes, dem sich die Worte
ebenfalls ohne allen Aufwand von Kunst gefügt zu haben scheinen. Wie der Dichter selbst nichts von Ansprüchen weiß, so
überläßt er sich auch seinen Einfällen, unbekümmert um die
Forderungen, die es dem Leser belieben könnte an ihn zu machen. Der Kunstrichter, der ihm mit einer feierlichen Amts-
miene die seinigen vorrechnen wollte, liefe Gefahr, zur Belohnung für seine Mühe in einem der folgenden Briefe die Klasse
von Lesern, wozu er selbst gehört, unterhaltend gezeichnet zu
finden. Wo nichts glänzt und nichts hervorsticht, da, meint eben
der anmaßliche Kenner, sei auch nichts zu loben und leugnet die
Überlegenheit, welche ein Wohlgefallen daran findet, in schlich-
ter Gestalt und Tracht unbemerkt aufzutreten. Jeder schmeichelt
sich, dergleichen selbst hervorbringen zu können (sibi quivis
sperat idem); erst bei dem Versuche würde er gewahr werden,
daß ihm die unlernbare Gabe der Verwandlung fehlt, wodurch
das aus dem gewöhnlichen Leben Aufgegriffne so sehr geadelt
wird (tantum de medio sumptis accedit honoris). Nur wer selbständige Reichtümer des Geistes besitzt, darf sich, so sehr und so
viel ihm gut dünkt, zu beschränkten Fassungskräften herablassen,
ohne befürchten zu müssen, er werde darum am Kredite seiner

Talente verlieren. Das, womit er nur wie zur Erholung spielt, kann einen sehr gebildeten Verstand anziehend beschäftigen.

Es ist wohl das erste Mal, daß der Hexameter in unserer Sprache zur scherzhaften Epistel angewandt wird, so häufig auch diese Gattung schon bearbeitet ist. Man schrieb sie entweder nach Boileaus und Popens Beispiel in regelmäßig gepaarten oder auch in frei verschlungenen Reimen, wie sie verschiedene der neuern französischen Dichter zu ihren poetischen Briefen wählten. Jene begünstigen eine spruchreiche Kürze, verleiten aber auch leicht zu einer allzu einförmigen Symmetrie von Sätzen und Gegensätzen. Diese können einem nachlässigen und gleichsam irrenden Gange der Gedanken nicht ohne Grazie folgen. Der Hexameter ist das bildsamste von allen Silbenmaßen und diente daher auch den Alten, das Dramatische ausgenommen, beinah zu allem. In den Episteln des großen römischen Vorbildes hat er nichts Stattliches, nichts Anmaßendes: bald gleitet er ohne genaue Beobachtung der Abschnitte durch mehrere Zeilen fort; bald steht man aber auch bei einem gediegenen Spruche still, den das Maß eines einzigen Verses umfaßt und sinnlich absondert. Ob der Hexameter sich im Deutschen mit dieser Art von Gedrängtheit verträgt, müßte erst noch durch Beispiele ausgemacht werden, welche die vorliegenden Stücke nach ihrem Charakter nicht liefern konnten. Jene leichte, ungebundene Fülle des Versbaues ist dagegen glücklich darin erreicht. Bei der Erwähnung des Horatius, welche die von dem deutschen Dichter vorgezogene Form natürlich herbeiführte, soll es übrigens keinesweges auf eine Vergleichung abgesehen sein, die zwar angenehm unterhalten kann, aber bei der Beurteilung nur zu leicht irreleitet, indem man über den bemerkten oder vermißten Punkten der Vergleichung das weit Wichtigere vergißt, was keine Vergleichung zuläßt.

Goethes Elegien. Die Elegien im sechsten Stück sind eine merkwürdige, neue, in der Geschichte der Deutschen, ja man darf

sagen der neuern Poesie überhaupt, einzige Erscheinung. Unbe-
stochen vom Nationalstolze kann der Deutsche wohl behaupten, daß seine Sprache im ganzen genommen die treuesten poetischen Nachbildungen der Alten, daß sie allein Originalwerke
im echten antiken Stil aufzuweisen hat. Man begreift nicht, mit
welchem Sinne die Engländer den griechischen Homer gelesen
haben müssen, um Popens zierlich geglättete Reime nur für eine
Übersetzung des Altvaters der Sänger gelten zu lassen, geschweige
dann, um zu glauben, er gewinne nicht wenig durch die neu-
modigen Verfeinerungen der kräftigen Einfalt, womit Ilium erobert und Ilias gesungen ward. Nicht ohne Lächeln erfährt man
aus der Überschrift gewisser englischer Oden, daß sie pindarisch
sind; und es kann nur Mitleiden einflößen, wenn die Franzosen
sich dünken, von einem höheren Gipfel der Kunst und Vollendung auf die tragische Bühne der Griechen herabzusehen. Es
gehört ein freier und nüchterner Blick bei einer unverfälschten
Empfänglichkeit dazu, das Große und Schöne richtig zu erkennen und rein zu fühlen, welches uns aus unermeßlich weit von
dem unsrigen abstehenden Zeitaltern wie aus einer fremden, für
immer zerstörten Welt anspricht, über deren rätselhafte Wirklichkeit alle Trümmer ihrer unsterblichen Denkmale, noch so
gewissenhaft befragt, keinen völlig genügenden Aufschluß erteilen. Es nachahmen wollen ist ein edles, aber mißliches Bemühen. Die ursprünglichen, einfach schönen Formen der alten
Kunst haben das Schicksal aller Formen gehabt, ihren Geist zu
überleben. Fehlt es ihrem modernen Bewunderer an der Zau-
bergewalt, diesen aufs neue hervorzurufen, so ist es vergeblich,
daß er sie nachzubilden sucht; er umarmt in ihnen, wie in köstlichen Urnen, nur die Asche der Toten.

Das Antike war neu, da jene Glücklichen lebten.

Nur an der lebenden Welt kann sich die Brust des Künstlers und
Dichters erwärmen; nur eigne Ansichten des Wirklichen treten

wie unabhängige Wesen hervor, wenn sie der Spiegel einer reinen, lichthellen Phantasie zurückwirft. Die kühle Begeisterung dessen, der wahre Verhältnisse seines Daseins darzustellen vorgibt und sich doch in einem willkürlich erborgten, aber gelehrt beobachteten Kostüm gefällt, mag den Antiquar entzücken. Der unbefangene Freund des Wahren und Schönen, welcher nicht an diesen oder jenen Äußerlichkeiten desselben hängen bleibt, sondern in das Innere dringt, wird hingegen wünschen, daß sich eigentümlicher Geist immer in der angemessensten, natürlichsten, eigensten Form offenbare.

Und das ist es eben, was an diesen Elegien bezaubert, was sie von den zahlreichen und zum Teil sehr geschickten Nachahmungen der alten Elegiendichter in lateinischer Sprache wesentlich unterscheidet: sie sind originell und dennoch echt antik. Der Genius, der in ihnen waltet, begrüßt die Alten mit freier Huldigung; weit entfernt, von ihnen entlehnen zu wollen, bietet er eigene Gaben dar und bereichert die römische Poesie durch deutsche Gedichte. Wenn die Schatten jener unsterblichen Triumvirn unter den Sängern der Liebe in das verlaßne Leben zurückkehrten, würden sie zwar über den Fremdling aus den germanischen Wäldern erstaunen, der sich nach achtzehn Jahrhunderten zu ihnen gesellt, aber ihm gern einen Kranz von der Myrte zugestehn, die für ihn noch eben so frisch grünt, wie ehedem für sie.

Von den elegischen Dichtern der Griechen, sowohl den frühern ionischen als den Alexandrinern, haben sich nur Fragmente erhalten. Allein wenn man einem bescheidenen und einsichtsvollen Römer trauen darf, der von seinem Volke rühmt: «in der Elegie nehmen wir es sogar mit den Griechen auf», so hätten wir weniger Ursache, diesen Verlust zu bedauern als manchen andern. In der Tat hat nicht leicht eine andere Dichtart, nachdem die Musen in Griechenland verstummt waren, sich mit so ausgezeichnetem Gedeihen auf römischem Boden verbreitet. Propertius läßt mitten unter der verzehrenden Glut der Sinnlichkeit doch eine gewisse ernste Hoheit hervorstrahlen; Tibullus rührt durch schmachtende Weichheit; die sinnreiche und gewandte Üppigkeit des Ovidius ergötzt oft und ermüdet zuweilen, wenn er die Gemeinplätze der Liebe zu lang ausspinnt. Der Charakter unsers Dichters ist eigentlich keinem von allen dreien ähnlich. Über den letzten erhebt ihn der Adel seiner Gesinnungen am weitesten; aber er ist auch männlicher in den Gefühlen als Tibullus und in Gedanken und Ausdruck weniger gesucht als Propertius. Ob er gleich nicht verhehlt, daß er sich die süßeste Lust des Lebens zum Geschäfte macht, so scheint er doch nur mit der Liebe zu scherzen. Sie unterjocht ihn nie so, daß er dabei die offne Heiterkeit seines Gemüts einbüßen sollte. Schwerlich hätte er sich gefallen lassen, lange unerhört zu seufzen. In der ersten Elegie schweifen seine Wünsche nach einer noch unbekannten Geliebten umher, und in der zweiten hat er sie nicht nur gefunden, sondern schon jede Gewährung erlangt. Es ist wahr, einige Umstände, die er darin gegen das Ende erwähnt, vermindern das Wunderbare eines so schnellen Sieges beträchtlich. Sein Gefühl ist duldsamer als das seiner römischen Vorgänger, welche bei jeder Gelegenheit ihren Abscheu gegen den Eigennutz der Schönen nicht stark genug zu erklären wissen. Doch erscheint nachher die gefällige Römerin so schön, so liebenswürdig, ja selbst so zärtlich und edel, daß der Geliebte die fremden Triebfedern ihres Betragens, die sich unter die Liebe mischen, wohl entschuldigen oder vergessen kann. Seine Leidenschaft würde ihrer eignen Natur widersprechen, wenn sie heldenmütige Aufopferungen forderte. Nicht jugendlich herbe und aufbrausend, sondern durch den Einfluß der Zeit gemildert, wünscht sie die Freude wie eine reife Frucht zu pflücken. Sie ist sinnlich und zärtlich, schlau und offenherzig und schwärmt in ihrem Mutwillen so lieblich für das Schöne, daß selbst der strenge Sittenrichter Mühe haben müßte, Falten auf die dazu gewöhnte Stirn zu zwingen, um seinen Bedenklichkeiten und

Warnungen Nachdruck zu geben. In seiner genügsamen Fröhlichkeit ist der Sänger friedlich gegen alle Menschen gesinnt und
möchte sich nicht gern an irgend etwas Argem schuldig wissen.
Er bleibt seinem Wahlspruche treu:

> Nos Venerem tutam concessaque furta canemus.
> Inque meo nullum carmine crimen erit.

Daß Rom, die alte Heimat der Elegie, die Szene dieser Darstellungen ist, erhöht noch um vieles ihren Reiz. Manches wie ohne
Absicht eingeflochtene Bild fremder Sitten gibt ihnen Neuheit.
Der Einfluß eines mildern Himmels, unter den der Leser sich
selbst versetzt fühlt, fordert ihn erwärmend zum Anteil an sinnlicher Lust und Liebe auf. Die Wahrheit, welche dort überall
dem betrachtenden Blicke entgegenkommt, gleichsam auf jedem Bruchstücke eines alten Werks eingegraben steht, in jeder
verloschnen Spur ehemaliger Herrlichkeit sich entziffern läßt:
«alle menschliche Größe muß untergehen»; diese Wahrheit verliert am jugendlichen Busen der Schönheit ihre Macht zu schrek-
ken, ja sie wird eine Einladung, dem allgemeinen Lose der Ver-
gänglichkeit zuvorzueilen und die Freuden des Lebens zu haschen. Die Blume welkt am Abend, wie der ehrwürdige Tem-
pel nach Jahrtausenden einstürzt:

> Freue dich also, Lebend'ger, der Lieb' erwärmenden Stätte,
> Ehe den fliehenden Fuß schauerlich Lethe dir netzt.

Auch darin begünstigt den Dichter der Aufenthalt in der Ewigen
Stadt, wo das klassische Altertum noch immer sich selbst zu
überleben scheint, daß die ihn umgebenden Gegenstände eine
freundliche Gegenwart auf gewisse Art mit einer idealischen
Vergangenheit verknüpfen. Vorzüglich ist die Erscheinung der
alten Götter, statt daß sie sonst, wenn der Dichter sie unter den
Ausdruck eigner Leidenschaft mischt, entweder als hergebrachte

Redefigur nur einen schwachen oder, als etwas Fremdartiges und willkürlich Ersonnenes, einen störenden Eindruck macht, in hohem Grade natürlich und täuschend. Die Einbildungskraft gesteht diesen Wesen gern eine sichtbare Gegenwart, ein noch fortdauerndes persönliches Dasein an einem Orte zu, wo sie einst so glänzend verehrt wurden, wo man zum Teil noch ihre Wohnungen zeigt und ihre Gestalten aufbewahrt, vor deren übermenschlicher Macht das Volk sich ehemals niederwarf, wie der Künstler noch jetzt ihre übermenschliche Schönheit anbeten muß. Sogar die kühne Begeisterung, welche den Dichter, indem er reineren Äther einzuatmen glaubt, mit einem Schritte vom Capitolium zum Olymp hinaufführt, hat hier noch das Ergreifende der Wahrheit.

Es läßt sich voraussehn, daß gegen diese Gedichte mit großer Wichtigkeit der Einwurf gemacht werden wird, sie seien keine Elegien. Es lohnt nicht sonderlich die Mühe, um Namen zu fechten: eine Sache bleibt dennoch, was sie an sich ist, man nenne sie, wie man will. Man könnte also immerhin zugeben, es seien keine Elegien, ohne daß etwas mehr daraus folgen würde, als daß ein kleines Versehen bei der Überschrift vorgefallen sei. Allein das Wort ‹Elegie› ist den Griechen abgeborgt, und es fragt sich noch, wer mehr Recht hat, der Künstler, der es im Sinne der Erfinder auf die Schöpfungen seines Geistes anwendet, oder der Kunstrichter, der die Bedeutung desselben nach den Bedürfnissen seiner Theorie eigenmächtig abändert und festsetzt. Nach einer ziemlich gemeinen Meinung muß man notwendig Seufzer der Wehmut hören lassen, um auf den Namen eines elegischen Dichters Ansprüche machen zu können. Die Elegie hätte in der Tat Stoff zum Klagen, wenn man sie auf diesen kläglichen Ton beschränken wollte. Wies ihr doch schon Horatius neben der Klage auch die Freude erhörter Liebenden zum Gebiet an, und wir finden mehrere dergleichen Jubellieder unter den Gedichten, die uns das Altertum als Elegien überliefert hat. Sie umfaßt also ganz entgegengesetzte Stimmungen der Seele; und wenn sie meistenteils von einem Liebenden als Botin an den Gegenstand seiner Leidenschaft gesandt wird, so verläßt sie doch auch nicht selten diesen Kreis. Schon Mimnermus, wo nicht der Erfinder des elegischen Silbenmaßes, doch der Vater der Elegie, «der in der Liebe mehr galt als Homer», hat in seiner Dichtart die Siege der Smyrnäer besungen; Tibullus feiert Geburtstage und frohe ländliche Feste; und wer vermöchte die Schlacht bei Actium erhabner darzustellen als Propertius? Die Benennung hing bei den Alten an der metrischen Form. Diese kann freilich kein unterscheidendes Merkmal des innern Wesens liefern (wie die elegische denn auch häufig zum Lehrgedicht und Epigramm gebraucht worden ist), allein sie hat doch einen bedeutenden Einfluß auf Gang und Wendung der Gedanken und auf die Farbe des Ausdrucks, und hieraus entsteht etwas Gemeinschaftliches in der Behandlung sehr verschiedenartiger Stoffe, das sich indessen leichter fühlen als bestimmt erklären läßt. Gehören einige aus der Reihe dieser Gedichte eher in eine Sammlung wie die Anthologie? Oder soll man mehrere Stücke der Anthologie lieber Elegien als Epigramme nennen? Es kommt wenig darauf an. Nur das würde zum Tadel berechtigen, wenn man dem Dichter Mißhelligkeit zwischen dem Inhalt und der äußern Form dartun könnte. Wer würde wohl diese lieblichen Dichtungen vernichtet zu sehen wünschen, wenn etwa gewisse Theoristen einmütig aussagen sollten, sie lassen sich in keines der von ihnen eingerichteten Fächer schieben? Möchten doch lieber alle möglichen Theorien der Kunst zugrunde gehen, als daß ihrem Eigensinne ein einziges wahrhaft schönes Kunstwerk aufgeopfert werden sollte!

So anziehend auch die Beschäftigung sein müßte, sowohl die einzelnen Schönheiten durchzugehn als das wenige zu bemerken, was man in Ausdruck oder Darstellung anders wünschen könnte, so würde sie doch hier zu weit führen. Es sei erlaubt, nur einiges auszuheben. Das sinnreiche Spiel mit dem Pentameter, wo eine Hälfte der andern gleichsam antwortet, ist mehrmals sehr glücklich angebracht:

> Doch ohne die Liebe
> Wäre die Welt nicht die Welt, wäre denn Rom auch nicht Rom.

> Folgte Begierde dem Blick, folgte Genuß der Begier.

Der Schluß der dritten Elegie ist überraschend kühn; hingegen scheint die vierte in den letzten Zeilen nicht von aller Verworrenheit frei. Wie kann der Dichter ein glücklich Liebender sein, ohne noch immerfort die Gunst der Göttin Gelegenheit zu besitzen? Die sechste Elegie rührt das Herz durch ihre Wahrheit; die siebente bezaubert die Phantasie durch überirdischen Glanz. Unter den Helden, welche das Lager der Liebe mit ihrem Ruhm erkaufen würden (10. El.), wäre Friedrich der Große vielleicht schicklicher nicht genannt. Der Dichter geht mit leichtem Schwunge von den lieblichsten Vorstellungen zu den größten über, indem er (15. El.) einen geistvollen Blick auf die Majestät Roms wirft, um die Ungeduld, womit er eine glückliche Stunde erwartet, zu zerstreuen. Die sonst schöne neunzehnte Elegie wird durch eine Zeile (V. 60) entstellt, worin die ungeheure Verkehrtheit, zu welcher der Mensch durch den Mißbrauch seiner Vernunft herabgesunken ist, ohne Schonung erwähnt wird. Der Dichter teilt ja mit den Philosophen die traurige Notwendigkeit nicht, die menschliche Natur auch auf diesen Abwegen zu erforschen. Der Schluß eben dieser Elegie:

> Denn der Könige Zwist büßten die Griechen, wie ich,

ist eine launige Anspielung auf das bekannte:

> Quidquid delirant reges, plectuntur Achivi.

Doch wir müssen uns, wiewohl ungern, von diesen holden Spielen trennen, um für die Prüfung ausgezeichneter Stücke von einem ganz verschiedenen Charakter Raum übrig zu behalten.

Imbelles elegi, genialis Musa, valete!

Kleinere Gedichte Schillers und Herders. Mehrere kleinere Gedichte [von Schiller] am Ende des neunten Stücks, ‹Der rau-
schende Strom› und ‹Leukotheas Binde› [von Herder] im zehnten, dann zwei von größerem Umfange in eben diesen Stücken,
‹Natur und Schule› und ‹Elegie› [beide von Schiller], tragen ein
ähnliches Gepräge. In allen redet ein denkender Dichter zu
einem denkenden Leser; die meisten könnte man philosophische
Epigramme nennen. Die einfache Erzählung eines seltnen Bei-
spiels von Edelmut in dem Stücke ‹Deutsche Treue› [von Schil-
ler] hätte durch jede hinzugefügte Bemerkung nur geschwächt
werden können; die unerwartete dramatische Einführung fühl-
loser Kleinheit in dem Eindruck, welchen die Handlung der beiden Fürsten auf einen dritten macht, hat einen kräftigen Stachel,
den man nicht ungern fühlt. In den [Schillerschen] Stücken
‹Der philosophische Egoist›, ‹Weisheit und Klugheit›, ‹An einen
Weltverbesserer›, ‹Das Höchste›, ‹Unsterblichkeit› werden sittliche Verhältnisse des Menschen mit ebenso tiefem Blick in sein
Innres als weiter Aussicht in die umgebende Welt gefaßt und
ernste Wahrheiten mit der ihnen entsprechenden nachdrücklichen Würde an das Herz gelegt. In der Anrede der ‹Antike an
einen Wanderer aus Norden› [von Schiller] ließe sich vielleicht
ohne Nachteil des schreckenden Kontrastes die Stärke einiger
Ausdrücke mildern: der ‹neblichte Pol›, der ‹eiserne Himmel›, die
‹arkturische Nacht› geben ein Bild von einem Norden, aus welchem nicht leicht jemand zu den Sitzen der alten Kunst wallfahr-
tet. Zwar die Antike spricht nach den Begriffen des Altertums,
dem ein enger Horizont die ganze bewohnbare Welt begrenzte:
sie weiß noch nicht, daß jetzt eben da, wo man vor zweitausend
Jahren nur unwirtbare Wüsteneien sah oder zu sehen glaubte,
paradiesische Gegenden mit allen Früchten des Südens prangen.
Aber sollten die Einflüsse des Himmels, wie sehr auch die mensch-

liche Organisation im allgemeinen von ihm abhängen mag, für den einzelnen Menschen wirklich so ganz überwindlich sein?

Schillers Natur und Schule – Der Genius. Von dem Gedicht ‹Natur und Schule› ist es schwer zu entscheiden, ob es mehr das Gefühl als dichterische Darstellung oder den Kopf als Auflösung eines philosophischen Problems beschäftigt. Ein edler Freund (die Antwort verrät nachher, daß er ein unnachahmlicher Künstler ist) befragt den Dichter über den Wert des wissenschaftlichen Ergründens der menschlichen Anlagen und Kräfte für ihren besten und richtigsten Gebrauch, sowohl überhaupt als in bezug auf sich selbst insbesondere. Dieser gibt darauf zur Antwort: das goldne Zeitalter, wo die Leitung des natürlichen, unentwickelten Gefühls hinreiche, um seine Bestimmung vollkommen zu erfüllen, sei dahin; jetzt müsse angestrengtes Denken über das Verborgenste und Unsinnlichste im Menschen ihm erst den Weg zur höchsten Ausbildung bahnen; und nur der sei dieses allgemeinen Gesetzes überhoben, der, wie der fragende Freund, das goldne Zeitalter noch jetzt in seinem eignen Busen trage. Das erhabne Unbewußtsein, welches sowohl die freieste Seelengröße als den selbständigsten Genius begleitet und der vollendende Zug ihrer Göttlichkeit ist, wird hinreißend schön geschildert:

> Du nur merkst nicht den Gott, der dir im Busen gebeut,
> Nicht des Siegels Gewalt, das alle Geister dir beuget,
> Einfach gehst du und still durch die eroberte Welt.

Um verliehene Vorzüge kann man einen Menschen beneiden; für selbst erworbne muß man ihn preisen; und wer würde nicht mit Teilnahme dem wackern Wettkämpfer folgen, der, von der Natur schon vortrefflich ausgestattet, durch einen mächtigen, ungemeßnen Trieb nach Vollkommenheit angespornt, sich ein so entferntes Ziel steckte, daß er zwar die Palme am Ende seiner Laufbahn bräche, aber nicht genug Kräfte übrig behielte, um mit ihr die Heimat zu erreichen und sich seines Sieges zu freuen, und, wie jener spartanische Bote, ein Opfer seines Eifers würde? Durch jede Übung im Handeln und Schaffen wird nicht nur das Vermögen dazu verstärkt, sondern der ganze innre Reichtum des Menschen vermehrt. Aber verhält es sich ebenso mit lange fortgesetzten, abgesonderten Anstrengungen des Verstandes? Und ist nicht zu befürchten, es möchte eine Art von Despotismus dieser Seelenkraft entstehn, wenn sie sich gewöhnt hat, die übrigen gebieterisch zu einer unwillkommnen Ruhe zu verweisen? Der Mißbrauch jener Lebensfülle, die allein außerordentliche Taten und, was uns hier näher liegt, bewundernswürdige Kunstwerke erzeugt, ist ein großes, jedoch heilbares Übel; der geringste Verlust an ihr ist unersetzlich. Es gibt Beschäftigungen des Kopfes, die unleugbar etwas Ertötendes an sich haben: warum soll sich gerade derjenige ihnen unterziehn, der am meisten dabei einzubüßen hat? Nur aus innrer Harmonie können harmonische äußre Wirkungen hervorgehen; und kann es für die, welchen sie nicht vollkommen angeboren ist, als allgemeine Regel gelten: sie sollen ihren Verstand bis an die Grenze des abstrakten Wissens treiben? Ist nicht vielmehr für jeden, nach der besondern Mischung seiner Anlagen, eine andre Vorschrift der Ausbildung nötig? Der Günstling der Natur hüte sich, ihr das Geheimnis dessen, was sie für ihn tat, mit allzu beharrlich dringender Verwegenheit abzufordern. Ein seltnes, fast beispielloses Gelingen darf nicht zum Beispiele werden. Wenn aber wirklich einmal ein hoher Dichtergeist das gefährliche Abenteuer bestanden hat, sich deutlich zu erkennen; wenn er bald als zergliedernder Denker und bald als beseelender Künstler Bewunderung erregt; wenn er «erhalten aus dem modrigen Grabe zurückkommt und Trost für die Lebenden von den Mumien herbringt»: wer wird ihn nicht froh und dankbar begrüßen?

Schillers Elegie: Der Spaziergang. Die Elegie im zehnten Stücke besingt einen großen, ja für uns Menschen den größesten aller Gegenstände: die Schicksale der gesamten Menschheit. In den

kühnen Umrissen eines idealischen Gesichtes ziehen sie vor dem
Geiste des Dichters vorüber. Erst durchwandert er eine blühende Gegend, woran aber noch keine Spur der ordnenden
Menschenhand sichtbar ist. Dann entdeckt er von einem Berge
herab weit ausgedehnte, angebaute Gefilde: in ihrem anmutigen
Anblick malt sich das Glück des ländlichen Fleißes. Bald entsteht
der Unterschied der Stände; in den Städten bilden sich Mittelpunkte der Geselligkeit, und die natürlichen Erzeugnisse werden
mannigfaltiger benutzt. Die Jugend der Staaten bringt patrioti-
schen Heldenmut hervor und gedeiht wieder durch ihn; Taten,
die für die äußre Sicherheit der Gesellschaft unternommen werden, gelingen und teilen jeder Art der Tätigkeit in ihr einen
raschern Umschwung mit. Gewerbe, Handel, Kunst und endlich Wissenschaft nähern sich durch schnelle Fortschritte ihrem
höchsten Flor. Allein unterdessen ist Unschuld und Einfalt der
Sitten zugrunde gegangen; lasterhafter Egoismus gewinnt ein
unermeßlich weites Feld; der Mensch ergibt sich den ungeheuer-
sten sittlichen Ausschweifungen, bis endlich die Zerrüttung so
weit geht, daß das Gebäude der bürgerlichen Einrichtungen zu-
sammenstürzen und ein zweiter wilderer Naturzustand erfolgen
muß. Hier findet sich der Dichter wieder mit der Natur allein,
aber nicht mit der freundlich blühenden, sondern mit der leblosen und furchtbaren Natur. Dennoch wendet er sich auch so
mit Liebe zu ihr und schließt mit einem Hymnus auf die wohltätige Unwandelbarkeit ihrer Gesetze, die allein dem Menschen
eine unfehlbare Richtschnur des Handelns darbieten.

In allem diesem herrscht ein großer Zusammenhang. Ob die
unendlichen Vorteile der Vervollkommnung des geselligen Lebens für die zahllosen Übel, welche sie erschafft, entschädigen,
mehr als entschädigen können, ist eine uralte und vielleicht nie
rein aufzulösende Frage. Schon Prometheus mußte ja nach der
Fabel für diese als Folgen seiner Tat büßen; aber er rechtfertigte
sich durch jene: und wer hatte mehr Recht, Jupiter oder der

weise Titane? Muß das Menschengeschlecht durchaus an seinem
Heil verzweifeln, weil es mit jedem Schritt zur Entwicklung
seiner Kräfte auch seiner Verderbnis entgegengeht, oder wird es
ihm gelingen, dem Schicksale zum zweitenmal ein goldnes Zeitalter abzunötigen? Was für das Ganze zu hoffen vermessen wäre,
darnach darf doch der Einzelne für sich selbst streben: nämlich
bei der vielseitigsten Ausbildung die ursprüngliche sittliche Einfalt zu bewahren; und das ist es auch, womit sich der Dichter
am Schluß über die Verirrungen der Menschheit tröstet. Sein
Hauptgedanke ist folgender: die Menschen, die zur Geselligkeit
geboren scheinen und durch sie in den Stand gesetzt werden,
wundernswürdige Dinge auszuführen, verderben sich dennoch
untereinander. Das Gefühl, welches ihn auf diese Betrachtungen
leitet, ist das Verlangen, im einsamen, vertrauten Umgange mit
der Natur sich vor dem verderblichen Einflusse der Gesellschaft
und ihren einengenden Verhältnissen zu retten. Hievon geht
er aus:

> – endlich entflohen des Zimmers Gefängnis
> Und dem engen Gespräch –

Und hierauf kommt er auch zurück, nachdem sowohl die glänzenden als die schrecklichen Szenen des menschlichen Lebens
wieder verschwunden sind:

> Bin ich wirklich allein? In deinen Armen, an deinem
> Herzen wieder, Natur? –

Das Gedicht ist also nicht nur nach seinem Gegenstande, sondern durch die Beziehung desselben auf die Seele des Dichters
ein Ganzes: es hat Einheit, sowohl lyrisch als philosophisch betrachtet.

In der Ausführung wird die strömende Fülle des Ausdrucks
vielleicht hier und da zum Überflusse. Beim Eingange könnte
man einige Augenblicke zweifeln, ob man hier nicht bloß ein

Landschaftsgemälde zu erwarten habe. Die Schilderung der
wirklichen Szene und der Anfang der Vision fließen ineinander:
sind ihre Grenzen mit Absicht nicht genau gezogen? Von den
einzelnen Anschauungen, worunter die Phantasie lustwandelt,
ist fast jeder Zug auf das bedeutendste gewählt; sie sind immer
kräftig, größtenteils mit auffallender Neuheit und oft wahrhaft
erhaben dargestellt. Unter vielem Schönen sind folgende Zeilen
über allen Ausdruck schön:

> Jene Linien, die des Landmanns Eigentum scheiden,
>   In den Teppich der Flur hat sie Demeter gewirkt,   [Gottes,
> Freundliche Schrift des Gesetzes, des Menschen erhaltenden
>   Seit aus der ehernen Welt fliehend die Liebe verschwand.

Doch scheint der letzte Vers mit dem «glücklichen Volk der Gefilde», das gleich darauf geschildert wird, im Widerspruche zu
stehn. So wäre auch die «Länder verbindende Straße», so treffend
sie gezeichnet ist, bei der Schilderung des Handelsverkehrs wohl
mehr an ihrer Stelle als neben der genügsamen Eingeschränktheit des Landbaues. Die Einführung der griechischen Götter
darf nicht befremden, ebensowenig als das ganz individuelle
Beispiel von spartanischer Aufopferung für das Vaterland. Da
der Dichter die Geschichte des ganzen Menschengeschlechts in
einer Bilderreihe aufstellt, so ist er berechtigt, von einzelnen
Völkern zu entlehnen, was gerade bei jedem in der ausgezeich-
netsten Vortrefflichkeit erscheint. Hiedurch läßt sich auch die
Erwähnung der Presse so kurz nach der Kunst im griechischen
Stil rechtfertigen...

Schillers Reich der Schatten – Das Ideal und das Leben. Wer Sinn
für das Idealische hat, noch mehr, wer jemals unter dem Be-
mühn erlegen ist, ihm außerhalb seinem eignen Innern Wirklichkeit zu geben, der wird mit ebenso großem Wohlgefallen
als Erstaunen in ‹Das Reich der Schatten› eintreten; ein Gedicht,
dessen Muse wie dessen Gegenstand die reinste unkörperliche

Schönheit ist. Das verklärte Licht auf der Stirn der Himmlischen leuchtet uns schon beim Eingange entgegen. Im Hintergrunde strahlt die hohe Vollendung, welche zu erreichen keinem Sterblichen beschieden ist, solange er das Irdische noch nicht abgelegt, zu der er aber in einem Dasein, an welches er überall durch die Bande der Unvollkommenheit gefesselt ist, unablässig hinaufstreben soll. Was hier geleistet worden ist, mußte bis dahin fast unglaublich scheinen, wenn man die Härte des Stoffes kannte, der sich in dieser glänzenden äußern Rundung verbirgt, und die unendliche Last des Gewölbes ungefähr berechnen kann, das hier von schön geordneten Säulen so leicht getragen wird. Die Frage, ob es erlaubt war, soviel zu leisten, muß einer ausführlichern Prüfung vorbehalten bleiben.

Es ist schwer, über ein solches Gedicht, indem man den empfangnen Eindruck sinnlich machen will, nicht wieder zu dichten; allein damit die Ausdauer des dadurch entzündeten Enthusiasmus gesichert werde, muß man ihm helle, bestimmte Einsicht zur Grundlage zu geben suchen. Und da liegt eben die Schwierigkeit, deren Überwindung der Zuhörer sich nicht verdrießen lassen darf, wenn es ihm nicht genügt, die Harmonien des Sängers mit Wollust, aber unverstanden wie Geistersprache, an seinem Ohr vorübergleiten zu lassen; wenn er die Offenbarungen, die darin mehr angekündigt als wirklich entfaltet werden, in sich aufnehmen und bewahren will. Wir befinden uns hier nicht in der Körperwelt, wo sich alles greifen und handhaben läßt: und sind es gleich elysische Gestalten, welche den Betrachter umgeben, so haben sie doch die Art der Schatten nicht ganz abgelegt und entziehen sich seinen Umarmungen, wenn er, von ihrer entzückenden Schönheit hingerissen, sie auf das innigste mit seinem Wesen verschmelzen will. Es ist daher die erste Pflicht des Beurteilers, den dichterischen Schleier der Wahrheit wegzuziehn und, von ihrer Glorie ungeblendet, die bloßen Umrisse, soviel es sich tun läßt, in ungeschmückten Worten hinzuzeichnen.

Die sinnlichen Triebe im Menschen stehn im Widerspruche
mit dem Triebe seines höhern Selbst nach Vollkommenheit,
und doch ist die Übereinstimmung beider Bestandteile seines
Wesens zur Glückseligkeit notwendig. Gibt es nun kein Mittel,
jenen Widerspruch auszugleichen? Es gibt eins; aber wer dessen
teilhaftig werden will, muß damit anfangen, sich von seinen
Sinnen unabhängig zu machen, denn diese sind es grade, wodurch er in tierischer Beschränktheit festgehalten wird. Nur was
körperlich an ihm ist, muß unbedingt äußern Naturgesetzen ge-
horchen: seine Persönlichkeit dagegen ist frei. Um diese zu ver-
edeln, muß er das Schöne, und zwar in seiner höchsten Reinheit,
zu genießen suchen, und hiezu ist eine Stimmung der Seele notwendig, die ihn ganz von den störenden Eindrücken der wirklichen Welt entfernt und worin er, wenigstens für die Zeit der
stillen Beschauung, alle Leiden des Lebens, alle eigenen Unvollkommenheiten vergißt. In solcher Abgeschiedenheit muß er
seine Einbildungskraft mit Idealen der menschlichen Natur beschäftigen; doch soll ihn dies keinesweges in äußre Untätigkeit
einwiegen, als ob er schon im Besitz des Unerreichbaren wäre,
weil er es sich vorzustellen vermag: nein, er soll durch den an-
gespanntesten Gebrauch seiner Kräfte ihm im wirklichen Leben
näherzukommen suchen und sich nur durch die Betrachtung
desselben von dem niederdrückenden Gefühl seiner Schwäche
wieder aufrichten. Das Dasein des Menschen ist in jeder Beziehung ein rastloser Kampf, eine Aufgabe, die sein Vermögen
übersteigt: nur das Idealschöne kann ihm daher einen völlig be-
friedigenden Selbstgenuß gewähren. Der handelnde Mensch
muß seinen ganzen Mut, seine ganze Entschlossenheit auf bieten,
um dem Widerstande und den Gefahren, die ihm auf jeder rühm-
lichen Laufbahn begegnen, nicht nachzugeben: in einer schönen
Ideenwelt darf er sich sorglos der ruhigsten Empfänglichkeit
überlassen. Nur durch die unermüdlichste Beharrlichkeit des
künstlerischen Genius werden vortreffliche Werke zustande ge-

bracht: hingegen das Ideal der begeisterten Seele ist frei von allen den Mängeln, die es in der wirklichen Darstellung unter sich selbst herabsetzen. Mit unerbittlicher Strenge müssen wir selbst richten, um unsre sittlichen Gebrechen abzulegen, und doch bleiben unsre besten Bemühungen unendlich tief unter den Forderungen der Pflicht. Aber indem wir die Tugend als schön empfinden und ihr Ideal mit voller Liebe umfassen, wird es gewissermaßen Eigentum unsers Herzens. Der gesellige Mensch muß das Elend seiner Mitgeschöpfe, auch wenn er ihm nicht abhelfen kann, doch schmerzlich mitfühlen; aber in seinen idealischen Vorstellungen rührt ihn nur die im Leiden bewiesene Seelengröße. So wird ihm durch die Schönheit mitten unter den harten Kämpfen und Selbstverleugnungen, wodurch allein er sich der seligen Ruhe einer höhern Vollendung würdig macht, schon ein Vorgefühl derselben gegeben.

Nach dieser Darlegung des Inhalts (die, wie wir hoffen, im ganzen nicht verfehlt ist, wofern sich auch im einzelnen Mißverständnisse eingeschlichen haben sollten) wird sich jeder, der das Gedicht noch nicht kennt, einen dichterisch belebten, aber immer noch lehrenden Vortrag denken und durchaus nicht erwarten, es werde mit lyrischer Fülle hinströmen. Lehrend kann sich die Poesie gewissermaßen selbst das Unsinnlichste zueignen, denn sie gebraucht eben das als darstellendes Zeichen, was der denkenden Kraft zur Festhaltung der Begriffe unentbehrlich ist. Die Sprache ist die Leiter, auf der wir von der Erde bis in den Himmel oder wenigstens bis in die Wolken hinaufklimmen, und die oberste Sprosse derselben ist aus gleichartigem Stoff mit der untersten verfertigt. Auch als Werkzeug ganz entkörperter Gedanken kann sie ihren sinnlichen Ursprung, ihre bildliche Natur nicht völlig verleugnen: es gilt also nur, Bild gegen Bild zu vertauschen und so lange herabzusteigen, bis man aus der kalten obern Luft wieder in die wärmere Region des Lebens und der Schönheit gelangt ist. Aber ein lyrischer Gesang setzt nicht bloß innre Anschauung, sondern innige Regung voraus: und welche, wenn man so sagen darf, vergeistigte Empfänglichkeit gehört dazu, von solchen Gegenständen berührt, ihren Eindruck melodisch zurückzugeben.

Wenn man dies bedenkt, so wird man sich eher wundern, daß Sprache und Silbenmaß dem Dichter so oft zu Gebot gestanden haben, als daß sie hie und da widerspenstig hinter dem Gedanken zurückgeblieben sind. Der bezaubernde Wohllaut der Strophen, deren Umfang das Ohr noch eben fassen kann, und die sanft verschmelzte Harmonie des Ausdrucks werden nur selten unterbrochen. Die Bilder der alten Mythologie sind hier bloß idealisch mit einer deutenden Anwendung eingeflochten, und es ist aufs glücklichste ein neuer Raub an ihnen begangen. Der ganze Sinn des Gedichtes liegt in dem Apfel Proserpinens begriffen. Es ist eins jener erhellenden Gleichnisse, welche die Wirkung der letzten Lichter tun, die man auf ein Gemälde setzt. Ebenso schön und wahr ist in der Erwähnung Laokoons die edelste Forderung ausgedrückt, welche an die Menschheit zu machen steht: der Widerstand, der die niederdrückende Natur des Leidens in den höchsten Triumph der Seele, in das Zeichen ihres göttlichen Ursprungs verwandelt. Wir wissen, daß die Bildsäule Laokoons beides darstellt, die Angst, welcher sich der Sterbliche nicht entziehen kann, und den Mut, wodurch er unsre Ehrfurcht mehr denn der Gott erregt, der ein willkürliches Urteil über ihn sprach. Diesem Gedanken, den der Künstler in der Schrift menschlicher Züge darlegte, sind hier wenige, aber lebendige Worte verliehn. Die Vergötterung des Herkules endigt die Reihe dieser Bilder auf die zweckmäßigste Art; und das in der letzten Strophe wiederholte Wort:

> – – des Erdenlebens
> Schweres Traumbild sinkt und sinkt und sinkt,

malt uns die Befreiung von der Last des Irdischen so fühlbar hin, daß wir am Ende des Gesanges in der Tat mit dem Vergötterten hinangeschwebt zu sein glauben...

Goethes Unterhaltungen deutscher Ausgewanderten. Die ‹Unterhaltungen deutscher Ausgewanderten› sind das, wofür der Verfasser sie gibt, eine leichte, angenehme Erholung, welche nicht sowohl den ermüdeten Geist von sich selbst ablenkt und zerstreut, als durch den ruhigen Ton, der darin herrscht, zur Sammlung einladet, womit ihm oft der größere Dienst geschieht. Der Eingang erinnert an einen ähnlichen zu einer sonst noch genug von dieser verschiedenen Reihe von Erzählungen, dem Dekameron des Boccaz. Dort flüchtete man sich von dem Schauplatze der physischen Zerrüttung wie hier von dem Schauplatze der politischen. Nur konnten die anmutigsten Erzählungen eine Pest nicht beschwören, da sie hingegen Hader und Zwietracht wohl in den Schlaf zu wiegen vermögen. Die Einleitung zu diesem Unternehmen hat freilich das Ansehen eines Widerspruchs; denn es bringt dem Gedächtnisse die Gegenstände sehr nahe, welche man sich zu entfernen vorsetzte: doch ist er nicht ganz unauflösbar. Das Übel mußte noch einmal so lebendig geschildert werden, daß es jedem, welcher je Partei genommen hatte, leicht wird, sich von dem Dasein desselben durch eine aufwallende Teilnehmung an diesem Gespräch zu überzeugen. Die Erwähnung des Galgens und der Guillotine berührt eben den Gipfel beider entgegengesetzten Denkarten, und man ist nicht betrübt, den braven Mann abreisen zu sehen, der sie herbeiführte. Nun gewinnt man Raum, sich an den folgenden Gesprächen zu erfreuen, worin Vernunft und Witz, allgemeine und besondre Wahrheiten aufs glücklichste gemischt sind, wo es der Namen nicht bedarf, um die Sprechenden voneinander abzusondern, und ein jeder seinen Charakter behauptet. Ja, bis in die kleinste der kleinen Geschichten, welche vorgetragen werden, läßt sich jene feine und lebhafte dramatische Wendung nicht verkennen. Auch die Spuren dessen, was man Manier nennen

möchte, gefallen noch daran: warum sollte man eine zierliche
Manier nicht lieben? Diese hier ist nicht karg mit Worten und
Aufzählung kleiner Umstände, aber sie haben alle Leben und
Grazie und werden durch einen einfachen Gang zusammengehalten. Ohne Prunk und geflissentlich erregte Spannung erreicht
die erste dieser Erzählungen ihre Absicht, unsre Aufmerksamkeit zu fesseln und die Phantasie anzuregen, wobei es nicht ohne
Schauder abgeht. Anordnung und Ausdruck sind so kunstlos
und darstellend, daß man gern zu ihnen zurückkehrt und es sich
schon gefallen läßt, das Wort dieses Rätsels sowie der andern
nachher aufgegebnen nicht gefunden zu haben. Besonders ist
alles, was darin zur Bezeichnung der Charaktere dient, vortrefflich. Alle Zaubereien des Verfassers reichen dagegen nicht hin,
den harten Kontrast in dem Abenteuer des Marschall de Bassom-
pierre ohne Widerwillen verschmerzen zu lassen. Daß die Begebenheit der schönen Strohwitwe mit einem Prokurator zu
Genua nicht unbekannt ist, schadet allerdings dem Vergnügen
nicht, womit wir sie hier wieder lesen; doch schadet es ihrer
Moralität, daß alles Verdienst auf die Kälte und Geistesgegen-
wart des jungen Weisen kommt und die Entsagung der artigen
Frau nach aufgehobnem Fasten vielleicht nicht standhalten
möchte. Uns dünkt daher die Geschichte des verirrten Jünglings
moralischer. Eine überzeugende Wahrheit der Darstellung und
der Bemerkungen, die dem Verfasser in der Tat so natürlich wie
das Atmen zu sein scheint, spricht uns darin an. Gegen das Ende
entsteht indessen die Frage, ob eine solche Erfahrung wie die,
welche Ferdinands Rettung begleitet, nicht zu denen gehört, an
die, bei Gelegenheit des Sprungs zweier verbrüderten Schreib-
tische, die Forderung gemacht wird, daß sie wahr sein müssen,
und die man also nur gern in Heinrich Stillings Leben liest.

Was aber alles Belehrende und Ergötzende in den vorigen
Unterhaltungen dahinten läßt, was ein sanftes Wohlgefallen in
das lebhafteste Vergnügen verwandelt, ist das Märchen, zu dem

wir durch treffende Winke über das Wesen der Phantasie vorbereitet werden. Sie gaukelt uns alsdann das lieblichste Märchen
vor, das je von ihrem Himmel auf die dürre Erde herabgefallen
ist. Alle ihre Jugend und Fröhlichkeit scheint wach geworden
zu sein. So bunt sie aber ihr Gemälde mischt, so gemildert ist es
dennoch in seiner Haltung. Eine Reihe der lieblichsten Bilder
zieht uns fort; sie gehen zuweilen in eine lächelnde Charakteristik und dann wieder ins Rührende über: doch liegt das Rührende mehr in der holden Zartheit der Schilderung als im Mitleiden, das der Gegenstand erweckt. Nie gab es einen liebens-
würdigeren Schmerz als den der süßen Lilie; überhaupt erregt
sie ein Gefühl, als wenn man den Duft der Blume, deren Namen
sie führt, in freier Luft einatmete. Dazwischen bringt irgendein
komischer Zug, wie die Verlegenheit der guten Alten um ihre
Hand, zum Lächeln, oder man erheitert sich bei den Irrlichtern,
einem Völkchen, das hier in seiner ganzen Beweglichkeit ergriffen und wie fest gezaubert ist, ohne still zu stehn. Es ist eine
Zeichnung, bei der man nicht ohne Ergötzen verweilen kann;
sie erschöpft, was sie darstellen soll, und gleitet doch leicht darüber hinweg, wie die Nymphe über die Spitzen des Grases. So
schwebt das ganze Märchen hin, und wer sich nicht an ihm erfreuen wollte, müßte wenigstens nicht mit unbefangnem Geiste
sich belustigen können oder alle Werke, woran die Einbildungskraft allein teilhat, lästig finden. Alsdann könnte es ihn vielleicht
noch unterhalten, nach einem haltbaren Faden der Deutung zu
suchen, welches wir noch nicht unternommen haben. Im einzelnen ist Sinn und Bedeutung nicht schwer zu erkennen. Bei
der Flüchtigkeit, die man sonst nur den Landsleuten der Irrlichter zutrauen sollte, schimmert ein gewisser Ernst durch, der
«nicht schwer wird über allem», wie die Landsleute des Verfassers, sondern eben hinreicht, eine desto angenehmere Erinnerung der empfundnen Lust zurückzulassen. Es ist kaum nötig,
zu bemerken, daß nirgends Überladung, weder in der Sprache

noch in den Beschreibungen, stattfindet. Wollte die Kritik auch dieses schöne Wolkenbild nicht ohne Tadel vorbeischlüpfen lassen, so könnte man sagen, daß die Katastrophe, wobei die Teilnahme an den Lieblingen still steht, nicht nahe genug ans Ende gerückt ist. Allein dies stört den Genuß nicht, und wenn wir geendigt haben, so sehen wir im Geist den Erzähler, der bisher unter der Gestalt eines alten Geistlichen aufgetreten ist, die Maske abwerfen und mit einem Flügelpaar dastehn.

HERMANN UND DOROTHEA

Obgleich dies Gedicht seinem Inhalte nach in der uns umgebenden Welt zu Hause ist und, unsern Sitten und Ansichten befreundet, höchst faßlich, ja vertraulich die allgemeine Teilnahme anspricht, so muß es doch, was seine dichterische Gestalt
betrifft, dem Nichtkenner des Altertums als eine ganz eigne, mit
nichts zu vergleichende Erscheinung auffallen, und der Freund
der Griechen wird sogleich an die Erzählungsweise des alten
Homerus denken. Sollte dies weiter nichts auf sich haben als
eine willkürliche Verkleidung des Sängers in eine fremde altväterliche Tracht? Sollte die Ähnlichkeit bloß in Äußerlichkeiten des Vortrags liegen? Es wäre wenigstens nicht billig, vor der
Untersuchung so vermuten: jene auch dem oberflächlichen Betrachter sich darbietende Wahrnehmung muß uns daher ein
Wink sein, sie weiter zu verfolgen. Wenn ein Werk nach der aus
ihm hervorleuchtenden künstlerischen Absicht zu beurteilen ist,
so darf die Rücksicht auf das homerische Epos hier so wenig ein
überflüssiger Umweg scheinen, daß sie vielmehr das sicherste,
ja das einzige Mittel sein möchte, ein soviel möglich von allen
Einflüssen eines einseitigen modernen Geschmacks gereinigtes
Urteil über den dichterischen Wert von Hermann und Dorothea
zu bilden.

Gäbe es eine gültige Theorie der Poesie, worin die Vorschriften dieser Kunst aus den unabänderlichen Gesetzen des menschlichen Gemüts hergeleitet, nach dessen notwendigen Richtungen die ursprünglichen Dichtarten bestimmt und ihre ewigen
Grenzen festgestellt wären: so würden wir auch über das Wesen
der epischen Gattung im klaren sein, und der Kunstrichter hätte

nur die schon bekannte Lehre auf einen vorliegenden Fall anzuwenden. Bis eine solche Wissenschaft zustande gebracht sein
wird, muß man zufrieden sein, sich über Sätze, die man unmittelbar zu einer Kunstbeurteilung braucht, mit dem Leser not-
dürftig verständigt zu haben. Nicht nur dies, sondern was eine
Kritik am besten leitet und beurkundet, die Vergleichung mit
klassischen Vorbildern, ist dadurch sehr erschwert worden, daß
man diese seit Jahrhunderten durch das Medium irriger Kunst-
lehren angesehen, angebliche Tugenden an ihnen gepriesen und,
was sich als ihre erste Vollkommenheit bewähren dürfte, getadelt oder gar nicht erkannt hat. Eine Geschichte der alten Poesie,
worin, mit Hinwegräumung so vielfach gehäufter und tief ge-
wurzelter Vorurteile, ihr Gang nach der Wahrheit und mit
durchgängiger Beziehung auf jene Wissenschaft verzeichnet
wäre, würde vielleicht dartun, daß die Griechen durch eine ganz
einzige Begünstigung der Natur (deren sie sich stolz bewußt
waren, wenn sie im Gegensatz mit hellenischer Eigentümlichkeit alle übrigen Völker Barbaren nannten) auch hier die Pflicht
des Schönen aus freier Neigung erfüllt und eine Reihe ebenso
vollendeter Urbilder für die Hauptgattungen der Poesie wie für
die verschiednen Stile der Bildnerei und Baukunst aufgestellt
haben: wodurch denn die ziemlich allgemeine Meinung, die
den alten Dichtern ein unverjährbares, fast ungemeßnes Ansehen zugesteht, erst in Erkenntnis verwandelt werden würde.

Was das homerische Epos anlangt, so liegt es dem Theoristen
ob, sein Wesen auf die ersten Gründe der Poetik zurückzuführen
und an diesen zu prüfen; dem Geschichtsschreiber der griechischen Poesie, es nach seinem Ursprunge zu erklären, das heißt
dessen notwendige Entstehung aus einer bestimmten Stufe der
Bildung zu zeigen und es in das richtige Verhältnis mit den folgenden Stufen zu rücken. Wir begnügen uns hier mit dem Versuch, in aller Kürze eine in sich zusammenhängende Charakteristik der ursprünglichen epischen Gattung zu entwerfen und

davon zu der Frage überzugehn, wie der Dichter die Aufgabe gelöst hat, jene in unserm Zeitalter und unsern Sitten einheimisch zu machen.

Wir müssen hiebei zuvörderst alle gangbaren und in unsern Lehrbüchern immer wiederholten Begriffe von der sogenannten Epopöe gänzlich beiseite setzen. Man hat dem Homer die unverdiente Ehre erzeigt, ihn zu deren Stifter zu machen: und wie man dieses künstliche, aus grundlosen theoretischen Behauptungen und Mißgriffen einer beabsichteten Nachahmung zusammengesetzte Gebäude für die würdigste, umfassendste und prachtvollste Schöpfung der Dichterkraft ausgibt, so pflegt auch jener schlichte Altvater unter den Baumeistern solcher Epopöen obenan zu prangen. Die historischen Untersuchungen eines scharfsinnigen Kritikers über die Entstehung und Fortpflanzung der homerischen Gesänge, die vor kurzem die Aufmerksamkeit aller derer auf sich gezogen haben, welche Fortschritte in den Wissenschaften zu erkennen wissen, geben uns zum Glücke einen festen Punkt, wovon die künstlerische Betrachtung des Homer in einer ganz entgegengesetzten Richtung ausgehen kann. Wenn die Ilias und Odyssee aus einigen großen, für sich Bestand habenden Stücken zusammengeschoben und diese wiederum, wo Lücken blieben, durch kleinere Stellen (nicht immer zum geschicktesten) aneinander gefügt sind: so hätte man ja, indem man nur immer den wohlberechneten Bau des Ganzen anstaunte, ein fremdes Verdienst, das dem homerischen Zeitalter nicht zukommt und nach dem Grade seiner Bildung nicht zukommen konnte, das obendrein in dem Maße gar nicht einmal vorhanden ist, für das Wichtigste bei der ganzen Sache gehalten. Sowenig gegründet ist die gutherzige Klage, welche man oft von Freunden des Dichters führen hört: durch obige Behauptungen geschehe ein Einbruch in das Heiligtum des ehrwürdigen Alten; man zerreiße ihnen ihren Homer: daß vielmehr seine Rhapsodien dadurch erst von den fremdartigen

Banden des Ganzen erlöst werden. Maß, Verhältnis und Ordnung, Vorzüge, die Homer selbst am Gesange rühmt (Od. VIII,
489, 496), wird man noch in den kleinsten Teilen seines Epos
gewahr, da man sie hingegen in der zusammengesetzten Länge
der Ilias und Odyssee nicht selten aus den Augen verliert. Ein
Mann, der zwar keinesweges befugter Richter über Poesie war,
am wenigsten über antike, aber durch seinen Verstand auch da,
wo der Gegenstand weit außer seiner Sphäre lag, sich oft überlegen bewiesen hat, Voltaire, sagt vom Homer: «Malheur à qui
l'imiterait dans l'économie de son poëme! Heureux qui pein-
drait les détails comme lui!» Es versteht sich, daß die epische
Rhapsodie, wie jede Dichtart, nicht ohne ihre eigentümliche
poetische Einheit bestehen kann. Nur muß man diese nicht in
einem Verstandesbegriffe suchen, wie meistens in den Theorien
geschieht, wo denn auch der Unterschied zwischen der lyrischen Einheit, der epischen und der dramatischen, gänzlich verloren geht. Nur durchgängige Vollständigkeit und innere Wech-
selbestimmung des Ganzen und der Teile kann die Vernunft befriedigen; und diese höchste poetische Einheit haben die Griechen in der durchaus selbständigen und in sich beschlossenen
Organisation ihrer Tragödie erreicht. Die epische Einheit bezieht sich nicht auf die Vernunft, die im homerischen Zeitalter
noch längst nicht genug geübt war, um solch eine Forderung an
ein dichterisches Werk zu machen; sondern sie gilt nur der Phantasie, das heißt sie ist nichts weiter als Umriß, sichtbare Begrenzung. Daher läßt sie sich denn auch nicht absolut bestimmen: sie
kann vergrößert und erweitert werden, bis die Masse der Anschauungen die sinnliche Auffassungskraft übersteigt; und Aristoteles (der doch, wie man weiß, dem epischen Gedicht die
Gesetze der Tragödie vorschreiben wollte) findet nur deswegen,
Homer habe wohl getan, nicht den ganzen Trojanischen Krieg
in *einem* Gedichte zu behandeln, weil es dann nicht mehr leicht
übersehbar (εὐσύνοπτος) gewesen sein würde. Auf der andern

Seite ist die epische Einheit auch teilbar: kleine Stücke der Ilias und Odyssee enthalten sie noch in sich; Episoden von wenigen Zeilen (zum Beispiel Il. IV, 372...398) können für sich als ein vollständiges Epos betrachtet werden und sind wahrscheinlich meistenteils Auszüge aus längeren, nicht mehr vorhandnen. Weit entfernt also, daß es gewaltsamer Mittel bedurft hätte, um einzelne Rhapsodien zu größeren Ganzen zusammenzuheften, in denen Übereinstimmung und lebendiger Zusammenhang schon durch die Sage gegeben war, ist diese Leichtigkeit der Teilung und Vereinigung vielmehr eine natürliche Eigenheit der Gattung, nach welcher sie Pindarus sehr schicklich ῥαπτὰ ἔπη benennt.

Wäre der Gegenstand des Epos eine einfache unteilbare Handlung, so leuchtet es ein, daß diese Trennbarkeit und Vermehrbarkeit (man erlaube uns den Ausdruck) sich mit dem Wesen desselben nicht vertragen könnte; aber das darin Dargestellte ist immer eine Mehrheit: es sind Vorfälle, Begebenheiten. Aristoteles sagt: «Der epischen Gattung gemäß nenne ich die Vielheit der Fabeln» (ἐποποιϊκὸν δὲ λέγω τὸ πολύμυθον). Bloß physische Begebenheiten, bei denen nicht Menschen tätig, und zwar ihrem Charakter gemäß tätig wären, würden freilich wenig Anziehendes für den Geist haben. Allein es ist gewiß, daß wir bei dem Bemühen, uns ein Geschehenes zu erklären, die Triebfedern und Beweggründe des Tuns gar nicht als vom Menschen hervorgebracht und abhängig, sondern als in ihm gewirkt denken, sie also auch nicht von der gesamten Masse der bewegenden Naturkräfte als etwas Entgegengesetztes absondern. Handlung im strengeren Sinne, das heißt Richtung der Kraft durch einen freien Entschluß, würde demnach eine in der Erfahrung vorkommende Tätigkeit erst durch den Standpunkt der Betrachtung und in der Poesie durch den Standpunkt der Darstellung werden. Die Beantwortung der Frage, ob die Idee der Freiheit des Willens in der poetischen Darstellung nur durch Versinnlichung ihres Gegenteils erscheinen, ob eine durch jede äußere

Gewalt unüberwindliche Selbstbestimmung ohne die Entgegensetzung einer unvermeidlichen Bestimmung von außen, das
heißt des Schicksals, anschaulich gemacht werden kann, und ihre
Anwendung auf die griechische Tragödie liegt außerhalb unsers
Weges. Doch wird eine merkwürdige Andeutung im Wilhelm
Meister über den Unterschied des Romans (der so viele Analogie
mit dem epischen Gedichte hat oder haben sollte) und des Dramas jeden forschenden Kunstrichter zu weiterm Nachdenken
auffordern. ‹Im Roman›, wird daselbst behauptet, ‹sollen vorzüglich Gesinnungen und Begebenheiten vorgestellt werden,
im Drama Charaktere und Taten; man könne dem Zufall im
Roman gar wohl sein Spiel erlauben, das Schicksal hingegen
habe nur im Drama statt.› Wie zufällig in Homers Gesängen der
ganze Hergang der Geschichte erscheint, selbst da, wo etwas
einer entscheidenden Schickung Ähnliches vorkommt (wie Il.
VIII, 66...77), liegt am Tage.

   Der Unterschied der epischen und dramatischen Dichtart,
welche neuere Theoristen unter dem Namen der pragmatischen
dem Wesen nach für einerlei erklärt haben, möchte also doch,
wenigstens wenn wir dabei stehen bleiben, was Epos und Tragödie bei den Alten wirklich war, etwas tiefer liegen als in der
äußern Form, als darin, ‹daß die Personen in dem einen sprechen
und daß in dem andern gewöhnlich von ihnen erzählt wird›.
Überdies ist es vergeblich, aus dem Begriff der Erzählung und
des Dialogs die höchsten Vorschriften für jene Dichtarten entwickeln zu wollen. Dies könnte nur in dem Fall gelingen, wenn
die Kunst nichts weiter als eine leidende Nachahmung der Natur wäre, wozu man sie leider oft genug herabgewürdigt hat.
Da sie aber eine selbsttätige, nach Gesetzen des menschlichen
Gemüts erfolgende Umgestaltung der Natur ist, so muß die
poetische Erzählung, der poetische Dialog erst durch das Wesen
der Dichtart, die sich beider bedient, seine Bestimmung empfangen. Die dieser immer untergeordnete Rücksicht auf die ge-

wöhnliche Wirklichkeit tritt nur da ein, wo von der kunstge-
mäßen Wahrheit der Darstellung die Rede ist. Im alten Drama
erzählen die Personen häufig, im homerischen Epos werden sie
fast beständig redend eingeführt, und in lyrischen Gedichten
kommt sowohl Erzählung als Gespräch vor: aber wie durchaus verschieden in jeder von diesen Gattungen! Der epische
Dialog ist ebensowenig ein bloß natürlicher als der tragische,
dem er ganz entgegengesetzt ist; beide sind bis in ihre feinsten
Bestandteile nach dem Charakter des schönen Ganzen, wozu sie
gehören, gebildet.

Man hört zuweilen von Homers kühner Begeisterung, von
seinem raschen wilden Feuer nicht anders reden, als ob er etwa
ein Dithyrambendichter oder gar ein enthusiastischer Prophet
gewesen wäre. Es scheint wohl, daß hiebei Verwechselung der
besungenen Gegenstände mit der Person des Sängers zum Grunde
liegt. Seine Helden haben allerdings gewaltige Leidenschaften,
aber er selbst erscheint völlig leidenschaftslos: was er erzählt,
muß jedem fühlenden Hörer Teilnahme abnötigen, aber er
selbst äußert die seinige nie. Wie ein bloß beschauendes Wesen
steht er über seinen Helden und über seinen Göttern, ordnet und
trägt die in seinen mächtigen Tönen lebende Welt mit gött-
licher, das ist rein menschlicher Besonnenheit und Ruhe. Wie
unter dem heitern umgebenden Himmel findet in dem Umfange seines Geistes jedes Ding eine schickliche Stelle und erscheint in seinem wahren Lichte. Mit einem Worte: das homerische Epos ist ruhige Darstellung des Fortschreitenden. Es ist
niemals Darstellung des Ruhenden oder sogenanntes poetisches
Gemälde. Dieses ist dem Homer so fremd, daß, wo er beschreibt,
er es auf eine Art tut, die das Ruhende in Fortschreitendes verwandelt: zum Beispiel die Figuren auf dem Schilde des Achill;
wiewohl dieser in den letzteren späteren Gesängen der Ilias vorkommt und jener Homer, von dem die ersten Rhapsodien herrühren, ihn schwerlich so gedichtet hätte. Die über eine stür-

mische Teilnahme erhabne und weder durch augenblickliches
Anspannen noch Nachlassen veränderte Gemütslage des Sängers macht zuerst alle Teile seines Gegenstandes auf gewisse
Weise einander gleich; sie verleiht ihnen einerlei Rechte auf die
Darstellung: die weniger bedeutenden, aber zum stetigen Fortgange nötigen (zum Beispiel das Aufstehn, Zubettgehn, Essen,
Trinken, Händewaschen, das Anlegen der Fußsohlen, Kleider
und Waffen usw.) werden nirgends verdrängt und behaupten
dicht neben den wichtigsten den ihnen zugemeßnen Raum. Die
Zeitverhältnisse der Wirklichkeit werden aufgehoben, und alles
fügt sich in eine nach den Gesetzen schöner Anschaulichkeit geordnete dichterische Zeitfolge, wo das Dauernde, wenn die Einbildung es auf einmal erschöpfen kann, nur einen Moment der
Darstellung einnimmt und das noch so schnell Vorübergleitende
bis zur vollendeten Entfaltung des in ihm sich drängenden Lebens festgehalten wird. Nirgends ein Stillstand des Gesanges;
aber auch nirgends ein unzeitiges Forteilen, sondern das schönste
Gleichgewicht und Maß der stetigen und unermüdlichen Bewegung. Der Sänger verweilt bei jedem Punkte der Vergangenheit mit so ungeteilter Seele, als ob demselben nichts vorher gegangen wäre und auch nichts darauf folgen sollte, wodurch das
Erquickliche einer lebendigen Gegenwart überall gleichmäßig
verbreitet wird. In jedem Augenblicke ist daher zugleich sanfte
Anregung und Beruhigung; und das epische Gebiet gleicht
einem Garten des Alcinous, wo die Früchte ununterbrochen
nacheinander reifen und jede zu ihrer Zeit sich willig vom
Baume löst, um dem Genießenden in die Hand zu fallen.

Von diesem innern geistigen Rhythmus im Vortrage des Epos
ist der demselben eigentümliche Vers nur Ausdruck und hör-
bares Bild. Aristoteles nennt ihn das ruhigste und am meisten
Gewicht habende unter den Silbenmaßen (τὸ γὰρ ἡρωϊκὸν
στασιμώτατον καὶ ὀγκωδέστατον τῶν μέτρων ἐστί). Der griechische Hexameter hat weder einen fallenden Rhythmus, wie

zum Beispiel der trochäische Tetrameter, der daher leidenschaftlich mit fortreißt (*κινητικόν*, *ὀρχηστικόν*); noch einen steigenden, wie der jambische Trimeter, der sich bei einem gehaltnen
Hinanstreben doch entschieden rüstig und gleichsam handelnd
zeigt (*πρακτικόν*, natum rebus agendis); sondern er ist schwebend, stetig, zwischen Verweilen und Fortschreiten gleich gewo-
gen und kann deswegen, ohne zu ermüden, den Hörer auf einer
mittleren Höhe in ungemeßne Weiten forttragen. Seine Mannigfaltigkeit, die überdies an dem ursprünglich nach einem Zeit-
maße gesungenen Verse weit weniger hervorstechen konnte, ist
dabei wohl nur Nebensache. Warum unter dem reichsten epischen Wechsel eine so einfache metrische Formel unzählig oft
wiederkehren darf, da eine noch so beschränkte pindarische Ode
nicht ohne vielfach verschlungene Strophen bestehen kann,
möchte denen schwerfallen zu erklären, die in der Theorie des
Silbenmaßes vom Grundsatz der nachahmenden Harmonie ausgehen und dadurch hier, wie überall, den Künstler zum bloßen
Kopisten der Natur machen. Ist aber das Silbenmaß, ganz allgemein mit Abstraktion von allen besondern Bestimmungen genommen, die Erscheinung des Beharrlichen im Wechselnden,
verkündigt es die Identität des Selbstbewußtseins; so ist es klar,
daß dieses im Zustande der hellsten Besonnenheit (der Unter-
scheidung des Selbst von den in ihm vorgestellten Objekten) stärker hervortritt als in einer von Regungen durchdrungenen, strebenden Seele. Die äußeren Gegenstände schreiben dem menschlichen Gemüte in der Kunst, wo sie ihm bloß Stoff sind, das
Gesetz nicht vor, sondern sie empfangen es von ihm; und so ist es
auch in Ansehung des Silbenmaßes. Aristoteles bemerkt sehr
richtig, daß der Jambe am meisten den dialogischen Ton (*λεκτικὴ
ἁρμονία*) an sich habe, wovon der Hexameter sich weit entferne;
dieser sei der erzählenden Darstellung geeignet, und es würde
sich nicht schicken, ein Epos in einem andern Silbenmaße oder
gar in gemischten Silbenmaßen (zum Beispiel die Erzählung in

Hexametern, die Reden in Trimetern) zu dichten. Dennoch
rühmt er es (c. 16) am Homer, daß er in eigner Person so wenig
als möglich sagt und nach einer kurzen Vorrede sogleich einen
Mann oder eine Frau redend einführt. Wie stimmte dies nun
zusammen, wenn der Dialog im Epos nicht insofern seine Natur
ablegen müßte, daß seine unstetige Flüchtigkeit durch die gleich-
förmige Ruhe der Darstellung gefesselt wird?

Da die Reden bei weitem den größten Teil der homerischen
Gesänge einnehmen, so ist es für den richtigen Begriff der Gattung eine Hauptsache, ihren Charakter recht zu fassen. Selbst in
den kürzesten und leidenschaftlichsten ließe sich bei einer feinen
Zergliederung etwas nachweisen, wodurch sie episiert sind. In
den ausführlicheren findet man alle wesentlichen Eigenschaften
der ganzen Rhapsodie deutlich ausgedrückt. Man bemerkt kein
Hinstreben zu einem Hauptziel, wenn dies auch in dem Inhalte
der Rede vorhanden ist; jedes, wodurch das Folgende vorbereitet wird, scheint doch nur um sein selbst willen dazustehn: ganz
das verweilende Fortschreiten, die sinnlich belebende Umständlichkeit, die besonnene Anordnung, die leichte Folge, die lose
Verknüpfung, wie im Epos überhaupt. In diesem Sinne sind
auch die zusammengesetzten Beiwörter und die Episoden zu
nehmen, die in leidenschaftlichen Reden, wenn man die Darstellung als bloße Natur verstehen sollte, sehr fehlerhaft sein
würden und oft unverständig genug getadelt worden sind. Die
Willigkeit des epischen Sängers, zu Episoden überzugehn, wo
sie sich irgend gefällig anschlingen lassen, liegt darin, daß die
Gegenstände sich seiner nie bemeistern: er kann sich daher selbst
in dem entscheidendsten Augenblicke leicht abmüßigen, um der
Phantasie etwas Entfernteres nahezurücken. Was von der Rede
und Episode, gilt auch vom homerischen Gleichnisse; es dient
nicht bloß, sondern genießt im schönen völligen Umrisse freies
Leben und ist gleichsam ein Epos in verjüngtem Maßstabe. Mancher wird es vielleicht zu weit getrieben finden, wenn wir be-

haupten, auch in der homerischen Wortstellung und Wortfügung, der faßlichsten, losesten, aber gefälligsten, die sich denken
läßt, erkenne man die Verknüpfungsweise der Rhapsodie, und
die Sprache sei durch die feinen ausfüllenden Partikeln und den
vielsilbigen Überfluß ihrer Biegungen einzig gemacht, die ste-
tige, sanft hingleitende Folge zu bezeichnen. Aber von der er-
staunenswürdigen Konsequenz dieser bloß durch einen glücklichen Instinkt gefundnen und zur Vollendung gebrachten Dichtart kann es unter andern ein Beispiel sein, daß die Redefigur, wo
die gegenwärtige Zeit statt der vergangenen gebraucht wird,
die einem lebhaften Erzähler so natürlich ist und deren sich
schon Virgil fast unaufhörlich bedient, in der ganzen Ilias und
Odyssee nicht ein einziges Mal vorkommt. Apollonius enthält
sich derselben auch, weil er der homerischen Form, die nun freilich, nachdem der Geist entwichen, zur Formel geworden war,
treuer bleibt als Virgil. Er ist matt und kalt; das am meisten
Summarische im Homer ist lebendiger als das Ausgeführteste
bei ihm. Überhaupt verbrauchten die spätern epischen Dichter
zu kurzen Werken sehr viel mythischen Stoff: das Geheimnis
der schönen Entfaltung war verloren gegangen.

Virgil schuf mit römischem Nachdrucke eine ganz eigne Art
der Epopöe. An ihm, der den Neueren weit mehr Vorbild geworden ist als Homer, kann man den Unterschied der vermisch-
ten Gattung, der wir jenen Namen geben, von dem reinen ursprünglichen Epos auffallend zeigen. Abgesehen von der künst-
licheren Verknüpfung des Ganzen und dem Bestreben, tragische
Notwendigkeit in die Handlung zu bringen, hört man in der
Äneis gar nicht jenen ruhigen Rhythmus des Vortrags. Virgil
verrät oder affektiert Teilnahme und geht darin bis zu manierierten Ausrufungen über und an seine Helden (IV, 408 ff.).
Seine Sprache hat Feierlichkeit, Hoheit, Pracht, womit er selbst
gemeine Dinge zu überkleiden sucht; da hingegen Homers Ausdruck kräftig, aber einfältig, niemals prangend und übertrei-

bend und durchaus nur durch Entfaltung veredelnd ist. Die ruhigen Reden beim Virgil sind rhetorisch, die leidenschaftlichen mimisch; sie ahmen nämlich das Stürmische und Unordentliche der Gemütsbewegungen unmittelbar nach. Er ist stellenweise mehr oder weniger homerisch, wo der Stoff ihn zur Ruhe veranlaßt, wie bei den Wettspielen im fünften Buch vorzüglich; am wenigsten in der mit Recht bewunderten Geschichte der Dido, einem tragischen Bruchstücke, das nicht nur der am wenigsten homerische, sondern geradezu der modernste Teil seines Gedichtes heißen kann.

Bei den obigen Betrachtungen über das alte Epos ist mit Fleiß nicht von dem mythischen Elemente desselben, noch weniger von dem, was bloß national und lokal darin ist, die Rede gewesen. Man darf sich nicht wundern, daß die modernen Nachfolger Homers das Absonderungsvermögen, die Darstellung vom Dargestellten, Form und Stil vom Inhalte zu scheiden, nicht besessen zu haben scheinen, da es den Theoristen der Epopöe, welchen Homer doch immer die oberste Autorität ist, so offenbar daran gefehlt hat. In das Heroische, in das Wunderbare, in das Erhabene, in die Wichtigkeit der Handlung, in den Umfang des Gedichts, in die Würde der Personen, in die Feierlichkeit des Tons und worein nicht alles hat man das Wesen der Epopöe gesetzt. Besonders hat man das Wunderbare, worunter man hier die Dazwischenkunft der höheren Wesen verstand, zu einer unerläßlichen Bedingung gemacht. In der alten Tragödie erscheinen die Götter häufig; sie streiten für und wider einen Helden, wie in den Eumeniden des Äschylus; oder die Szene spielt auch ganz in der Götterwelt, wie im Prometheus. Dennoch kann man sie deswegen nicht in dem Sinne wunderbar nennen wie das homerische Epos: weil dort die Götter mit den Menschen in demselben Bezirke der Notwendigkeit stehen und handeln; in dem letzten hingegen erscheint die Einwirkung der Götter in noch höherem Grade zufällig als das Tun der Menschen. Wenn das Wunderbare

(Aristot. Poet. c. 24) vorzüglich aus dem Grundlosen entspringt, was über den uns erklärbaren Lauf der Dinge hinausgeht, so mußte allerdings in Homers Zeitalter ein Überfluß daran vorhanden sein. Denn man begriff sehr wenig von der Kette der Ursachen und Wirkungen in der Natur: darum ließ man sie durch lebendige Wesen verrichten; der Mensch hatte sich noch nicht zum Bewußtsein der vollständigen Selbstbestimmung durch Freiheit erhoben, daher gestand er den Göttern Einfluß auf seine Entschließungen zu. Aber wer bestimmte nun das Wollen der Götter? Es scheint, sie hätten dazu wieder ihre Götter nötig gehabt und so ins Unendliche fort. Ist die selbsttätige Unabhängigkeit der ganz menschlich vorgestellten Götter begreiflich, so wäre die der Menschen es auch gewesen. Kann ein Dichter im Zeitalter der erleuchteten Vernunft uns zu dieser Stufe ihrer Kindheit zurückversetzen wollen? Ganz richtig hat man bemerkt, daß Homers Helden weniger groß sind, weil sie so vieles nicht durch sich selbst ausführen. Wenn das Bemühen der Olympier, für und wider sie, uns einen Schimmer höherer Würde um sie her zu verbreiten scheint, so versetzen wir uns nicht genug in die homerische Denkart. Damals mischten sich ja die Götter in die gemeinsten Händel des Lebens; sie waren so wohlfeil, daß Autolykus durch die Gunst des Hermes mit Dieberei und Meineid geschmückt sein konnte (Od. XIX, 396) und auch die Bettler ihre Götter und Erinnyen hatten (Od. XVII, 475). Wer wird es leugnen, daß die über alles reizende Unvernunft der homerischen Götterlehre seine Dichtung mit der blühendsten Mannigfaltigkeit bereichert und die auserwählte Gefährtin des frischen lustigen Heldenlebens ist? Allein soll man mit Homer in demjenigen wetteifern, was ihm die Zeit verliehen hat, und sich quälen, es ihr zum Trotz hervorzurufen? Der Mythus (in der Bedeutung, da er noch von der historischen Sage unterschieden wird) kann nur dann für die Poesie begünstigend sein, wenn er lebt, das heißt, wenn er als Mythus, als die

unwillkürliche Dichtung der kindlichen Menschheit, wodurch
sie die Natur zu vermenschlichen strebt, entstanden und noch
bestehender Volksglaube ist. Er kann nicht die willkürliche Erfindung eines Einzelnen sein. Aus diesem Grunde gewährt die
Ritter- und Zaubersage des Mittelalters, die nichts anderes war,
als der abenteuerliche Geist der Zeit in Bilder gekleidet, dem
romantischen Heldengedicht den Vorzug der Lebendigkeit und
volksmäßigen Wahrheit, den das künstlich ersonnene Wunderbare der modernen Epopöen durchaus nicht haben kann. Schon
Virgil hätte als Beispiel warnen sollen, wie wenig mit der Dazwischenkunft der Götter ausgerichtet wird, wenn sie nicht
mehr Volksglaube ist und also nicht zu dem Bilde des Weltgan-
zen gehört, welches die Phantasie des Dichters aus der Wirklichkeit auffaßt. Die neueren Epopöendichter haben vor allen Dingen das Übernatürliche gesucht; sie haben nicht nur dies, sondern sogar das Außernatürliche gefunden und sich zuletzt in der
Hölle und im Himmel verloren. Es fehlt nur noch an einer gänzlich extramundanen Epopöe. Ihre Werke sind daher auch bloß
gelehrt und haben nie von den Lippen des Volks getönt (Tassos
Befreites Jerusalem ausgenommen, mit dem es hierin eine eigene
Bewandtnis hat), da Homer der popularste aller Sänger war,
weil seine Dichtung vom Leben ausging und darauf zurück-
führte.

Es ist also offenbar, daß man sein Epos auf eine ganz entgegengesetzte Art, als man bisher getan, nachbilden muß, wenn es
überhaupt geschehen soll. Dieser Zweifel wird diejenigen befremden, die gewohnt sind, die homerischen Epopöen als den
Gipfel der Poesie, als den höchsten, unerreichbaren Schwung des
menschlichen Geistes anzusehen: eine Meinung, von der man
selbst bei der neumodigeren Ansicht, den hellenischen Sänger in
einen wilden Natursohn, einen rohen nordischen Barden zu
verkleiden, nicht abgewichen ist; denn es hängt mit der empfindsamen Klage über das Elend der Kultur zusammen, die

Poesie für eine Naturgabe zu halten, die durch Bildung unvermeidlich verloren gehe. Die Griechen selbst scheinen den Homer durch eine sehr begreifliche Verwechselung des Ehrwürdigsten mit dem Vollkommensten obenan zu stellen; und wer wäre mit ihm zu vergleichen, wenn der Name einen einzelnen Menschen, den alleinigen Schöpfer der Ilias und Odyssee bezeichnete? Aber die Harmonie der griechischen Bildung läßt schon vermuten, daß die Poesie mit den übrigen Künsten und Bestrebungen gleichen Schritt gehalten haben wird; und die Geschichte zeigt uns, wie sie sich von leichter Fülle (epische Periode) zu energischer Einzelheit erhob (lyrische Periode) und durch innige Verschmelzung beider endlich zu harmonischer Vollständigkeit und Einheit gelangte (dramatische Periode). Wenn also die lyrische Poesie mit dem Jugendalter, die dramatische mit dem männlichen verglichen werden kann; so vereinigt die epische die Unbefangenheit des Knaben mit der Erfahrenheit und dem sichern Blick des Greises. Die epische Schönheit ist die einfachste und konnte daher zunächst nach den wilden rhythmischen Ergießungen, die noch nicht freies Spiel, sondern Entledigung vom Drange eines Bedürfnisses waren, gefunden werden. Besonnenheit ist die früheste Muse des nach Bildung strebenden Menschen, weil in ihr zuerst das ganze Bewußtsein seiner Menschheit erwacht. Also nicht als die höchste oder vorzüglichste, aber als eine reine, vollendete Gattung hat das Epos ewig gültigen Wert. Seiner Einfachheit wegen kann man es noch ohne Kunstsinn als Natur genießen, was bei den Kunstbildungen eines Sophokles zum Beispiel nicht möglich ist. In diesem Stücke, wie in allem Wesentlichen, stimmt Hermann und Dorothea, ungeachtet des großen Abstandes der Zeitalter, Nationalcharaktere und Sprachen erstaunenswert mit seinen großen Vorbildern überein.

Ein Dichter, dem es nicht darum zu tun ist, ein Studium nach der Antike zu verfertigen, sondern mit ursprünglicher Kraft, national und volksmäßig, zu wirken, wie es einem epischen

Sänger geziemt, wird seinen Stoff nicht im klassischen Altertume suchen, noch weniger aus der Luft greifen dürfen. Damit
die lebendige Wahrheit nicht vermißt werde, muß seine Dichtung festen Boden der Wirklichkeit unter sich haben, welches
nur durch die Beglaubigung der Sitte oder der Sage möglich ist.
Beides kommt eigentlich auf eins hinaus: denn eine Sage aus
fernen Zeitaltern wird nur dadurch zu solch einer Behandlung
tauglich, daß sich mit ihr ein anschauliches Bild von der damaligen Sitte und Lebensweise unter dem Volke fortgepflanzt hat.
So könnte vielleicht ein schweizerischer Dichter Geschichten
aus den Zeiten der Befreiung der Schweiz und der Entstehung
des Bundes mit Vorteil episch behandeln, weil ihr Andenken
durch Verfassung, Volksfeste und wenig veränderte Sitten immer noch neu erhalten wird. Wenn der Dichter aber keine Sagen
vorfände oder aus Wahl keinen Gebrauch von vorhandenen
machte, so müßte er notwendig in seinem Zeitalter, unter seinem Volke daheim bleiben. Es fragt sich nun weiter, was er in
diesem Kreise heraushaben, ob sich die Darstellung lieber auf
das öffentliche oder auf das Privatleben wenden soll. Man wird
geneigt sein zu glauben, Begebenheiten, die auf das Wohl und
Wehe vieler Tausende den wichtigsten Einfluß haben, seien vorzüglich geschickt, auch in der Poesie groß und ergreifend zu erscheinen; was allerdings gegründet ist, solange man sie nur
durch allgemeine Ansichten in große Massen zusammenfaßt.
Allein damit kann sich die epische Ausführlichkeit nicht begnügen: sie muß sehr ins einzelne gehn, sie kann den Gang einer
Begebenheit durchaus nur an bestimmten Tätigkeiten der Mit-
wirkenden fortleiten; und hier ist es eben, wo sich die unüberwindliche Sprödigkeit eines solchen Stoffs offenbaren würde.
Was nämlich wissenschaftlich oder mechanisch betrieben wird,
wobei nach politischen und taktischen Berechnungen eine Menge
Menschen wie bloße Werkzeuge mit gänzlicher Verzichtleistung
auf ihre sittliche Selbsttätigkeit in Bewegung gesetzt werden;

was für die lenkenden Personen selbst einzig Angelegenheit des
Verstandes ist, die außerhalb der Sphäre ihrer sittlichen Verhältnisse liegt: dem ist schlechterdings keine poetische Seite abzugewinnen. In den öffentlichen Geschäften des Friedens kann nur
da, wo die Verfassung echt republikanisch ist; in denen des
Krieges konnte unter den Griechen nur im heroischen Zeitalter,
unter uns nur in den Ritterzeiten der Mensch mit seiner ganzen
geistigen und körperlichen Energie auftreten. Ein in unserm
Zeitalter und unsern Sitten einheimisches Epos wird daher mehr
eine Odyssee als eine Ilias sein, sich mehr mit dem Privatleben
als mit öffentlichen Taten und Verhältnissen beschäftigen müssen. Doch hier öffnet sich wieder eine neue Aussicht von Schwierigkeiten, die, wenn die Aufgabe nicht gelöst vor uns läge, die
Ausführbarkeit sehr zweifelhaft machen könnten. In den höheren Ständen wird die freie Bewegung, Äußerung, Berührung
und Wechselwirkung der Gemüter durch tausend konventionelle Fesseln gehemmt; in den unteren durch den Druck der
Bedürfnisse und den Mangel am Gefühl eigner Würde. Die
künstlich zusammengesetzte, glänzende, aber leere Geselligkeit
der feineren Welt kann, von dem Dramatiker in komische, also
bestimmt gerichtete, parteiische Darstellungen zusammengedrängt, im höchsten Grade unterhalten! In der ruhigen, partei-
losen Entfaltung des epischen Dichters müßte sie tot und herzlos
erscheinen. Die Roheit und Niedrigkeit der Gesinnungen, worein die geplagten Lastträger der bürgerlichen Gesellschaft natürlicherweise versinken, könnte nur allenfalls zu rhyparographi-
schen Idyllen den Stoff herleihen. Freilich kann sich große und
schöne Natur überall entwickeln; aber unter dem ungünstigen
Einflusse erschlaffender Verfeinerung oder verhärtender Abhängigkeit aufgestellt, müßte sie uns wie eine unwahrscheinliche
Ausnahme vorkommen. Der Dichter hat also nur eine enge
Wahl unter den mittlern Ständen, wo es immer noch nicht so
leicht sein wird, Lagen für seine Personen zu ersinnen, wodurch

sie entfernt von steifen Konventionen, unverdorben, gesund an
Leib und Gemüt und doch nicht in allzu dumpfer Beschränktheit erhalten werden. In dem vorliegenden Gedichte ist dies auf
das glücklichste getroffen. Hermanns Eltern haben das sichre
Gefühl der Unabhängigkeit, welches Wohlhabenheit gibt; doch
wird ihre Wohlhabenheit nicht in Trägheit genossen, sie ist
durch redlichen Fleiß erworben. Sie sind Landbauer, ein Gewerbe, das, mit Umfang und einer gewissen Freiheit getrieben,
den Menschen zum wohltätigen Umgange mit der Natur einladet; daneben Gastwirte in einer kleinen Stadt, was sie im Ver-
kehr mit Menschen geübt hat, ohne sie zur Nachahmung groß-
städtischer Sitten zu verleiten. Dorothea tritt zwar in der Tracht
einer Bäurin, aber einer im Wohlstande erzogenen, auf, und die
reife Festigkeit, ja die zarte Bildung ihres Geistes wird aus
ihrer besondern Geschichte befriedigend erklärt. Der Geistliche
und der Dorfrichter dürfen, ihren Verhältnissen nach, Kenner
des menschlichen Herzens, jener ein jugendlich heitrer, dieser
ein durch Unglück geprüfter, ernster Weiser sein. Man bemerke
die Kunst des Dichters, wie er uns in dem Prediger den Mann
zeigt, der in der feinsten Gesellschaft sich ganz an seiner Stelle
finden würde, der aber alle äußerliche Überlegenheit abzulegen
und seine Mitteilungen zu vereinfachen weiß; und wie er dem
Gemälde seiner Bildung die schlichteste, bescheidenste Farbe
gibt. Alles dies verschafft nun den Vorteil, daß an den handelnden Personen jene Entwickelung der Geisteskräfte, wodurch
eine Welt von höheren sittlichen Beziehungen sich auftut, die
für den roheren Menschen gar nicht vorhanden ist, mit Einfalt
der Sitten verträglich wird. Einfalt aber, gleichsam der Stil der
Natur und der Sittlichkeit im Erhabnen, wie Kant sagt, ist dem
epischen Gedichte überhaupt angemessen, weil sie uns in dem
Dargestellten einen Widerschein von der Einfachheit der Darstellung erblicken läßt. Vollends in einem solchen, welches seinen Stoff aus unserm Zeitalter und einheimischen Sitten ent-

lehnt, ist sie das einzige Mittel, die Handelnden mit dichterischer Würde, die kein Rang verleiht, zu umgeben. Wir meinen
hier nicht die abgemeßne Feierlichkeit mancher modernen Epo-
pöenhelden, die man sich gepanzert und dabei mit Allongen-
perücken und Manschetten vorstellen kann; sondern etwas, das
uns mit ähnlicher Ehrerbietung erfüllen könnte, als den Griechen zu Homers Zeit die heroische Kraft seiner großen Gestalten einflößen mußte, an welcher die Welt schon damals hinauf
sah. Und was wäre dies anders als edle Einfalt? Mag der Weltmann immerhin darüber spotten, daß hier die Wirtin zum gol-
denen Löwen als ein Vorbild weiblicher Vernunft und milder
Größe besungen wird; daß Hermann seiner Geliebten, einer
Bäurin, den Vorschlag tut, als Magd in das Haus seiner Eltern
zu kommen: der Dichter befragt nur Natur und Sittlichkeit,
und wo sie reden, versinkt jede Übereinkunft der Meinung und
der Mode in ihr Nichts.

Die Sitten wären also gefunden: aber nun hat der Dichter eine
epische Begebenheit zu suchen. In der glücklichen Beschränkung jener Stände finden zerstörende Leidenschaften, kühne
Unternehmungen, erstaunenswürdige Taten natürlicherweise
nicht statt. Und dennoch bedarf er, zwar keiner tragischen Verwickelung, aber doch eines Vorfalles, welcher Größe für die
Phantasie habe. Er muß seine Menschen in entscheidende Lagen
stellen, damit nicht bloß die Oberfläche ihres Daseins geschildert, sondern ihr Innerstes an das Licht gedrängt werde. Wenn
nun die Dichtung nicht über den stillen Kreis des häuslichen
Lebens hinausgeht und nur die anlockendsten Szenen desselben
zu schmücken sucht, so ergibt sich hieraus die Idee zu ländlichen
Sittengemälden im epischen Vortrage, einer anmutigen gemischten Gattung, wovon wir an Vossens Luise ein so vortreffliches und in seiner Art einziges Beispiel besitzen. Ein eigent-
liches Epos ist es freilich nicht, wie es denn der Dichter selbst
auch nicht so genannt hat, da es mehr Darstellung des Ruhenden

als ruhige Darstellung des Fortschreitenden ist. Denn Familien-
feste wie ein Spaziergang, ein Besuch nach einiger Trennung,
selbst eine auf überraschende Art früher gefeierte Hochzeit
zweier Liebenden, deren Verbindung schon vor dem Anfange
des Gedichtes ausgemacht war und deren Gefühle füreinander
durch das Ganze hin unverändert bleiben, sind etwas nur phy-
sisch, in der Zeit, nicht ethisch, das heißt im Gemüt und in den
innern Verhältnissen der Handelnden, Fortschreitendes.

Der große Hebel, womit in unsern angeblichen Schilderungen
des Privatlebens, Romanen und Schauspielen, meist alles in Bewegung gesetzt wird, ist die Liebe. Die phantastische Vorstel-
lungsart, das, wodurch die Natur den Menschen in das Heiligtum der geselligen Bande nur einführt, was die in ihm schlummernden Kräfte zu edler Tätigkeit zu wecken bestimmt ist, als
den Mittelpunkt und das letzte Ziel des Lebens anzusehn und es
dadurch in eine müßige Schwelgerei des Gefühls zu verwandeln, ist uns leider so geläufig, daß wir die Häßlichkeit und Verworrenheit unsrer gewöhnlichen Romanenwelt gar nicht gewahr werden. Bei der Schlaffheit solcher Leser, die in einem
Romane, gänzlich unbekümmert um sittliche Eigentümlichkeit,
nur das gehörige Maß von gesetzlosem Ungestüm der Leidenschaft verlangen, darf es nicht wundern, wenn ein Werk wie
Wilhelm Meister unbegriffen angestaunt wird, weil es die Viel-
seitigkeit der menschlichen Bestrebungen mit der höchsten Klarheit auseinanderbreitet und daher der Liebe nur einen unterge-
ordneten Platz einräumt. Auch in Hermann und Dorothea ist
sie nicht eine eigentliche romanhafte Leidenschaft, die zu dem
großen Stile der Sitten nicht gepaßt hätte, sondern biedre, herzliche Neigung, auf Vertrauen und Achtung gegründet und in
Eintracht mit allen Pflichten des tätigen Lebens, führt jene einfachen, aber starken Seelen zueinander.

Ohne ein Zusammentreffen außerordentlicher Umstände
würde daher auch die Entstehung und Befriedigung solch einer

Liebe in den leisen unbemerkten Gang des häuslichen Lebens miteintreten und nicht mit schleuniger Gewalt unerwartete Erscheinungen hervorrufen. Dies letzte hat der Dichter durch ein einziges Mittel bewirkt, woraus dann alles mit so großer Leichtigkeit herfließt, als hätte gar keine glückliche Erfindungskraft dazu gehört, es zu entdecken. Auf den Umstand, daß Hermann Dorotheen als ein fremdes, durch den Krieg vertriebnes Mädchen unter Bildern der allgemeinen Not zuerst erblickt, gründet sich die Plötzlichkeit seiner Entschließung, der zu befürchtende Widerstand seines Vaters und das Zweifelhafte seines ganzen Verhältnisses zu ihr, das erst mit dem Schlusse des Gedichtes völlig gelöst wird. Durch die zugleich erschütternde und erhebende Aussicht auf die großen Weltbegebenheiten im Hintergrunde ist alles um eine Stufe höher gehoben und durch eine große Kluft vom Alltäglichen geschieden. Die individuellen Vorfälle knüpfen sich dadurch an das Allgemeine und Wichtigste an und tragen das Gepräge des ewig denkwürdigen Jahrhunderts. Es ist das Wunderbare des Gedichts, und zwar ein solches Wunderbares, wie es in einem Epos aus unsrer Zeit einzig stattfinden darf; nämlich nicht ein sinnlicher Reiz für die Neugier, sondern eine Aufforderung zur Teilnahme, an die Menschheit gerichtet.

Es versteht sich von selbst, daß das oben über die unbestimmte epische Einheit Bemerkte bei einem ganz erfundnen Stoffe einige Einschränkung leidet. Was die schon durchgängig dichterisch gestaltete Sage gegeben, kann der Sänger fast in einem beliebigen Punkte aufnehmen (nach Homers eignem Ausdruck Ἔνθεν ἑλών, Od. VIII, 500) und auch, sobald die Rhapsodie eine schöne Rundung gewonnen hat, bei einem schicklichen Einschnitte wieder fallen lassen; denn er darf darauf rechnen, daß die Hörer über die weiteren, ihnen schon bekannten Schicksale seiner Helden nicht in Unruhe bleiben werden. Aber die Aufführung von Personen, denen nur die Macht des Dichters Leben verliehen hat, macht eine vollkommnere Befriedigung, eine strengere Begrenzung notwendig. Übrigens ist jedoch die Anlage des Ganzen durchaus episch und nicht dramatisch. Keine künstliche Verwickelung, keine gehäuften Schwierigkeiten, keine plötzlich eintretenden Zwischenvorfälle, keine auf einen einzigen Punkt hindrängende Spannung. Alles ist einfach und gleitet ohne Sprung in einer unveränderten Richtung fort, deren Ziel man bald vorhersieht. Man kann sagen, daß Verknüpfung und Auflösung durch das Ganze gleichmäßig verteilt ist, oder vielmehr, daß durch eine Mehrheit von kleineren, aneinandergereihten Verknüpfungen und Auflösungen das Gemüt immer von neuem angeregt, doch nie in dem Grade mit fortgerissen wird, daß es die Freiheit der Betrachtung verlöre. Die häufig bewirkte Rührung ist daher niemals eine durch Überraschung abgejagte oder das bloße Mitleid mit geängstigten Seelen, sondern die sanfteste und reinste, welche allein dem Adel der Gesinnungen gilt.

So einfach wie die Geschichte ist auch die Zeichnung der Charaktere. Alle starken Kontraste sind vermieden, und nur durch ganz milde Schatten ist das Licht auf dem Gemälde geschlossen, das eben dadurch harmonische Haltung hat. Bei Hermanns Vater wird die mäßige Zugabe von Eigenheiten, von unbilliger Laune, von behaglichem Bewußtsein seiner Wohlhabenheit, das sich durch Streben nach einer etwas vornehmeren Lebensart äußert, durch die schätzbarsten Eigenschaften des wackern Bürgers, Gatten und Vaters reichlich vergütet. Der Apotheker unterhält uns auf seine Unkosten; aber er tut es mit so viel Gutmütigkeit, daß er nirgends Unwillen erregt, und selbst sein offenherziger Egoismus, von dem man anfangs Gegenwirkung befürchtet, ist harmlos. Dergleichen naiv lustige Züge sind ganz im Geiste der epischen Gattung: denn ihr ist eine idealische Absonderung der ursprünglich gemischten Bestandteile der menschlichen Natur fremd, woraus erst das rein Komische und Tragische entsteht. Übrigens kann man Herzlichkeit, Geradsinn und gesunden Verstand den allgemeinen Charakter der handelnden Personen nennen; und doch sind sie durch die gehörigen Abstufungen individuell wahr bestimmt. Die Mutter, den Pfarrer und den Richter, unter denen es schwer wird zu entscheiden, wo die sittliche Würde am reinsten hervorleuchtet, erwähnten wir schon vorhin. Wie schön gedacht ist es, beim Hermann die kraftvolle Gediegenheit seines ganzen Wesens mit einem gewissen äußern Ungeschick zu paaren, damit ihn die Liebe desto sichtbarer umschaffen könne! Er ist eins von den ungelenken Herzen, die keinen Ausweg für ihren Reichtum wissen und denen die Berührung entgegenkommender Zärtlichkeit nur mühsam ihren ganzen Wert ablockt. Aber da er nun das für ihn bestimmte Weib in einem Blicke erkannt hat, da sein tiefes inniges Gefühl wie ein Quell aus dem harten Felsen hervorbricht: welche männliche Selbstbeherrschung, welchen bescheidenen Edelmut beweist er in seinem Betragen gegen Dorotheen! Er wird ihr dadurch beinahe gleich, da sie ihm sonst an Gewandtheit und Anmut, an heller Einsicht und besonders an heldenmäßiger Seelenstärke merklich überlegen ist. Ein wunderbar großes Wesen, unerschütterlich fest in sich bestimmt, handelt sie immer liebevoll und liebt sie nur handelnd. Ihre Unerschrockenheit in allgemeiner und eigner Bedrängnis, selbst die gesunde körperliche Kraft, womit sie die Bürden des Lebens auf sich nimmt, könnte uns ihre zartere Weiblichkeit aus den Augen rücken, mischte sich nicht, dem Jüngling gegenüber, das leise Spiel sorgloser, selbstbewußter Liebenswürdigkeit mit ein und entrisse nicht ein reizbares Gefühl, durch vermeinten Mangel an Schonung überwältigt, ihr noch zuletzt die holdesten Geständnisse. Hinreißend edel ist ihr Andenken an den ersten Geliebten, dessen herrliches Dasein ein hoher Gedanke der Aufopferung verzehrt hat. Seine Gestalt, obgleich in der Ferne gehalten, ragt noch am Schlusse unter allen Mithandelnden hervor, und so wächst mit der Steigerung schöner und großer Naturen das Gedicht selbst gleich einem stillen, mächtigen Strome.

Mit eben der Kraft und Weisheit, womit der Dichter bei der
Wahl oder vielmehr Erschaffung des Darzustellenden dafür gesorgt, daß es der schönen Entfaltung so würdig, so rein menschlich und doch zugleich so wahr und eigentümlich wie möglich
wäre, hat er den anmaßungslosen Stil der Behandlung dem
Werke nicht von außen mit schmückender Willkür angelegt,
sondern als notwendige Hülle des Gedankens von innen hervor-
gebildet. Es scheint, als hätte er, nachdem er das Wesen des homerischen Epos, abgesondert von allen Zufälligkeiten, erforscht,
den göttlichen Alten ganz von sich entfernt und gleichsam vergessen. Wie überhaupt leidende Annahme leicht, freie Aneignung und Nachfolge aber eine Prüfung der Selbständigkeit ist,
so wäre es auch keine so schwierige Aufgabe, einen modernen
Gegenstand ganz in homerische Manieren zu kleiden. Allein es
fragt sich, wie es bei dieser Anhänglichkeit an den Buchstaben
um den Geist stehen würde. Alle Form hat nur durch den ihr
inwohnenden Sinn Gültigkeit, und bei veränderter Beschaffenheit des Stoffes, worin sie ausgeprägt werden soll, muß der Geist
auch anders modifizierte Mittel, sich auszudrücken, suchen.
Dergleichen äußerliche Abweichungen sind alsdann wahre Übereinstimmung. Homers Rhapsodien waren ursprünglich bestimmt, gesungen, und zwar aus dem Gedächtnisse gesungen,
zu werden; in einer Sprache, welche in weit höherem Grade als
die unsrige die Eigenschaften besitzt, derentwegen Homer die
Worte überhaupt geflügelt nennt. Die häufige Wiederkehr einzelner Zeilen, die Wiederholung ganzer, kurz vorher dagewese-
ner Reden und manche kleine Weitläuftigkeiten konnten daher
vor dem Ohr des sinnlichen Hörers, das sie tönend füllten,
leichter vorüberwallen: dem heutigen Leser (der nur allzu selten
der Poesie Stimme zu geben oder sie auch nur zu hören versteht) möchten sie einförmig und ein unwillkommener Aufenthalt dünken. In Hermann und Dorothea kommt nur eine einzige Wiederholung vor, und, so gespart, tut sie eine Wirkung,

die bei häufigerm Gebrauche verloren gegangen wäre: sie lenkt die Aufmerksamkeit zweimal auf die so bedeutende Schilderung von Dorotheens Tracht und Gestalt. Homer pflegt jede Rede durch eine ganze Zeile anzukündigen, wobei denn oft dieselbe wiederkommt. Unser Dichter tut jenes ebenfalls, doch so, daß er immer mit den Nebenzügen wechselt; mehrmals läßt er aber die Rede mitten im Hexameter anfangen, schickt auch wohl einige Worte davon voran und flicht dann die Erwähnung der redenden Personen kurz ein: beides tut Homer niemals, vielleicht weil der Vortrag des Sängers Pausen in der Mitte des Verses, um dergleichen deutlich voneinander zu scheiden, nicht gestattete. Das Vergangene nie als gegenwärtig vorzustellen, ist der Gattung so wesentlich eigen, daß der Dichter, vermutlich ohne sich besonders daran zu erinnern, jene oben bemerkte Ausschließung des Präsens der Zeitwörter in der Erzählung durchgehends beobachtet hat. Homerismen, wenn wir es so nennen dürfen, in Wendungen und Redensarten haben wir gar nicht entdecken können; es müßte denn etwa Hermanns Ausdruck sein: ‹dem ist kein Herz im ehernen Busen›, wo sowohl ‹sein› mit dem Dativ statt ‹haben› als das Beiwort ‹ehern› nicht bei uns einheimische Redensart ist. Ähnlichkeiten wie ‹denn mir war Zwiespalt im Herzen› und διάνδιχα μερμήριξα, oder wie καί με γλυκὺς ἵμερος αἱρεῖ, ‹und süßes Verlangen ergriff sie›; oder Anwendung jener Formel, wodurch die übereinstimmenden Äußerungen vieler in eine Rede zusammengefaßt werden:

Ὧδε δέ τις εἴπεσκεν, ἰδὼν ἐς πλησίον ἄλλον,
Denn so sagte wohl eine zur andern flüchtig ans Ohr hin,

und kurz nachher:

Aber ein' und die andre der Weiber sagte gebietend;

können nicht für Homerismen gelten, da diese natürlichen Wendungen da, wo sie stehen, ganz an ihrer Stelle sind. Jene Figur,

daß der Dichter die Person, die er redend einführt, selbst an-
redet, welche im Griechischen bei einigen Namen die Bequemlichkeit des Versbaues mag veranlaßt haben, ist hier nur ein
paarmal zu einer etwas drolligen Wirkung benutzt:

> Aber du zaudertest noch, vorsichtiger Nachbar, und sagtest.

Was den lieblichen Überfluß an Beiwörtern betrifft, so bietet
unsere Sprache Mittel genug dar, es darin dem griechischen
Sänger gleichzutun. Aber es gibt im Homer manche an sich
schöne und edle Beiwörter, die, einmal für allemal festgesetzt,
dadurch einen Teil ihrer Bedeutsamkeit verlieren, daß sie ohne
nähere Beziehung auf den jedesmaligen Zusammenhang der
Stelle wiederkehren. Sie scheinen eine Erinnerung an den Ursprung der epischen Kunst zu sein, da der Sänger, Ausdruck und
Vers für die vorgetragene Geschichte während des Gesangs er-
sinnend, durch solche Halbverse, die allgemeines Eigentum waren, Zeit gewann. Bloß zum Behufe der Poesie gebildete Zu-
sammensetzungen müssen uns einen stärkeren Eindruck von
Pracht und Festlichkeit geben als den homerischen Griechen;
nicht als ob sie bei ihnen in die Sprache des gewöhnlichen Lebens
übergegangen wären, sondern die epische Poesie war ihnen
überhaupt etwas Gewöhnlicheres als uns. Mit gutem Grunde ist
daher der deutsche Dichter in diesem Stücke etwas weniger freigebig gewesen; die Beiwörter sind bei ihm nicht allgemeine Erweiterung, sondern an ihrem bestimmten Platze bedeutend, und
er hat sich weit häufiger der einfachen als der zusammengesetzten bedient. Wo er dergleichen selbst bildet, geschieht es auf die
leichteste Weise durch Verbindung eines Umstandswortes mit
einem Adjektiv oder Partizip, zum Beispiel ‹der wohlumzäu-
nete Weinberg, der vielbegehrende Städter, der allverderbliche
Krieg›. Nur einmal finden wir ein Substantiv mit einem Partizip
zum Epitheton verknüpft, ‹die gartenumgebenen Häuser›; welches in wohlklingender Kürze das Bild von einem zerstreut lie-

genden Dorfe gibt. Daß diejenigen, für welche die Poesie nichts weiter ist als eine Mosaik von kostbaren Phrasen, den Ausdruck in Hermann und Dorothea viel zu schmucklos, das ist, nach ihrer Art zu sehen, zu prosaisch, finden werden, ist in der Ordnung. Diese Kritiker würden vermutlich ein wenig erstaunen, wenn sie erführen, daß Dionysius von Halikarnaß an einer Stelle der Odyssee, ‹die in den gemeinsten, niedrigsten Ausdrücken abgefaßt sei, deren sich etwa ein Bauer oder ein Handwerker bedienen würde, die gar keine Sorge darauf wenden, schön zu reden›, das Verdienst der dichterischen Zusammenfügung weitläuftig auseinandersetzt. Nach Wolfs Bemerkung «scheint die homerische Diktion, unermeßlich weit entfernt von dem wüsten Schwulst der Tropen und Bilder, welcher der Kindheit der Sprachen eigen ist, durch ihren gleichmäßigen bescheidnen Ton eine nahe Vorbotin der entstehenden Prosa zu sein». Ob wir gleich über die damalige Sprache des gemeinen Lebens im Dunkeln sind, läßt es sich doch wahrscheinlich machen, die epische habe sich mehr durch die Zusammensetzung, nämlich durch Wortfügung und Wortstellung, dann durch die mannigfaltigere Biegung, Verlängerung und Verkürzung der Wörter, endlich durch die reichlichere Einschiebung der Partikeln als durch die Bestandteile der Rede selbst von jener unterschieden. Die zuletzt genannten Freiheiten sind dem deutschen Dichter fast ganz versagt; desto schwerer war es, wie in Hermann und Dorothea geschehen ist, den Ausdruck durch die unmerklichsten Mittel, durch würdige Einfalt, hier und da einen flüchtigen Anstrich vom Altertümlichen, die leichteste, klarste Folge und Verbindung der Sätze, hauptsächlich aber durch die Stellung von der gewöhnlichen Sprache des Umgangs zu entfernen. Die möglichste Enthaltung von solchen Konjunktionen, die auf die Wortfolge Einfluß haben, und von den relativen Fürwörtern, welche ebenso wirken, ist ein Hauptmittel zur dichterischen Vereinfachung der Sätze. Auch der häufige Gebrauch der Partizipien hebt die Rede, ohne ihr Schmuck aufzuladen. Den Nachdruck vermehrt manchmal die Häufung des Verbindungswörtchens, manchmal dessen Weglassung.

Die Abweichungen von der prosaischen Wortfolge sind meistens so leicht und leise, daß sie einer nicht sehr wachen Aufmerksamkeit entschlüpfen, und doch wirken sie, was sie sollen. Auch bei kühneren Versetzungen ist immer für Vermeidung aller Dunkelheit gesorgt. An die vielfältig vorkommende Stellung des Beiwortes nach dem Hauptworte mit wiederholtem Artikel wird sich manches deutsche Ohr anfangs nicht gewöhnen wollen; man muß sehen, ob die Sprache der kleinen Gewalt, die ihr dabei geschieht und wodurch sie allerdings für den epischen Gebrauch geschickter werden würde, nachgeben wird. Daß ein so bescheidner, schmuckloser und doch an Farbe und Gestalt durchhin epischer Ausdruck, wie er in Hermann und Dorothea herrscht, in unsrer Sprache möglich war, beweist die hohe Bildung, welche sie schon erreicht hat; denn nur durch diese wird sie der Mäßigung, Entäußerung und Rückkehr zur ursprünglichen Einfalt fähig.

Die sinnlichen Gegenstände, entweder die den Menschen umgebenden Dinge oder bloß körperliche Handlungen, nehmen in Homers Gesängen einen großen Raum ein, und dies gehört zu der Wahrheit seines Weltgemäldes, wo die Helden und Götter so sinnlich, so stark von Körper und so wenig geübt am Geiste sind. Indessen wird doch das Leblose immer nur in bezug auf die Menschen, denen es angehört, bezeichnet, niemals um seiner selbst willen ausgemalt. Dies, was man poetisches Stilleben nennen könnte, ist der Fortschreitung des Epos ganz und gar zuwider. Auch das sentimentale Wohlgefallen an ländlichen Gegenständen, das noch nötig sein würde, um die an sich tote Künstlichkeit solcher Schilderungen mehr zu beseelen, ist, als eine persönliche Empfindungsweise des Dichters, vom epischen Gedicht ausgeschlossen. In Hermann und Dorothea ist der Darstellung des Sinnlichen verhältnismäßig weit weniger Ausbreitung gegeben. Schon durch die Beschränkung der Geschichte auf den Zeitraum eines Nachmittags und Abends wurde der Dichter derselben mehr überhoben, ob er gleich nichts zur Anschaulichkeit Dienliches übergangen und nach epischer Art selbst das Geringste rühmend erwähnt hat. Bewunderungswürdig ist es aber, wie er die Menschen immer durch ihre Umgebungen kenntlich zu machen und die äußern Gegenstände auf sittliche Eigentümlichkeit zu beziehen weiß. Beispiele hievon auszuwählen, würde uns ebenso schwerfallen, als es dem Leser leicht sein muß, sie zu finden. Die ländliche Natur wird ganz aus dem Gesichtspunkte ihrer Bewohner, eifriger Landwirte, geschildert; nur das Erfreuliche ihrer Ergiebigkeit, des fleißigen Anbaues, der menschlichen Anlagen in ihr (man sehe die Beschreibung des Weinbergs und der Felder des Wirtes, des berühmten Birnbaums, der anmutigen Quelle) wird gepriesen; denn die, welche am rüstigsten in der Natur wirken und schaffen, sehen sie am wenigsten mit dem Auge des Landschaftenkenners oder des empfindenden Naturliebhabers an.

Homers Gleichnisse sind eigentlich erklärende Episoden, die im Ernste und nicht bloß zum Schein den Zweck haben, etwas deutlicher zu machen; wobei man die ihn umgebenden Hörer nicht vergessen muß, wie er sie selbst beschreibt:

> Gleichwie ein Mann auf den Sänger schaut, der vermöge der
> Götter
> Kundig den Sterblichen singt die lusterregenden Worte:
> Ihn ohn' Ende zu hören begehren sie, wenn er nun singet.

Solche Hörer hatten natürlich ein großes Bedürfnis, eine recht sinnlich faßliche Vorstellung von der geschilderten Sache zu bekommen. In der modernen Nachahmung, die hierauf gar keine Rücksicht nahm, ist das epische Gleichnis in einen gelehrten Zierat ausgeartet, so daß häufig das Bekanntere mit dem Frem-

deren, das Menschliche mit der tierischen Welt, die unsrer Beobachtung weit entfernter liegt, auch wohl das Körperliche mit
dem Geistigen verglichen wird. Schwerlich möchte daher an
Hermann und Dorothea etwas vermißt werden, weil es nur *ein*
ausgeführtes Gleichnis enthält. Dieses eine ist schön und neu und
kommt bei einer Gelegenheit vor, wo es die Mühe lohnt.

Die Ankündigung des Inhalts, gar kein wesentlicher Teil des
Epos, sondern eine entbehrliche Vorbereitung, welche da, wo
die besungene Geschichte sich auf Sage gründet, noch mehr
Schicklichkeit hat, als wo sie erst durch das Gedicht entsteht, ist
von dem deutschen Sänger mit Bedacht weggelassen. Dagegen
flicht er zu Anfange der letzten unter den neun Rhapsodien, die
er, wie Herodot die Bücher seiner Geschichte, nach den Musen
benannt, doch zugleich noch mit andern bedeutenden Über-
schriften versehen hat, eine sehr gefällige Anrede an diese Göt-
tinnen ein.

Wir haben Hermann und Dorothea in dem Bisherigen nach
seiner Eigentümlichkeit, nach den besondern Bestimmungen
des Entwurfs, der Sitten und des Stils zu charakterisieren gesucht. Als ein Individuum seiner Gattung, das heißt als episches
Gedicht, haben wir es schon vorher charakterisiert. Denn was
wir oben als wesentliche Merkmale des Epos angaben: die über-
legene Ruhe und Parteilosigkeit der Darstellung; die volle,
lebendige Entfaltung, hauptsächlich durch Reden, die mit Ausschließung dialogischer Unruhe und Unordnung der epischen
Harmonie gemäß umgebildet werden; den unwandelbaren, ver-
weilend fortschreitenden Rhythmus: diese Merkmale lassen sich
ebensogut an dem deutschen Gedicht entwickeln als an Homers
Gesängen. Verfehlten wir also den wahren Begriff nicht, so wird
der Leser, der dies Urteil durch eigne Prüfung beurteilen will,
auch wenn er mit den letzten nicht bekannt ist, sie ohne Mühe
wiederfinden. Was die Ruhe betrifft, so beugen wir nur noch
dem Mißverständnisse vor, als ob der Dichter gegen das, wo-

durch er die Seelen andrer so tief bewegt, selbst unempfindlich
sein sollte. Er muß es allerdings auf das innigste fühlen; aber er
hat die Selbstbeherrschung, dem Gefühl keinen Einfluß auf die
Darstellung zuzugestehen. Er wird zum Beispiel, wo das Gesetz
derselben es fordert, gleich nach dem erschütterndsten Augenblicke einen verhältnismäßig gleichgültigen, ja einen drolligen
Umstand erwähnen, wie es in Hermann und Dorothea, namentlich im letzten Gesange, mehrmals geschieht. Die Enthaltung
des Dichters von eigner Teilnahme ist also kein leerer Schein:
denn wenn die Darstellung durch das Medium der Empfindung
gegangen und von ihr gefärbt ist, so sympathisiert der Leser nun
eigentlich nicht mehr mit der Sache, sondern mit dem Dichter.

Die Lehre vom epischen Rhythmus verdient eine genauere
Auseinandersetzung. Sie ist auch deswegen wichtig, weil sie
Anwendung auf den Roman leidet. Ein Rhythmus der Erzählung, der sich zum epischen ungefähr so verhielte wie der ora-
torische Numerus zum Silbenmaße, wäre vielleicht das einzige
Mittel, einen Roman nicht bloß nach der allgemeinen Anlage,
sondern nach der Ausführung im einzelnen, durchhin poetisch
zu machen, obgleich die Schreibart rein prosaisch bleiben muß;
und im Wilhelm Meister scheint dies wirklich ausgeführt zu sein.

Wir enthalten uns hier jedes Rückblicks auf Goethes dichterische Laufbahn, so fruchtbar an belehrenden Zusammenstellungen, selbst an wichtigen Andeutungen über das Bedürfnis
unsrer Bildung und das Streben des Zeitalters, von der Originalität zur vollkommnen Gesetzmäßigkeit schöner Geisteswerke,
von der Erscheinung der Unabhängigkeit des Individuums zum
Abdrucke reiner Menschheit in ihnen fortzugehn, eine solche
Übersicht auch sein würde; und fassen nur unsre Betrachtung
des vorliegenden Werks in kurze Resultate zusammen. Es ist ein
in hohem Grade sittliches Gedicht, nicht wegen eines moralischen Zwecks, sondern insofern Sittlichkeit das Element schöner
Darstellung ist. In dem Dargestellten überwiegt sittliche Eigen-

tümlichkeit bei weitem die Leidenschaft, und diese ist soviel möglich aus sittlichen Quellen abgeleitet. Das Würdige und Große in der menschlichen Natur ist ohne einseitige Vorliebe aufgefaßt; die Klarheit besonnener Selbstbeherrschung erscheint mit der edlen Wärme des Wohlwollens innig verbunden und gleiche Rechte behauptend. Wir werden überall zu einer milden, freien, von nationaler und politischer Parteilichkeit gereinigten Ansicht der menschlichen Angelegenheiten erhoben. Der Haupteindruck ist Rührung, aber keine weichliche, leidende, sondern in wohltätige Wirksamkeit übergehende Rührung. Hermann und Dorothea ist ein vollendetes Kunstwerk im großen Stil und zugleich faßlich, herzlich, vaterländisch, volksmäßig; ein Buch voll goldner Lehren der Weisheit und Tugend.

HERZENSERGIESSUNGEN
EINES KUNSTLIEBENDEN KLOSTERBRUDERS

Die Ansicht der bildenden Künste, welche dieser angenehmen Schrift zum Grunde liegt, ist nicht die gewöhnliche unsers Zeitalters. Mit Recht vermied daher ihr ungenannter Verfasser auch die Sprache der Mode und wählte, um für sein inniges Gefühl von der Heiligkeit und Würde der Kunst den lebendigsten Ausdruck zu finden, ein fremdes Kostüm, aus welchem er selbst in der Vorrede nicht herausgeht. Seine Absicht ist, angehenden Künstlern und Liebhabern seine an Anbetung grenzende Ehrfurcht vor den großen Meistern mitzuteilen, und aufs nachdrücklichste widersetzt er sich überall einer gewissen selbstgefälligen Kennerei, die mehr auf einer fertigen Zunge als im Innern des Geistes wohnt und die erhabensten Schöpfungen des Genius, als wären sie wirklich ihrer Gerichtsbarkeit unterworfen, zuversichtlich durchmustert. Es ist gewiß, man ist nicht eher befugt zu richten, bis man ein Kunstwerk ganz versteht, bis man tief in seinen und seines Urhebers Sinn eingedrungen ist. Dies ist aber nicht anders möglich, als wenn man alle eitlen Anmaßungen wegwirft und sich mit stiller Sammlung und liebevoller Empfänglichkeit des Gemüts der Betrachtung hingibt. Der Charakter eines geistlichen Einsiedlers, dem «die Kunst als eine Sache himmlischen Ursprungs gleich nach der Religion teuer ist, dem sie eine religiöse Liebe oder eine geliebte Religion wird», war vielleicht der angemessenste, der sich finden ließ, um eine solche Stimmung vorzubereiten, solche Lehren eindringlich vorzutragen. Selbst ein Anstrich von Schwärmerei kann nicht verwerflich scheinen, wo er nur als Gegengewicht gegen die überhandnehmende Kälte gebraucht wird, welche in der

Kunst nichts sucht als einen zerstreuenden Sinnengenuß und es
ihr auch unmöglich macht, anders zu wirken. Wer wird es dem
schlichten, aber herzlichen Religiosen verargen, wenn er das
Göttliche, was allein im Menschen zu finden ist, aus ihm hinaus-
stellt und das Unbegreifliche der Künstlerbegeisterung gern mit
höheren unmittelbaren Eingebungen vergleicht oder auch wohl
verwechselt? Wir verstehen ihn doch und können uns seine
Sprache leicht in unsre Art zu reden übersetzen. Jene hat überdies, eben weil sie veraltet ist, den Reiz der Neuheit. So wesentlich verschieden die freien Spiele der Einbildungskraft, worin
der Kunstgenuß besteht, von jener Andacht zu sein scheinen,
welche eine zerknirschende Selbstverleugnung und gleichsam
eine augenblickliche Aufhebung des irdischen Daseins fordert;
so ist es doch unleugbar, daß die neuere Kunst bei ihrer Wiederherstellung und ihrer größten Epoche mit der Religion in einem
sehr engen Bunde stand. Es ist, als ob immer ein religiöser Antrieb das Streben des bildenden Künstlers, Ideen von höheren
Naturen in die Form der Menschheit aufzufassen, anregen und
bestimmen müßte. Die überirdischen Darstellungen der alten
Kunst hat der Volksglaube durchaus veranlaßt, und was die
neuere in diesem Fache Eigentümliches besitzt, hat ebenfalls
alles eine religiöse Beziehung. An einem Gottesdienste, der zum
Untergange der alten Kunst nur allzuviel beigetragen hatte,
richtete sich die neuere wieder auf; sie empfing nicht nur Beschäftigung von ihm, sondern auch ihre höchsten Gegenstände,
Madonnen, Heilande, Apostel und Heilige. Es ist schwer zu
sagen, was diese Stelle ausgefüllt haben würde, wenn die Wiederbelebung der Kunst in Zeiten und unter Völker gefallen
wäre, wo schon die strengere Vernunft alle sinnlichen Aus-
schmückungen einer auf das Unsinnliche gerichteten Religion
verworfen und die Stufenleiter der Andacht, welche den Menschen in seinem unendlichen Abstande von der Gottheit durch
die Verehrung befreundeter Wesen gebaut wird, eingerissen

hatte. Wenn wir, der Forderung gemäß, daß der Betrachter sich in die Welt des Dichters oder Künstlers versetzen soll, sogar den mythologischen Träumen des Altertums gern ihr luftiges Dasein gönnen, warum sollten wir nicht, einem Kunstwerke gegenüber, an christlichen Sagen und Gebräuchen einen näheren Anteil nehmen, die sonst unsrer Denkart fremd sind? In dieser Bedeutung ist das Wort ‹glauben› (S. 192) zu verstehn, und wir hielten es für wichtig, diesen Gesichtspunkt, besonders für Aufsätze wie ‹Raphaels Erscheinung› und ‹Brief eines jungen deutschen Malers in Rom an seinen Freund in Nürnberg›, ausdrücklich festzustellen, weil wir befürchten, daß ihn Leser einer gewissen Art verfehlen werden und daß bei der Wachsamkeit gegen den Katholizismus den guten Klosterbruder weder sein Beruf noch seine eigne Toleranz gegen den Vorwurf sichern wird, seine Kunstliebe habe eine Tendenz zu demselben.

Mit großer Wärme empfiehlt der Verfasser die meistens so vernachlässigte Künstlergeschichte und vorzüglich die Lesung des Vasari. Indessen haben junge Künstler oft nicht Kenntnisse genug, um diese Hauptquelle für die Geschichte des wichtigsten Zeitalters der modernen Kunst gehörig zu verstehen, und das Studium derselben ist durch die Anmerkungen, Zusätze und Berichtigungen der neueren Herausgeber, die man gleichwohl nicht entbehren kann, noch verwickelter und mühsamer geworden. Auch fehlt dem Vasari noch viel zum musterhaften Biographen; besonders verlieren sich seine Lobsprüche nicht selten zu sehr in eine rednerische Unbestimmtheit, als daß sie demjenigen eine Vorstellung von dem Charakter der beschriebnen Kunstwerke geben könnten, der sie noch nicht hat. (Bei andern, späteren Malerbiographen, zum Beispiel dem Malvasia, ist dies freilich noch weit mehr der Fall.) Durch ein Werk, welches die merkwürdigsten Lebensbeschreibungen der Künstler nach Vasari mit Kritik und Benutzung der hinzugekommenen historischen Materialien auf eben die Art lieferte, wie hier die

des Francesco Francia, Leonardo da Vinci und Pietro di Cosimo
verjüngt und durch anschauliche Darstellung beseelt worden
sind, würde gleich sehr für Belehrung und für Unterhaltung
gesorgt werden. Bei einer Vergleichung mit dem italienischen
Original wird es leicht in die Augen fallen, wie glücklich der
Verfasser durch Anordnung, durch Auslassung sowohl als aus-
malende Züge und eingemischte Betrachtungen seinen Stoff
umgebildet hat. Als Probe zeichnen wir nur einige Stellen aus
dem Leben des Leonardo aus, an dessen Beispiel der Verfasser
zu zeigen bemüht ist, «daß der Genius der Kunst sich nicht un-
willig mit der Minerva zusammenpaart und daß in einer großen
und offenen Seele, wenn sie auch auf ein Hauptbestreben gerichtet ist, doch das ganze, vielfach zusammengesetzte Bild
menschlicher Wissenschaft sich in schöner und vollkommner
Harmonie abspiegelt». S.65. «Zu Erlernung jeder bildenden
Kunst, selbst wenn sie ernsthafte oder trübselige Dinge abschil-
dern soll, gehört ein lebendiges und aufgewecktes Gemüt; denn
es soll ja durch allmähliche mühsame Arbeit endlich ein voll-
kommenes Werk, zum Wohlgefallen aller Sinne, hervorgebracht
werden, und traurige und in sich verschlossene Gemüter haben
keinen Hang, keine Lust, keinen Mut und keine Stetigkeit hervorzubringen. Solch ein aufgewecktes Gemüt besaß der Jüngling Leonardo da Vinci; und er übte sich nicht nur mit Eifer im
Zeichnen und Setzen der Farben, sondern auch in der Bildhauerei, und zur Erholung spielte er auf der Geige und sang
artige Lieder. Wohin also sein vielbefassender Geist sich auch
wandte, so ward er immer von den Musen und Grazien, als ihr
Liebling, in ihrer Atmosphäre schwebend getragen und be-
rührte nie, auch in den Stunden der Erholung nicht, den Boden
des alltäglichen Lebens.» S.71. «Leonardo wußte, daß der Kunst-
geist eine Flamme von ganz anderer Natur ist als der Enthusiasmus der Dichter. Es ist nicht darauf angesehen, etwas ganz aus
eigenem Sinne zu gebären; der Kunstsinn soll vielmehr emsig

außer sich herumschweifen und sich um alle Gestalten der
Schöpfung mit behender Geschicklichkeit herumlegen und Formen und Abdrücke davon in der Schatzkammer des Geistes auf-
bewahren, so daß der Künstler, wenn er die Hand zur Arbeit
ansetzt, schon eine Welt von allen Dingen in sich finde. Leonardo
ging nie, ohne seine Schreibtafeln bei sich zu tragen; sein begie-
riges Auge fand überall ein Opfer für seine Muse. Dann kann
man sagen, daß man vom Kunstsinne ganz durchglüht und
durchdrungen sei, wenn man so alles um sich her seiner Haupt-
neigung untertänig macht.» Sein Tod wird mit rührender Einfachheit erzählt, und der geistvolle Blick auf Raphael am Ende
vollendet den ernsten Eindruck des Ganzen. Beinah vermißten
wir hier das Sonett, welches das einzige Überbleibsel von Leo-
nardos poetischen Gaben ist (weil er meistens all' improviso
dichtete, so schrieb er wahrscheinlich seine Gedichte selten auf);
ob es gleich nicht eigentlich die Kunst betrifft, so könnte es doch
Anlaß zu einer anziehenden Einkleidung von Vorschriften für
sie geben, wenn man dergleichen in seinem Namen und nach
seiner Weise dichterisch vortrüge. Der Tod des Francesco Francia, welchem seine Bewunderung Raphaels das Leben gekostet
haben soll, wogegen sich sonst allerdings große Zweifel erheben,
ist durch die Wahrheit der Darstellung so glaublich gemacht
worden, wie es nur immer möglich war. Die Vermischung
historischer Wahrheit mit Erdichtung in dem Aufsatze ‹Raphaels
Erscheinung› können wir nicht ganz billigen. Raphael hat die
angeführten Worte wirklich geschrieben; allein es ist darin nicht
von einer Madonna, sondern von der in der Farnesina abgebil-
deten Meergöttin Galatea die Rede, welche, wie man weiß,
nicht zu den höchsten Idealen gehört, die Raphaels Pinsel hervorgebracht: mithin fällt auch der geheimnisvolle Sinn jener
Worte ganz weg. Daß übrigens ein in Raphaels Religion erzo-
gener Künstler, auch ohne Hang zur Schwärmerei, dergleichen
artistisch-religiöse Visionen haben könne, ließe sich aus des Ben-

venuto Cellini Leben verteidigen, wo freilich eine außerordentliche Lage sie hervorrief. Die Blätter über Michelangelo enthalten ein schön durchgeführtes, erhellendes Gleichnis. Von deutschen Künstlern ist nur dem alten Albrecht Dürer ein verdientes
Ehrendenkmal gesetzt: die von ihm gegebene Schilderung ist so
ganz in dem ehrenfesten Tone und nach den graden Sitten seines
Zeitalters abgefaßt, daß sie den Leser täuschend dahin versetzt.
Überhaupt bekommt die Schreibart des Verfassers durch eine
gewisse altväterliche Einfalt bei ihrem bildlichen Reichtum
etwas Eigentümliches. Sonst ist es sichtbar genug, daß er sich
den größten Meister der darstellenden Prosa in unsrer Sprache
zum Vorbilde gewählt. Rez. erwähnt dies gar nicht als einen
Tadel; das Streben nach gründlicher Ähnlichkeit mit dem, was
man für das Beste erkennt und ohne eine gewisse Höhe der Bildung nicht dafür erkennen könnte, ist sehr verschieden vom
Haschen nach bloßen Äußerlichkeiten der Manier, noch mehr
vom Entlehnen einzelner Gedanken und Ausdrücke. In einigen
kleinen Gedichten, die keinen Anspruch auf kunstvolle Korrektheit machen, atmet wahres und herzliches Gefühl, und man liest
sie gern an ihrer Stelle. Die Idee, Gemälde dadurch zu schildern,
daß man die gegeneinander in Verhältnisse gesetzten Personen
redend einführt, ist originell und kann für manche Fälle sehr angemessen sein: die beiden Ausführungen derselben gefallen
durch ihre Naivetät; doch hätte dabei vielleicht mehr Sorgfalt
auf die Form gewandt werden sollen. Das einzige Stück in der
Sammlung, welches keine Beziehung auf bildende Kunst hat,
ist die Geschichte eines unglücklichen Musikers, den «die bittere
Mißhelligkeit zwischen seinem angebornen ätherischen Enthusiasmus und dem irdischen Anteil an dem Leben eines jeden
Menschen, der jeden täglich aus seiner Schwärmerei mit Gewalt
herabziehet, sein ganzes Leben hindurch quälte». Die Wahrheit,
daß Selbständigkeit des Charakters ein unentbehrliches Erfordernis zum Künstler sei, damit er das Ungemach der Wirklich-

keit, dem sich doch nicht immer entfliehen läßt, entschlossen zu
überwinden vermöge, damit er unter mannigfaltiger Abhängigkeit die Freiheit seines Geistes erhalte und nicht zwischen phan-
tastischer Überspannung und kranker Erschlaffung hin und her
schwanke, prägt sich bei dieser Erzählung dem Gemüt des
Lesers auf eine schmerzlich ergreifende Weise ein. Der Verfasser
macht Hoffnung zu einem zweiten Teile, der Beurteilungen
einiger einzelnen Kunstwerke enthalten soll; ein Geschäft, wozu eine liebevolle Phantasie, nach Michelangelos Ausdruck:

> – l'affettuosa fantasia,
> Che l'arte mi fece idolo e monarca,

besser berechtigt, wie uns deucht, als scharf beobachtende, aber
auch gern verkleinernde Kälte. Wir wünschen recht sehr, daß
die Aufnahme dieser Schrift ihn auffordern mag, sein unver-
kennbares Talent zur Darstellung weiter zu üben; und wir zweifeln um so weniger daran, da schon das geschmackvolle Äußere
des Buches es der Aufmerksamkeit des noch nicht damit bekannten Lesers empfehlen muß.

LUDWIG TIECKS VOLKSMÄRCHEN
VON PETER LEBERECHT

Wer also einiges Bedürfnis für alle diese Dinge hat, wird sich gern von jener materiellen Masse, jener breiten Natürlichkeit zu luftigeren Bildungen der Phantasie wenden, die bald heitern Scherz hingaukeln, bald die Musik zarter Regungen anklingen lassen. Ihm wird alsdann eine ruhige Darstellung sehr erquikkend entgegenkommen, die, wenn sie auch noch nicht bis zur Vollendung gediehen ist, doch in der milden Temperatur eines künstlerischen Sinnes geboren wurde. Die teils dramatisierten, teils erzählten Volksmärchen von Tieck unter dem Namen Peter Leberecht sind von dieser Art: doch scheinen sie bis jetzt nicht mit der Aufmerksamkeit bewillkommt worden zu sein, auf die eine so gefällige Erscheinung wohl rechnen dürfte, wenn es nicht gar wenige gäbe, welche in der Dichtung nur die Dichtung suchen. Ob dies letzte daher rührt, daß die Urheber derselben ihre Unabhängigkeit so selten zu behaupten wissen, oder ob der Mangel an reinem Sinn dafür genötigt hat, zu fremden Hülfsmitteln seine Zuflucht zu nehmen, um Eingang zu finden, will ich hier nicht untersuchen. Allein gewiß ist es, daß vieles, was für Poesie gegeben und genommen wird, durch etwas ganz anderes sein Glück macht. Wie man guten Seelen immer die Gewalt der Liebe ans Herz legt, haben wir eben gesehen; andre und mitunter berühmte Männer sind in dem Falle, daß die Lüsternheit bei ihnen ein notwendiges Ingrediens zu einem Gedicht ist, ohne welches sie sich gar nicht getrauen, es schmackhaft zu machen. Gegenteils können andre die Tugend niemals loswerden und ergießen ihr Bächlein, da gute Lehre und Warnung innen fleußt, hinter dem Dichterlande vorbei, um die

Äcker der Pädagogik und Asketik zu wässern. Die Unschuld einer Muse, welche weder ein bloß leidenschaftliches Interesse zu erregen sucht, noch dem gröberen Sinne schmeichelt, noch moralischen Zwecken frönt, kann daher leicht als Unbedeutendheit mißverstanden werden. Und in der Tat ist es auch eine nähere Beziehung auf die Wirklichkeit, was unter diesen Volksmärchen vorzüglich den Gestiefelten Kater mehr in Umlauf gebracht und nach dem Maße des gegebenen Ärgernisses ihm Leser und Tadler verschafft hat. In einer Erzählung der Mutter Gans das leibhaftige deutsche Theater samt allem Zubehör aufs Theater zu bringen, ist wahrlich unerhört. Wenn die Satire noch methodisch, deklamatorisch, gallicht wäre; aber grade umgekehrt, sie ist durchaus mutwillig und possenhaft, kurz, gegen alle rechtliche Ordnung. Ich gebe den Verfasser verloren: er wird sich niemals von den Streichen, die er ausgeteilt hat, erholen können. Oder glaubt er, den großen Schikaneder ungestraft antasten zu dürfen? Besonders, da er es mit den Schildbürgern durch seine Geschichtschronik derselben unheilbar verdorben hat und wie ein Korsar kecklich in die Häfen dieser angesehenen Nation eingelaufen ist, die durch ihr Schutz- und Trutzbündnis mit den ebenfalls zahlreichen Philistern noch furchtbarer wird. Sie werden es ihm schon einzutränken wissen und den Spaß auf eine Art verstehn, daß es ihm vergehn soll, welchen zu machen. Eher möchte der Prolog zu einem Schauspiele, das niemals aufgeführt wird, vor der Polizei der Ernsthaftigkeit durchschlüpfen: der ganz heterogene Sinn der vom Theaterwesen entlehnten Einkleidung wird vielleicht nicht allen klar werden, weil sie in dem theologisch-philosophischen Vorspiele selbst zu eifrig mitagieren, um Unrat zu merken. Was den Theaterdirektor betrifft, über den hier viel spekuliert wird, so ist er eine liberale Person, die gern jedes in seiner Art leben läßt; wenn nur die Lampenputzer nicht in seinem Namen empfindlich werden, daß man ihren Verkündigungen über ihn den schwäbischen Dialekt aufrückt.

Dies sind ungefähr die Schalkheiten, die sich unter dem ehr-
samen Titel Volksmärchen (Böcke unter den Schafen) einge-
drängt haben. Kann ihnen die unbesonnene Leichtigkeit, womit
sie in die Welt gesprungen sind, keine Verzeihung auswirken;
scheinen sie vielmehr wegen des jugendlichen Talents, das noch
viel dergleichen befürchten läßt, doppelt bedenklich, so wird
man sie wenigstens über der kindlichen Unbefangenheit, womit die übrigen Stücke behandelt sind, vergessen. Man erkennt
in allen dieselbe Hand, aber gewiß nicht an der Einförmigkeit
der Manier. Der Dichter bestrebt sich vielmehr überall, den Ton
des Gegenstandes zu halten, und er trifft ihn gewöhnlich mit der
Sicherheit einer unabsichtlichen Richtung. Deshalb konnte er
aus der Geschichte von den Heymons-Kindern, in zwanzig alt-
fränkischen Bildern, nichts anderes machen wollen als einen
poetischen Holzschnitt. Die genaue Beobachtung der Perspek-
tive muß man einem solchen schon erlassen; aber in den eckich-
ten und groben Umrissen dieser kolossalen Figuren dürfte leicht
mehr Natur und Charakter sein als in der Kritik eines Kunstrichters, der sie unnatürlich und charakterlos nennt, ihre Erdichtung der Unwissenheit und dem Aberwitz zuschreibt und das
Ganze vornehm in die Jahrmarktsbuden zurückweist. Man sollte
sich doch hüten, in einem prosaischen Zeitalter ehrliche alte
Volkssagen so schnöde anzulassen, denen es, wie unförmlich sie
auch sonst sein mögen, schwerlich ganz an poetischer Energie
fehlt. Auf dem Grund und Boden solcher Märlein ist der Feen-
palast des göttlichen Meisters Ariosto erbaut; und es könnte
schon deswegen anziehend sein, sie in ihrer ursprünglichen rohen
Treuherzigkeit vorgeführt zu sehen, um damit die welschen
Umbildungen eines hellen und feinen Verstandes zu vergleichen. Der jüngste und gewaltigste unter den Heymons-Kindern,
Reynold, ist Ariostos Rinaldo,

Figliuol d'Amon, Signor di Mont' Albano;

und sein Pferd Bayart, das in der Geschichte eine so große Rolle
spielt und zuletzt der Aussöhnung seines Herrn mit Kaiser Karl
aufgeopfert und ertränkt wird (eine Begebenheit, welche Kin-
dern und auch Erwachsenen, welche sich noch nicht gegen dergleichen abgehärtet haben, immer eine große Rührung kosten
wird, wie der Hund Argos beim Homer), ist derselbe Bayardo,
der gleich zu Anfang des Orlando furioso so klug, gewandt und
stark erscheint. Hat dies treffliche Roß etwa keinen Charakter,
weil die Motive seiner Handlungen nicht gründlich genug nach
der Pferdepsychologie zergliedert worden sind? Das ist nun so
die Art der Poesie, daß sie die lebendigen Kräfte hinstellt, unbekümmert um das Problem, warum ihre Eigentümlichkeit grade
diese und keine andre ist. Wenn nicht ein geheimer Grund zu
einem bestimmten Dasein in ihnen läge, so wären es ja eben
keine Naturen.

   In der wundersamen Liebesgeschichte der schönen Magelone
und des Grafen Peter aus der Provence hat sich der Erzähler eine
zu schwere Aufgabe gemacht, die vielleicht nicht rein zu lösen
war. Die Anlage ist einfältig,

> Und tändelt mit der Unschuld süßer Liebe,
> So wie die alte Zeit;

aber diesen Gang der Begebenheiten sollte nun ein Spiel der
Empfindungen entfaltend begleiten, das nur über den Liebenden
schwebt und sich ihnen nicht recht aneignen will. Jene schlichten Sitten und der Ausdruck einer Schwärmerei, die alle Gegenstände in ihre glühenden Farben taucht, konnten vermischt,
aber nicht völlig verschmelzt werden, und man fühlt das Fremd-
artige und die Willkür der Zusammenstellung. Zwar die Poesie
ist die gemeinschaftliche Zunge aller Zeiten, Geschlechter, Alter
und Sitten; und wenn sich die innre Regung in Gesang aus-
atmet, findet sie in einer höhern Region die Simplizität wieder,
die ihr unter dem rednerischen Bemühen, sich in der gewöhn-

lichen Sprache vollständig mitzuteilen, verloren gegangen war.
Die eben gerügte Mißhelligkeit erstreckt sich also nicht auf die
zahlreich eingestreueten Lieder. Hätte der Dichter den lyrischen
Teil der Darstellung ganz auf sie versparen und noch mehr eine
Erzählung mit Gesang (eine Gattung, von der sich ebensowohl
eine mannigfaltige Bearbeitung denken läßt als von dem Schauspiele mit Gesang) daraus machen können, als schon geschehen
ist, so hätte für den veränderten Punkt der Betrachtung gewiß
alles an Wahrheit und Harmonie gewonnen. Allein auch wie es
jetzt steht, fehlt es nicht an bestechenden Reizen: die Prosa geht
nie so in das Blühende und Üppige über, daß nicht eine leich-
tere Fülle sichtbar bliebe, und ihre Bilder gestaltet eine nicht
bloß fruchtbare, sondern beflügelte Phantasie.

Die reifsten Stücke in der Sammlung scheinen mir Ritter Blaubart und der Blonde Ekbert, jenes unter den dramatischen, dieses
unter den erzählten: es läßt sich daraus ungefähr abnehmen,
was Tieck in beiden Gattungen leisten kann, ohne daß ich entscheiden möchte, zu welcher ihn seine Anlagen mehr hinneigen.
Die Umgebungen, wodurch das Ammenmärchen Blaubart zum
Umfange eines Schauspiels erweitert ist, sind mit Einsicht und
Schicklichkeit gewählt: nichts Ablenkendes und Störendes, wenn
auch manches Entbehrliche, ist in die Zusammensetzung aufgenommen worden. Die Figuren sind bestimmt gezeichnet, vielleicht durch zu schneidende Grenzen gesondert: wenn man
nicht darauf etwas rechnen will, daß, da die ganze Erdichtung
der ungeübtesten Fassungskraft entgegenkommt, auch die einzelnen Gegenstände in ihr leichter erkennbar sein müssen als in
einer erwachsenen Welt. Das Wunderbare ist in eine vertrauliche Nähe gerückt, der Dialog ist ungezwungen und ohne Anmaßung, und die Handlung bewegt sich in leichten Wendungen
fort, bis sie zu den entscheidenden Momenten gelangt, wo die
Besonnenheit, in der wir durch eine heitre Gegenwart immer
erhalten werden, in eine lebhaftere Teilnahme übergehen kann.

Die Neugier der Agnes nach dem verbotnen Zimmer steigt mit großer Wahrheit von der ersten unmerklichen Anmutung durch alle Grade hindurch bis zu einem unwiderstehlichen Gelüste, ohne daß sich der Dichter auch nur einen Augenblick zu lange dabei verweilt hätte. Durch die Behandlung der folgenden Szenen hat er gezeigt, daß er selbst eine volle tragische Wirkung zu erreichen fähig ist, wo sie, wie durch den Schrecken geschieht, unmittelbar die Phantasie berührt. Es ist ein meisterhafter Zug, wie Agnes in ihrem zerrütteten Zustande zu sehen glaubt, daß sich das Gesicht der Alten während der Gespenstergeschichte verzerre; und ebenso ergreifend offenbart sich überhaupt ihre Angst, ohne in ein widerwärtiges Grausen überzugehn.

Im Blonden Ekbert werden ebenfalls Schauer erregt, an denen keine Häßlichkeit der Erscheinungen teilhat und die um so überraschender treffen, weil sie nicht mit großen Zurüstungen herbeigeführt werden. Durch die ganze Erzählung geht eine stille Gewalt der Darstellung, die zwar nur von jener Kraft des Geistes herrühren kann, welcher ‹die Gestalten unbekannter Dinge› bis zur hellen Anschaulichkeit und Einzelheit Rede stehn, deren Organ jedoch hier vorzüglich die Schreibart ist: eine nicht sogenannte poetische, vielmehr sehr einfach gebaute, aber wahrhaft poetisierte Prosa. Das Geheimnis ihres Maßes und ihrer Freiheit, ihres rhythmischen Fortschrittes und ihres schön entfaltenden Überflusses hat, für unsre Sprache wenigstens, Goethe entdeckt; und die Art, wie Tieck dessen Stil, besonders im Wilhelm Meister und in dem goldnen Märchen, dem Märchen par excellence, studiert haben muß, um es ihm so weit abzulernen, würde allein schon seinen Sinn für dichterische Kunst bewähren.

Die schmeichelnden kleinen Lieder habe ich oben bei Gelegenheit der Magelone erwähnt; auch in den andern Stücken sind ihrer einzelne eingeflochten. Es liegt ein eigner Zauber in ihnen, dessen Eindruck man nur in Bildern wiederzugeben versuchen kann. Die Sprache hat sich gleichsam alles Körperlichen begeben und löst sich in einen geistigen Hauch auf. Die Worte scheinen kaum ausgesprochen zu werden, so daß es fast noch zarter wie Gesang lautet: wenigstens ist es die unmittelbarste und unauflöslichste Verschmelzung von Laut und Seele, und doch ziehn die wunderbaren Melodien nicht unverstanden vorüber. Vielmehr ist diese Lyrik in ihrer heimlichen Beschränkung höchst dramatisch; der Dichter darf nur eben die Situation andeuten und dann den süßen Flötenton hervorlocken, um das Thema auszuführen. In diesen klaren Tautropfen der Poesie spiegelt sich alle die jugendliche Sehnsucht nach dem Unbekannten und Vergangenen, nach dem, was der frische Glanz der Morgensonne enthüllt und der schwülere Mittag wieder mit Dunst umgibt; die ganze ahndungsvolle Wonne des Lebens und der fröhliche Schmerz der Liebe. Denn eben dieses Helldunkel schwebt und wechselt darin: ein Gefühl, das nur aus der innersten Seele kommen kann und doch leicht und lose in der Außenwelt umhergaukelt; Stimmen, von der vollen Brust weggehoben, die dennoch wie aus weiter Ferne leise herüberhallen. Es ist der romantische Ausdruck der wahrsten Innigkeit, schlicht und phantastisch zugleich.

Um mehr als alles bisher Gesagte in eins zusammenzufassen: ich weiß nicht, wer außer Goethen unter uns ähnliche Lieder gedichtet hätte. Wenn man nun dazu und zu der Nachbildung der Goetheschen Prosa hinzunimmt, daß Tieck nach dem Beispiele desselben Meisters in dem Prolog die hans-sachsische Manier glücklich genug auf neuere Gegenstände angewendet, so sieht man, daß er sein Vorbild ebensowenig einseitig gefaßt hat, als er ihm ohne selbständige Aneignung nachgefolgt ist. Er verbindet damit ein tiefes und vertrautes Studium Shakespeares (für den Goethe ein neues Medium der Erkenntnis geworden ist, so daß nun von beiden gemeinschaftlich eine Dichterschule ausgehen kann), und eben das, was ihn für die Entwickelung seiner Anlagen so richtig leitete, läßt hoffen, daß er sie auch vor ungünstigen Einflüssen zu bewahren wissen wird. Seine Einbildungskraft, die sich im ‹William Lovell› zum Teil in trüben Phantomen herumtrieb und ihre Flüge verschwendete, ist seitdem auffallend zu größerer Heiterkeit und Klarheit hindurchgedrungen. Das Trauerspiel ‹Karl von Berneck› und sonst hie und da Spuren von Gewölk gehören noch dem ersten Morgennebel an: in jenem weniger das Einzelne als die Kraftlosigkeit des Ganzen. Man schreibt freilich die Trauerspiele nicht so obenhin: in dieser Gattung artet allzu große Leichtigkeit unfehlbar in Oberflächlichkeit aus. Enthaltsamkeit und Mäßigung, seltne Eigenschaften bei jungen Dichtern, sind dem Verfasser der Volksmärchen so natürlich, daß sie für ihn keiner besondern Empfehlung bedürfen; desto mehr hat er die zweite Hälfte von dem Rat seines Freundes Shakespeare zu beherzigen, der, wie er den Schauspieler ermahnt hat, niemals die Bescheidenheit der Natur zu überschreiten, zu der ersten Warnung vor dem Overdone sogleich die zweite vor dem Come tardy off hinzufügt. Er vergesse nicht, daß alle Wirkung der Kunst einem Brennpunkte gleicht, diesseits und jenseits dessen es nicht zündet; er behalte immer ihr Höchstes vor Augen und achte sein schönes Talent genug, um nichts Geringeres leisten zu wollen als das Beste, was er vermag. Er sammle sich, er dränge zusammen und ziehe auch die äußern Formen vor, welche von selbst dazu nötigen.

Philosophieren ist ein männliches Geschäft: es soll und kann nicht von Säuglingen und Unmündigen getrieben werden. Zwar nennt ein Dichter die Philosophie mit Recht ‹der Trübsal süße Milch›, aber es soll doch kein Kinderbrei aus ihr gemacht werden, wobei der Lehrer nur das Amt der Wärterin versehen und sorgen müßte, ihn ja recht weich zu kochen, umzurühren und gehörig zu versüßen. Ihr ganzer Wert, ja ihr Wesen beruht auf selbsttätigem Gebrauche der Denkkraft: und wie kann der andre dazu erwecken, der ihn selbst nicht übt? Wenn der Lehrer ein Schüler ist, der nicht bloß auf das Wort seines Meisters schwört, sondern auch nirgends bewährt, daß er eigne, ursprüngliche Gedanken haben kann, so muß an die Stelle der freien Mitteilung, wodurch allein der lebendige Geist einer Philosophie fortgepflanzt werden kann, eine gänzlich passive Überlieferung treten, die sich an das Caput mortuum derselben hält. So ist es denn auch nur allzu häufig unter uns ergangen, und auf diese Art sind so viele Bände, wie man glaubt, mit dem besten Fug und Rechte angefüllt worden, daß man es befremdlich findet, wenn jemand meint, es könnte wohl anders sein. Erläuterungen dunkler philosophischer Lehren, die nicht bei den Worten des Vortrags stehen bleiben, sondern in das Wesen der Sache selbst eindringen und aus neuen Ansichten derselben hervorgehen, sind gewiß etwas sehr Schätzbares; aber der Philosoph, der sie geben will, muß insofern gewissermaßen über dem Urheber der Lehre stehen; denn er muß sie in sich zu einer deutlicheren Erkenntnis erhoben haben als jener. Es bleibt daher das Meisterstück der logischen Kunst, wenn der tiefe selbständige

Denker, ohne der Strenge der Wissenschaft etwas zu vergeben, der gemeinen Fassungskraft entgegenzukommen weiß. Auch die Entwickelung einer fremden Lehre kann eine wahre Bereicherung sein, wenn der Geist, der sie sich angeeignet hat, schon für sich mit dem Gegenstande der Untersuchung vertraut, den verpflanzten Keim durch eigne nährende Bestandteile entfaltet.

Es ist ebenso erstaunenswürdig als erfreulich, zu sehen, wie sehr unsere Sprache in einem kurzen Zeitraume durch vielseitige Bearbeitung an Gewandtheit für die Kunst des Versbaues überhaupt und insbesondere für die Kunst der poetischen Übersetzungen gewonnen hat. Was vor einer nicht sehr beträchtlichen Anzahl von Jahren noch für unmöglich galt, wird jetzt mit Erfolg, ja mit anscheinender Leichtigkeit geleistet. In den siebziger Jahren wurde im ‹Teutschen Merkur› der erste Gesang des rasenden Roland von Werthes in echten Oktaven mitgeteilt. Wieland fand dies ein mißliches Unternehmen, das schwerlich durchzuführen sein möchte, und äußerte dabei, die freie Versart des neuen Amadis in längeren und kürzeren Jamben mit untermischten Anapästen würde wohl die passendste für eine Übersetzung des Ariost sein.

Diesen Rat hat Schmitt bei Übertragung des geraubten Eimers in gewissem Grade befolgt: allein die Kenner der italienischen Poesie werden darin gewiß nicht eine dem Original entsprechende Form erkennen. Werthes ließ sich nicht abschrecken und gab wirklich einen Band seines Ariost heraus. Er ließ es jedoch bei den ersten acht Gesängen bewenden, und in der Tat sind die Aufopferungen, welche ihm das Versmaß auflegte, so beschaffen, der sichtbare Zwang und die Härten sind so groß, daß man die unterbliebene Fortsetzung nicht sehr bedauern darf. Der Verfasser dieser Anzeige lieferte im ‹Athenäum› den elften Gesang ebenfalls in Oktaven; er lernte bei dieser Gelegenheit die Schwierigkeiten der Unternehmung kennen, und es war nicht seine Absicht, weiter zu gehn. Gries, der sich schon durch seine

unter ebenso strengen Gesetzen vollführte Übersetzung des Befreiten Jerusalems vielen Beifall erworben, hat zuerst mit dem
Talent die Beharrlichkeit vereinigt, welche dazu gehört, sich
durch Ariosts sechsundvierzig lange und nicht immer gleich anziehende Gesänge durchzuarbeiten, und jetzt zum erstenmal besitzen wir die reizenden Dichtungen des Meister Ludwig in
einer ihrer nicht unwürdigen Gestalt und können sie mit einem
großen Teil des Genusses, welchen das Original gewährt, in unserer Sprache lesen. Wer in solchen Fällen das Ganze im rechten
Sinne vollendet, dem wird billig der Kranz gereicht. Das Werk
steht einmal da und hält sich selbst. Sollte auch im einzelnen
noch nachzuhelfen sein, sollte auch Ariost in manchen Stücken
wegen der Natur seiner Sprache und seiner darin einheimischen
Kunst immer unnachahmlich bleiben, so ist doch die Haupt-
schwierigkeit überwunden.

Es wird hier nicht am unrechten Orte sein, die Literatur der
bisherigen deutschen Übersetzungen des Ariost in Erinnerung
zu bringen. Die älteste, wo wir nicht irren, war von Dietrich
von dem Werder (auch Übersetzer des Tasso), einem Zeitgenossen und Freunde Opitzens: sie ist in Stanzen, geht aber nur bis
zum dreißigsten Gesange. Wir haben dieses ziemlich selten gewordene Buch nicht vor uns, um sagen zu können, wie schätz-
bar die Arbeit für die damalige Zeit war und ob Gries irgend
etwas davon hat benutzen können und benutzt hat. Späterhin
kam, wie es scheint, Ariost den Deutschen gänzlich aus der
Kunde, besonders in der Gottschedischen Periode, vermutlich
wohl, weil sein Werk nicht für eine regelrechte Epopöe galt.
Dies hat uns vor einer Übersetzung oder Umkleidung desselben
in Alexandrinern bewahrt, wie sie damals vom Tasso gefertigt
worden. Die ersten Nachrichten vom Rasenden Roland, wie von
einer neu entdeckten Insel, gab vor etwa fünfzig Jahren Meinhard. Von dem kläglichen Zustande des Studiums der italienischen Poesie und der Kunst dichterischer Nachbildung und

vieler andern Dinge in jener Zeit zeugt es, daß Lessing diese dürftige Kompilation aus den italienischen Literatoren, diese Übersetzungen in schleppender Prosa, mit wässerichten Auszügen und Nutzanwendungen verbrämt, anpreisen konnte. Eine Anzahl Jahre später traten zwei prosaische Übersetzer auf, Heinse mit großem Aufheben von der Wichtigkeit seines Unternehmens, und Mauvillon. Der letzte warf jenem vor, nicht einmal den Sinn seines Originals gefaßt zu haben. Auch über den Namen des Gedichtes konnten sie nicht einig werden: der eine behauptete, es müsse ‹Der wütende Roland› heißen. Unstreitig ist aber ‹Der rasende Roland› richtiger, denn Rolands Wut wird nur als eine Folge seines Wahnsinnes vorgestellt. Es verlohnt jetzt nicht der Mühe, auszumitteln, wer von beiden es weniger schlecht gemacht: wir verstehen den Ariost hinlänglich, um keiner Ausleger zu bedürfen, und heutzutage wird wohl niemand dieses Gedicht, von der unentbehrlichen Zier der Verse und Reime entkleidet, für genießbar halten. Der ungefähr gleichzeitige Versuch von Werthes wurde schon oben erwähnt. In den letzten Jahren des vorigen Jahrhunderts erschienen fünfzehn Gesänge des Ariost, von einem gewissen Lütkemüller in reimlose Jamben übersetzt. Dies war noch das Verfehlteste von allem, wie es damals der Verfasser dieser Anzeige in der ‹Jenaischen allg. Lit.-Zeitung› dargetan hat. Gries hat also alle seine Vorgänger ohne Widerspruch unermeßlich weit hinter sich gelassen.

Der Grundsatz ist jetzt anerkannt, daß jedes Gedicht in seiner eigenen metrischen Form, oder wenigstens einer ihm so nahe verwandten, als die Natur der Sprache es nur irgend erlaubt, übertragen werden muß. Allein über den Grad der Annäherung im Silbenmaß, welcher ohne Gewalttätigkeit gegen die Sprache möglich ist, finden verschiedene Meinungen statt. Wir gestehen es, wir sind überall, sowohl bei Nachbildungen aus den alten als neueren Sprachen, für die strenge Observanz. Was die Einführung der italienischen Oktave im Deutschen betrifft, so wollen wir ebenfalls auf das Geschichtliche zurückgehen. Wieland erklärte sie bei der ersten Ausgabe des Idris nach der ganzen Strenge ihrer Regeln für unausführbar und hatte sich die willkürliche Stellung der dreifachen Reime und den Gebrauch der Alexandriner und vierfüßigen Jamben vorbehalten. Nachher wählte er zum Oberon eine noch zwanglosere Versart: es war eigentlich weder eine Stanze noch überhaupt eine Strophe, indem der Begriff der geordneten Wiederkehr ganz wegfiel, sondern bloß ein Abschnitt von acht beliebig gereimten freien jambischen Zeilen. Auch dies fand viele Nachahmer. Die ältesten echten deutschen Oktaven sind, wo wir nicht irren, einige von Harsdörfer in seiner Übersetzung der Diana. In denen von Dietrich von dem Werder ist die Reimstellung beobachtet, aber aus den elfsilbigen Versen sind Alexandriner geworden. Heinse gab als Anhang zu seiner nun verschollenen Laidion ein Bruchstück eines Gedichts in Oktaven; jedoch zuerst lehrte uns Goethe in zwei herrlichen Gedichten «Zueignung» und «Die Geheimnisse», den südlichen Wohllaut und die wahre Bedeutung dieses Silbenmaßes kennen, und nun erst faßte es Wurzel in unserer Sprache. Viele vortreffliche Dichter sind ihm darin nachgefolgt, und die ehemals für unüberwindlich gehaltene Schwierigkeit ist dermaßen beseitigt worden, daß wir nebst vielen wohllautenden, gedrängten, schwungvollen Stanzen in eigenen Gedichten und Nachbildungen auch eine wahre Sündflut von eintönigen, schleppenden, nachlässig hingeschütteten erhalten haben. Man ist darüber einverstanden, daß die schöne Anordnung der Reime und die gleiche Länge der Zeilen der Versart wesentlich sei; nur in Absicht auf den Gebrauch der männlichen und weiblichen Reime weicht man voneinander ab. Einige ziehen die Stanze mit fünf weiblichen Reimen vor, und zu diesen gehört Gries; andere unterwerfen sich dabei gar keiner Regel; noch andere haben, besonders in Nachbildung der spanischen und italienischen Dich-

ter, sich lauter weiblicher Reime bedient, worin ihnen schon
Goethe in einigen Strophen der erwähnten Gedichte mit seinem
Beispiele vorgegangen ist. Es läßt sich leicht nachweisen, daß
die Regel des unverbrüchlichen Wechsels der männlichen und
weiblichen Reime erst in Opitzens Zeitalter aus Nachahmung
der französischen und holländischen Dichter eingeführt worden
ist: die Minnesänger achten selbst bei dem künstlichen Stro-
phenbau nicht darauf. Volksmäßige Liederweisen mit lauter
männlichen Reimen sind längst unter uns üblich gewesen. Überhaupt kommen die von den Franzosen ohne Rücksicht auf die
verschiedene Natur der beiden Sprachen angenommenen Regeln immer mehr in Abgang. Zu Gottscheds Zeit hielt man
strenge auf die Vermeidung des Hiatus; seitdem hat man ein-
gesehen, daß diese Sorgfalt, in demselben Umfange angewandt
wie in den französischen Versen, in unserer Sprache einesteils
überflüssig, andernteils unmöglich ist. Bürger hielt noch auf
Beobachtung des Abschnittes nach der vierten Silbe in den fünffüßigen gereimten Jamben; die Oktaven seiner angefangenen
Erzählung Bellin sind durchgängig so gearbeitet. Im Französischen kann der zehnsilbige Vers dieser eintönigen Gebundenheit
nicht entbehren, wenn er hörbar bleiben soll. Unsere in andern
Stücken weit mehr geordneten Jamben laden uns zur freiesten
Mannigfaltigkeit der Abschnitte ein. Es wäre seltsam, wenn wir
die Gesetze des Wohlklanges von der unter allen anerkannter-
maßen am wenigsten musikalischen Sprache erlernen müßten.
Seit einiger Zeit neigt man sich in gereimten Gedichten, nebst
Wiederbelebung der alten einheimischen, zu den italienischen
und spanischen Weisen hin. Was hierin geleistet worden, ist freilich noch zu neu, als daß es die Probe der Zeit schon bestanden
haben sollte: indessen scheint es von den Lesern, welche sich unbefangen den Eindrücken überlassen, ohne zu fragen, durch
welche Mittel das ihnen verschaffte Vergnügen zuwege gebracht
worden, nicht ohne Wohlgefallen aufgenommen zu werden.

Wie es zu gehen pflegt, sind auch Gegner der Neuerung aufgetreten; die Sonette, Terzinen, Dezimen usw. haben sich einen ordentlich persönlichen Haß einiger Kritiker zugezogen. Wir fürchten, daß diese unschuldigen Gedichtformen für ihre Verfasser und Einführer im Deutschen büßen müssen. In einer weitschweifigen Abhandlung, angeblich über Bürgers Sonette, hat man uns unlängst dargetan, daß von je viel schlechte Sonette geschrieben worden seien, was wir freilich längst wußten. Dies Argument ist mit dem einfachen logischen Schluß zurückzuweisen, daß der Mißbrauch den Gebrauch nicht aufhebt. Welches Silbenmaß, vom Hexameter an, könnte bestehen, wenn es für alle steifen und hölzernen oder schwachen und schleppenden Ausfüllungen verantwortlich sein sollte? Der verstorbene Fernow hat sich in einer Abhandlung ‹Über die Nachahmung des italienischen Verses in der deutschen Poesie› in der Zeitschrift ‹Prometheus› mit viel übler Laune gegen die neuere Weise aufgelehnt. Er erklärt alle bisher in lauter weiblichen Reimen abgefaßten Übersetzungen aus den südlichen Sprachen für ungenießbar. Dies ist ein harter Ausspruch von einem Grammatiker, der selbst nie etwas Ersprießliches für den deutschen Versbau ans Licht gefördert hat. Sollte einer ganzen Dichterschule (so dürfen wir es nennen), in welcher sich unleugbar ausgezeichnete Talente finden, nicht auch eine Stimme darüber zustehn, was dem deutschen Ohr gefällig sein kann oder nicht? Es gilt wenigstens den Versuch, ob nicht etwa bloß eine entgegengesetzte Gewöhnung bisher für manche wirkliche Schönheiten in der Art zu reimen unempfänglich gemacht habe. Über das Genießbare wird der Geschmack des deutschen Publikums auf die Dauer entscheiden. Übrigens sind Fernows Anmerkungen leicht zu berichtigen. Der italienische Vers soll und kann nicht ohne alle Veränderung im Deutschen nachgebildet werden. Er hat in der freien Akzentuation und der häufigen Elision der Vokale, die in der Silbenzählung nicht mitgerechnet, aber dennoch ausgespro-

chen werden (eine Weise, welche auch die Griechen in ihren
Schauspielen gehabt zu haben scheinen), Mittel der Mannigfaltigkeit, die uns abgehen. Wer indessen die besten Vorleser in
Italien gehört hat, wird wissen, daß diese scheinbare Mannigfaltigkeit sich für das Ohr in einer ziemlich eintönigen Melodie
verliert. Ein ungefährer Wechsel der Längen und Kürzen oder
betonten und unbetonten Silben ist unserer Sprache nach ihrem
ganzen Bau natürlich und war von jeher, wie die ältesten dichterischen Denkmäler ausweisen, volksmäßige Sitte. Deswegen
mußte auch Rudolf Weckherlins, wiewohl geistreicher Versuch,
unsern Alexandriner nach den Freiheiten des französischen zu
bilden, ohne Folge bleiben. Unser bestimmterer Jambe findet
eben wegen seiner Bestimmtheit in geringeren Abweichungen
eine ergiebige Quelle des Wechsels, wie es unsere besten Dichter
durch die Tat gelehrt haben. Was die ununterbrochenen weiblichen Reime betrifft, so sollen sie nach der Behauptung einiger
Kritiker dem deutschen Verse außer einer unerträglichen Ein-
tönigkeit auch eine zerflossene Weichlichkeit geben. Unsere
Sprache hat sich weniger vor diesem Fehler als vor abstoßender
Härte zu hüten: der starke Knochenbau wird immer durch-
scheinen, wenn er auch mit fließenden Umrissen bekleidet wird.
Es ist wahr, wir haben den Vorteil der tönenden offnen Vokale
in den weiblichen Endungen, den das Italienische besitzt, längst
verloren; die tonlose Silbe nach der betonten hat meistens nur
ein ‹e›, und unsere meisten weiblichen Reime gehen auf ‹en› aus.
Klopstock lobte diese Endung wegen ihrer Gelindigkeit als ein
Milderungsmittel des deutschen Klanges. Nicht zu erwähnen,
daß wir doch einige, wiewohl seltnere, weibliche Reime mit
andern Vokalen in der zweiten Silbe haben (zum Beispiel die auf
ung und ig), welche wir durch Zusammensetzung des Reimes
aus zwei Wörtern noch beträchtlich vermehren können, gewährt uns die Verschiedenheit der Schlußkonsonanten (zum
Beispiel et, er, ert, ern, el, elt, eln, es, ens und andere) Mittel

genug, die verschlungenen weiblichen Reime so sehr gegeneinander abstechen zu lassen, als wir wollen. Jedoch ist dies keinesweges immer erforderlich, und es läßt sich zeigen, daß die
größten südlichen Verskünstler oft mit Absicht das Gegenteil
getan. (So wechseln in einem Sonette des Petrarca die Reime alli
und elli; in den spanischen Dichtern häufig aros und eros.) Für
den durchgängigen Gebrauch der weiblichen Reime in Nachbildung des Italienischen spricht das Beispiel der Spanier und
Portugiesen, welche ungefähr ebenso reich an männlichen Reimen sind als wir und dennoch bei Aufnahme der italienischen
Silbenmaße, und für diese, die italienische Weise zu reimen mit
Glück eingeführt haben. Der weibliche Reim ist an sich der
schönste (wir müßten zu tief in die Gesetze des Wohllautes eingehen, um den Beweis hier zu liefern); er läßt sich gar wohl
ohne Zwang herbeiführen; es kommt also nur darauf an, die
anderweitigen Nachteile dagegen zu erwägen.

   Die Absicht ist gar nicht, irgendeine schon übliche Vers- oder
Reimart zu verwerfen. Wir glauben vielmehr, daß eine Poesie
wie die unsrige, die bei der Entladung von willkürlichem Regel-
zwange nach dem bedeutsamsten und kunstreichsten Ausdrucke
für jede Eigentümlichkeit strebt, nie einen allzu großen Überfluß an Formen haben könne. Auch die an sich weniger schönen
wird der rechte Künstler schon zu geschickten Werkzeugen der
Darstellung zu machen wissen.

   Wir können uns nicht enthalten, bei dieser Gelegenheit den
Wunsch zu äußern, daß den Bedürfnissen der poetischen Technik durch gründliche Schriften darüber abgeholfen werden
möchte. Die Deutschen sind sehr bei der Hand mit spitzfindigen
philosophischen Theorien über die schönen Künste, woraus der
Künstler sich nicht das geringste nehmen kann. Wie übel es ab-
läuft, wenn man nach solchen hohlen Allgemeinbegriffen Kunstwerke zusammensetzen will, haben wir leider erlebt. In den
praktisch brauchbaren Theorien stehen wir sehr gegen andre

Nationen zurück, und unsre Grammatiker, solche ausgenommen, die selbst Dichter waren, haben sich bis jetzt nie um die Ausbildung der Dichtkunst verdient gemacht.

Für die eigentliche Prosodie oder die Entwickelung der Gesetze der Längen und Kürzen in unsrer Sprache ist durch die Schriften von Klopstock, Moritz und Voß hinlänglich gesorgt, wenn sie schon nicht immer untereinander einig sind. Dagegen fehlt es an einem Werk über die Behandlung der alten Silbenmaße im Deutschen, über den Grad der Strenge und Genauigkeit, über die notwendigen, anzuratenden und zu vermeidenden Veränderungen, womit sie im Deutschen nachzuahmen sind. Hiebei müßte man freilich auf die Quelle zurückgehn: auf das ganze System der alten Metrik und auf die verschiedne Behandlung derselben Versarten bei den Griechen und Römern, welche letztere uns schon zum Beispiele dienen kann, wie die Natur der Sprache hier einwirkt. Vor allen Dingen müßte man sich hiebei hüten, nicht mit Hintansetzung der gültigen Autorität der alten Grammatiker alles unter eine auf kantischen Kategorien erbaute Theorie zu zwängen.

Ferner wären die Grundsätze der deutschen Akzentuation in bezug auf die gereimten Versarten zu entwickeln. Sowohl die einheimischen Reimweisen und Strophen als die andrer Völker, welche am meisten Einfluß auf unsre Poesie haben, der Engländer, Italiener und Spanier, auch der Franzosen, wären zu erörtern. Aus älteren Zeiten haben wir verschiedene Versuche hiezu, von Opitz, Philipp von Zesen und anderen, woraus wohl noch manches zu benutzen stände. Die Hauptsache wäre, in das Wesen und die Bedeutung sowohl der älteren als neueren Formen einzudringen und darnach den Kreis ihrer Anwendbarkeit zu bestimmen. Denn hierüber tappen sowohl die ausübenden Liebhaber als die Beurteiler häufig gar sehr im Dunkeln und lassen sich durch mißverstandne Beispiele oder zufällige Antriebe leiten. Tausende schwatzen zum Beispiel über das Sonett oder schreiben auch wohl Sonette, ohne je darüber nachgedacht zu haben, was es ist und sein soll. Diejenigen, welche behaupten, daß es gar nichts bedeute und also im Grunde eine mühselige Fratze sei, sollten doch über die Erfahrung stutzig werden, daß sich diese Form seit Jahrhunderten so unveränderlich festgesetzt hat, ohne daß Nationen, die sonst ziemlich gute Kenner des feineren Genusses sind, deren überdrüssig geworden wären.

Endlich hätten wir ein gutes Reimwörterbuch nötig. Manche Leser wird dies vielleicht lächerlich dünken; allein das Vorurteil dagegen läuft eigentlich auf den alten Einwurf gegen den Reim überhaupt hinaus, daß er den Gedanken nötige, den zufälligen Lauten der Wörter nachzulaufen und sich ihnen zu fügen, was ja ganz verkehrt sei. Bei andern Nationen, namentlich bei den Italienern, sind Reimwörterbücher häufig im Gebrauch: warum sollten wir uns dieses Hülfsmittels schämen? Besorgt man, den schlechten Reimereien dadurch Vorschub zu tun? Dies Übel möchte schwerlich noch mehr überhand nehmen können, und es wäre gering, wenn ihm durch dergleichen Vorkehrungen zu steuern wäre. Selbst für den Meister in der Verskunst ist es vorteilhaft, den ganzen Vorrat von Reimwörtern auf dieselbe Endung mit einem Blick zu übersehen, damit er nicht den Fund einer glücklichen Zeile aufgeben müsse, weil sein Gedächtnis ihm gerade nicht das entsprechende Wort darbietet. Das einzige Reimwörterbuch, soviel Rez. bekannt ist, das wir haben, von Hübner, ist beinahe unbrauchbar. Es ist voll von oberflächlichen Provinzialismen in den Ausdrücken und der Aussprache, altfränkisch in der Schreibung, höchst unvollständig und dabei wegen der ungeschickten Einrichtung weitschweifig, indem der Verfasser oft alle Redensarten, worin ein Wort vorkommen kann, mit aufführt. Indessen könnte es einem neuen Bearbeiter zur Grundlage dienen. Ein solcher müßte eben sowohl auf die ältesten dichterischen Denkmäler unsrer Sprache zurückgehn als die neuesten Dichter (die im ganzen genommen in den Rei-

men weit genauer sind als die unsers vermeinten goldnen Zeitalters), ohne Parteilichkeit für oder gegen irgendeine Schule,
sorgfältig benutzen. Bei altertümlichen, provinziellen, gewagten, mit poetischer Freiheit umgeformten oder sonst nicht allgemein gültig scheinenden Wörtern wäre der Name des Dichters, der sie gebraucht, anzumerken. Noch andre Zeichen könnten in aller Kürze die Brauchbarkeit der Ausdrücke in verschiednen Kreisen bestimmen. Zu einer erschöpfenden Abhandlung
über die Reinheit, Schönheit und Bedeutsamkeit des Reimes im
Deutschen hat Bürger, der auch ein solches Wörterbuch für ein
Bedürfnis hielt, eine recht gute Vorarbeit geliefert, die jedoch
nicht von Einseitigkeit und niedersächsischem Provinzialismus
frei ist.

Der allgemeine Geist dieser Blätter, der bei der Beurteilung
eines einzelnen Buchs das allgemeinere Nützliche zur Sprache
zu bringen erlaubt, hat uns zu diesen eingeschalteten Bemerkungen veranlaßt. Die vorhergehende Erörterung ist unserm Gegenstande übrigens nicht fremd: denn die Grundsätze der Nachbildung italienischer Poesie und der Punkt, bis zu welchem sie
bis jetzt gediehen, müssen bestimmt werden, um das, was der
Übersetzer des Ariost geleistet, gehörig zu schätzen.

Den im ‹Athenäum› getanen Vorschlag, die Wahl der männlichen und weiblichen Reime frei zu lassen, hat Gries zu befolgen
nicht für gut befunden, sondern sich durchgängig der Stanze
mit fünf weiblichen Reimen bedient, und zwar so, daß unter
den verschlungenen sechs Zeilen die mit weiblicher Endung
voranstehen. Bei den noch geteilten Meinungen wird ihm vielleicht die größere Hälfte der Leser dies Dank wissen; auf jeden
Fall hat er sich damit eine Schwierigkeit mehr aufgelegt. Doch
können wir noch nicht von der damals geäußerten Überzeugung abgehn, daß eine größere Freiheit mancherlei Vorteile gewährt haben würde. Daß Ariost selbst einigemal männliche und
gleitende Reime eingestreut, wollen wir nicht in Anschlag brin-

gen, weil es eine zu seltne Ausnahme ist. (Rime tronche finden
sich C. XXV. St. 24; sdruccicole verschiedentlich.) Aber unleugbar hat Ariost die Oktave im weitesten Umfange genommen:
er stimmt sie herauf und herunter, je nachdem sein Ton vertraulich, munter oder heroisch und prächtig ist. Ganz anders ist
es mit Tasso, einem mehr musikalischen als charakteristischen
Dichter, der sich auch in Absicht auf Sprache und Versbau in
einem weit enger begrenzten Kreise bewegt. Für die Übertragung des Befreiten Jerusalems würden wir immer noch, trotz
allem, was dawider eingewandt werden mag, zum ausschließenden Gebrauch der weiblichen Reime raten, welche der Oktave
mehr Würde und Fülle geben. Im Ariost läßt sich überall eine
gewisse anmutige Grillenhaftigkeit spüren, seine Wirkung ist
oft Berechtigung des Unerwarteten. Durch die allzu geordnete
Wiederkehr nimmt sich der Übersetzer ein Mittel der Überraschung, da ihm die Natur unsrer Sprache schon manche andre
versagt. Auch gibt jene Form der Oktave eine Hinneigung zum
Lyrischen. Durch den männlichen Schlußfall der zweiten, vierten und sechsten Zeile zerfällt sie bestimmter in Doppelverse,
eine Einteilung, die sich meistens ganz natürlich einstellt, die
aber Ariost oft geflissentlich zu unterbrechen sucht.

Wie dem auch sei, bei der einmal getroffnen Wahl hat der
Übersetzer die fast unermeßlichen Schwierigkeiten mit großer
Gewandtheit überwunden. Wir glaubten im Fortgange des Gedichtes noch eine bedeutende Zunahme an fertiger Meisterschaft wahrzunehmen, wie es bei einer so umfassenden und sorg-
sam ausgeführten Arbeit nicht anders zu erwarten steht. Die
Übersetzung folgt dem Originale mit Genauigkeit Schritt vor
Schritt, selten sind sprechende Züge weggeblieben. Der Ton
des Ariost ist meistens richtig getroffen; auch da, wo es am
schwersten ist: wenn er scherzt. Je bilderreicher und blühender
die Schreibart eines Dichters ist, desto eher läßt sich eins mit
dem andern vertauschen und doch ein ähnlicher Eindruck

hervorbringen. Ariost ist oft bis zur Trockenheit gediegen;
seine Erzählung wird in ihrer summarischen Kürze zuweilen
gewissermaßen prosaisch, und gerade solche undankbare Strophen mußten dem Übersetzer die meiste Mühe machen.
Wenn wir unsre wesentlichste Ausstellung an einem so lobens-
werten Ganzen in wenige Worte zusammenfassen sollten, so
würden wir hier und da weniger Glätte und mehr Keckheit
wünschen...

Es wird nicht am unrechten Orte sein, hier einige Betrachtungen darüber beizufügen, was Ariost denn nun für unsere Zeit
und unsere Nation sein und leisten, welche Stelle er an unserm
poetischen Horizont einnehmen kann, besonders seitdem dieser
in dem letzten Zeitraum mit so manchen gleichsam neu entdeckten Sternbildern alter einheimischer oder ausländischer
Dichterwerke bereichert worden. Nachdem Ariost uns lange
ziemlich unbekannt geblieben war, hat er in Deutschland verschiedne ausschweifende Bewunderer gefunden, an deren Spitze
die beiden Übersetzer Heinse und Mauvillon stehen. Heinse
setzt ihn (im Ardinghello) weit über alle anderen italienischen
Dichter; Mauvillon (in Briefen, die kurz nach Gellerts Tode erschienen und vornehmlich gegen diesen gerichtet, überhaupt
aber eine Satire gegen die deutsche Literatur waren) ohne Umstände so ziemlich über die Dichter aller Zeiten und aller Völker.
Diese nun verschollene Flugschrift wird wohl wenigen Lesern
zu Gesichte gekommen sein; Heinses Urteil könnte hie und da
noch eher einigen Einfluß haben. So ausschließend und mit einer
Art von Leidenschaft sich Heinse auf alles Italienische gelegt,
war er doch kein Kenner der Poesie, ebensowenig als der Malerei: alles, was er über beides vorbringt, ist nur ein ungestümes
Stammeln nach verworrenen und einseitig ergriffenen Eindrük-
ken. Etwas übereilt war es, wenn Schiller, auf die oben ange-
zogne Lobpreisung der alten Ritterzeit hin, den Ariost unter die
sentimentalischen Dichter zählte. Ist die Einteilung in Naiv und

Sentimental überhaupt so allgemein gültig, und darf man sich erlauben, die Menschen nach den in jener Abhandlung Schillers aufgestellten Rubriken zu klassifizieren, so würden wir den Ariost vielmehr einen derben Realisten nennen. Es wird hinreichen, uns auf seine Ansicht der Liebe zu berufen. Versündigt er sich schon nicht, wie einige neuere Dichter, durch den Unglauben an begeisterte Leidenschaft und besonders an die Reinheit weiblicher Gefühle (davor bewahrte ihn sein unbefangner Überblick der menschlichen Dinge), wie liegt dennoch in allen seinen Schilderungen die Sinnlichkeit oben auf! Es ist ordentlich bedeutend für seine allgemeine Manier hierin, daß er den Oberto die Olimpia gleich zur ersten Bekanntschaft nackt erblicken und dadurch in sie verliebt werden läßt. Das heißt die Sache in der Tat gründlich anfangen. Um den Abstand Ariosts von einem sentimentalen oder, besser, auf das Idealische gerichteten Dichter zu fühlen, vergleiche man eine Schilderung, worin bloß sinnliche Wollust obwalten zu müssen scheint, die Verführungen der Alcina mit denen der Armida beim Tasso. Mit der Alcina nimmt es ein etwas rohes und sogar widerwärtiges Ende, wie mit aller Liederlichkeit; Armida liebt wirklich und erregt auch zärtliche Gefühle: Tassos Gemüt konnte es nicht über sich gewinnen, der reizenden Sünderin unzart zu begegnen. Oder weil sich doch Schiller auf Ariosts Klage über den Verfall des Rittertums berief, so lese man die ausführlichere Stelle hierüber im elften Gesange (die übrigens schön und der Gesinnung wegen preiswürdig ist) und dann die in Burkes Briefen über die Französische Revolution; und man wird finden, daß hier von den beiden nicht der phantastische Romanzist, sondern der politische Redner der wahrhaft von Ideen begeisterte Dichter ist. Ein solcher würde schon nicht den Verfall des Rittertums in einer bloß körperlichen Ursache, wie die Erfindung des Schießpulvers ist, suchen. Bei schon sehr veränderter Kriegskunst hat das Rittertum noch in seiner ausgebildetsten Gestalt geblüht. Die Verän-

derung ging aus dem Innern hervor und ergriff zugleich alle
religiösen, politischen und geselligen Verhältnisse. Jener Umstand hätte gar nicht so entschieden gewirkt, wenn ihn der Zeit-
geist nicht begünstigt hätte.

Unter die irrigen und irreführenden Vorstellungen über den
Ariost gehört auch die beliebte Vergleichung mit dem Homer.
Wo wir nicht irren, hat schon Meinhard sie unter uns aufgebracht, indem er beide zu wilden Naturgenies stempelt: eine
vermeinte Ehre, die sowohl der eine als der andre, seiner Bildung im Verhältnis zu seinem Zeitalter sich bewußt, mit Unwillen möchte zurückgewiesen haben. Das Zeitalter Ariosts
brachte aber den Macchiavell hervor, und neben diesem einen
Homer zu suchen, wäre ebenso widersinnig, als etwa den Aristipp in das Zeitalter Homers hinaufzurücken. Lessing hat im
Laokoon die Grundverschiedenheit der Darstellungsweise dieser Dichter an einem sehr auffallenden Beispiele gezeigt, und
dennoch will man die Parallele zwischen ihnen nicht fahren lassen. Ein scharfsinniger Kunstrichter (W. von Humboldt in seinen ästhetischen Versuchen) behauptet, ‹es sei kaum möglich,
eine größere Ähnlichkeit zwischen zwei durch so viele Jahrhunderte getrennten Dichtern anzutreffen›. Wie verschieden doch
die Ansichten und Urteile sind! Wir wüßten nun schlechthin
keine andre Ähnlichkeit zwischen Homer und Ariost auszumitteln, als daß beide mancherlei Kampf- und Wundergeschichten
erzählen. Sonst aber finden wir in der Zusammensetzung und
Bedeutung des Ganzen, im Stoff und dem Verhältnis des Dichters dazu, in der Behandlung bis in die feinsten Einzelheiten die
größte Unähnlichkeit. Um nur eins anzuführen: was ist dem
Geiste Homers fremder als der Scherz, womit Ariost seine ge-
flissenen Übertreibungen sogleich wieder vernichtet? Homers
Dichtung ist bescheiden entfaltende Beseelung einer heilig geachteten Sage; die des Ariost steigert durch selbstbewußte Willkür, was sie als schon willkürlich ersonnen betrachtet.

Treffend hat Goethe, in einer wunderschönen Stelle seines Torquato Tasso, den Ariost charakterisiert. Nur dünkt uns das Bildnis doch ein wenig geschmeichelt. Daß gerade Antonio, der Welt- und Geschäftsmann, der am Hofe zu Ferrara dieselbe Stelle einnimmt, die ein Menschenalter zuvor jener märchenreiche Sänger bekleidete, diese Vorliebe für den Ariost äußert, ist ganz recht: nur preist er ihn für seine Sinnesart etwas zu schwärmerisch entzückt und führt ihn, besonders von seiten der Phantasie, in eine zu ätherische Region hinauf. Wir gestehen es, und sollte man uns der Paradoxie zeihen, wir finden die Einbildungskraft eben nicht die hervorstechendste Eigenschaft des Ariost. Gewöhnlich glaubt man, diese Fähigkeit werde durch Erdichtung des Außerordentlichen, Wunderbaren, vom gewöhnlichen Naturlauf Abweichenden hinlänglich bewährt. Allein zu geschweigen, daß so viele Erfindungen dem Ariost gar nicht ursprünglich gehören, daß er die ganze Wunderfülle der Ritterbücher und der Mythologie vor sich hatte und beliebig daraus schöpfte, so läßt sich dergleichen gar wohl mit dem Verstande aus dem Vorrat der Beobachtung zusammensetzen. Man nehme zum Beispiel den so bewunderten und weltberühmten Hippogryphen. Der Pegasus ist bekannt; von Greifen, welche große Lasten durch die Luft tragen, sind die Rittergeschichten voll; die Greifen der Alten, wenigstens wie die Kunst sie abbildet, waren schon Mittelgeschöpfe aus einem Vogel und einem vierfüßigen Tier, aus Adler und Löwe. Der Dichter brauchte also nur noch eine Kombination zu wagen, und sein reizendes Ungeheuer war fertig. Allenfalls hätte er auch, wie die Geschichte vom Bellerophon zeigt, seinen Rüdiger und Astolf auf dem Pegasus selbst beritten machen können, wenn er ihn dem Apoll und den Musen auf eine schickliche Art für so lange abzuborgen wußte. In allem diesem ist nichts, was nicht für den Begriff völlig auflösbar wäre. Phantasie in höherem Sinne würden wir die innere Anschauungskraft dessen nennen, was nicht dem

Grade oder der Zusammensetzung, sondern der Art nach, alle
äußre Wirklichkeit übersteigt; ein lichtvolles Träumen in der
stillen Nacht des innern Sinnes, bei dem Künstler mit der Gabe
verbunden, die geheimnisvollen, nie von der Seele, ihrer Ge-
burtsstätte, ganz abzulösenden Bilder durch eine ebenso zaube-
rische Darstellung mitzuteilen. Diese Seherphantasie besaß zum
Beispiel Dante im höchsten Grade: er steigt wirklich in die
Hölle hinunter und in den Himmel hinauf, während Ariost immer auf ebenem Erdboden steht, wenn er sich auch bis in den
Mond aufzuschwingen scheint. Dante sagt einmal: «S'io valessi
à dire quanto ad immaginar», und man fühlt die Wahrheit hier-
von. Ariost konnte seine Einbildungen genugsam mit Worten
ausstatten, ja sogar überbieten.

Was ihn besonders auszeichnet, ist die besonnene Klarheit seines Geistes; diese macht ihn zu einem so vortrefflichen Erzähler.
Man möchte ihn den gescheiten Mann unter den Dichtern nennen. Dabei die frischeste Gesundheit des äußerlichen Daseins.
Was er auch in der bunten Reihe seiner Schilderungen für Gestalten vorüber führen mag, alles hat eine lebendige Gegenwart
und große sinnliche Kraft. Es ist bei ihm immer heller Mittag;
den harmonisch verschmelzenden Duft der Morgen- und Abend-
röte hingegen vermißt man auf seinen Gemälden. Wo er pathetisch sein will und die Teilnahme des Gefühls in Anspruch
nimmt, da fehlt es an Gemüt, an Innerlichkeit; und dies begegnet ihm nur allzu häufig: der Ernst nimmt in seinem halb scherzhaften Gedicht noch einen zu großen Raum ein. Auf die Ausführung in Sprache und Versbau hat er, bei aller Leichtigkeit,
die er besaß, großen Fleiß gewandt, wie man sich durch die Ansicht seiner noch in Ferrara aufbewahrten ersten Handschriften
überzeugen kann. Die von einigen italienischen Kunstrichtern
gerügten Nachlässigkeiten und Ungleichheiten hierin sind absichtlich. In betreff der Anlage des Ganzen aber scheint er ziemlich sorglos zu Werke gegangen zu sein und vieles nicht einer

geistreichen Willkür (dies erlaubte die Gattung), sondern dem baren Zufalle überlassen zu haben. Aus vielen Spuren wird es wahrscheinlich, daß er beim Anfange seiner Arbeit den Entwurf nicht vollständig vor sich gehabt, sondern nur einige Hauptpunkte festgesetzt, das übrige aber vom guten Glück und den Eingebungen des Tages erwartet habe. Manchmal sieht es aus, als ob er zu Anfange eines Gesanges noch nicht gewußt hätte, womit er ihn ausfüllen wollte. Aus der Art, wie er an dem Werk arbeitete, läßt sich dies leicht begreifen, so wie auf der andern Seite die als gültig angenommene Gattung und Manier eine so lose Zusammensetzung begünstigte. Ariost dichtete zur Erholung von ernsteren Geschäften und zur Ergötzung seines Hofes. Er las seinen Gönnern, dem Kardinal Ippolito und dem Herzog Alfonso, samt den übrigen Herren und Damen, jeden Gesang, so wie er fertig war, einzeln vor, weswegen er auch oft im Eingange eine summarische Wiederholung des Vorhergehenden voranschickt, falls die Zuhörer es etwa vergessen haben sollten. Im Umfange des Gesanges sorgt er immer für den nötigen Wechsel, und als ein Weltmann, der wohl wußte, wie schwer es hält, einen gemischten Kreis durch ein bloß poetisches Interesse festzuhalten, pflegt er etwas mehr oder weniger der Rittergeschichte Fremdes einzustreuen, was eine persönliche Anziehungskraft auf die Zuhörer äußern konnte: Schmeicheleien gegen seine Fürsten und Verherrlichungen des Hauses Este, die wohl niemand kalt anzuhören scheinen durfte, wenn sie uns schon zuweilen frostig dünken; Lobpreisungen anderer bekannter Männer und Frauen; Beziehungen auf die Zeitgeschichte; Sprüche aus der angewandten Sittenlehre der Welt und des Hofes; satirische Züge, besonders gegen die Geistlichkeit; Streitfragen der Liebe; eigne Liebesgeständnisse oder irgendeine lüsterne Schalkheit, welche den Herren zu verwegenen Blicken, den Damen zu reizendem Erröten Anlaß geben konnte, in welcher Hinsicht die Zuhörerinnen des Ariost, man muß es gestehn,

nicht eben unduldsam waren. Wenige Gesänge wird man finden, welche nicht ein solches Gepräge von Gesellschaftspoesie,
zunächst für die augenblickliche Unterhaltung bestimmt, an
sich trügen. Hat er doch sogar einmal die Widerlegung eines
Einwurfes, den ihm ein Zuhörer bei der ersten Mitteilung gemacht, eingeschaltet. (Ges. XLII. Str. 20 f.) In der Ausfüllung jedes Gesanges ist, wie gesagt, für ein reiches Maß von Wechsel
und sinnlichem Reiz durch Kämpfe, Liebesgeschichten und seltsame Wunderdinge gesorgt, in dem Verhältnisse verschiedener
Gesänge zueinander aber möchten künstlerische Absichten von
Vorbereitung, Abstufung, Gegensatz und wechselseitiger He-
bung nur selten aufzufinden sein. Es ist keineswegs zu tadeln,
daß der Dichter unmittelbar in zwei Gesängen nacheinander,
dem zehnten und elften, eine nackte Schöne am Felsen, einen
heldenmütigen Retter und einen Kampf mit dem Meerunge-
heuer anbringt. Die Aufgabe, dieses Thema zu variieren, mochte
er sich geflissentlich machen, und er hat sie mit bewundernswürdiger Bravour gelöst. Rüdigers Kampf ist dem Ovid nachgeahmt, der des Roland von seiner eigenen Erfindung und ganz
dem Charakter des Helden angemessen, wie er ihn nahm, nämlich als einen christlichen Simson. Oft aber kommen die späteren Schilderungen nur als abgeschwächte Wiederholungen der
schon dagewesenen heraus, wie zum Beispiel Marfise nur eine
weniger liebenswürdige Bradamante ist.

Man weiß, daß Ariost seinen ‹rasenden› Roland eigentlich als
Fortsetzung des ‹verliebten› und aus einer Art von Wette unter-
nahm, diesen zu übertreffen. Er brauchte also seinen Plan nicht
vom Grunde auf zu bauen; die meisten seiner nicht episodischen
Personen kommen schon in jenem älteren Gedichte vor; er
durfte nur die bunten Fäden des schon angelegten Gewebes fort-
spinnen und mit seinem Einschlage durchwirken. Der Mohren-
krieg bildet einen gemeinschaftlichen Mittelpunkt. Die christlichen und sarazenischen Ritter, deren irrende Lebensweise zur

Einführung der mannigfaltigsten Episoden sehr bequem ist, finden sich dann und wann im Hauptquartier zusammen, wenn es
dem Dichter einfällt; denn im ganzen genommen sind sie sehr
unbekümmert um die gemeine Sache und folgen jeder seinen
eigenen Grillen. Roland selbst leistet nichts Erhebliches zur Rettung Frankreichs, bis auf den überflüssigen Zweikampf mit
Agramant am Schlusse. Wie ganz anders in den ursprünglichen
Rittergeschichten! Die Begebenheiten des Mohrenkrieges, die
man so oft aus den Augen verliert, sinken im Fortgange nach
der aufgehobenen Belagerung von Paris (dieses ist ihr Kulmina-
tionspunkt) immer mehr, so daß der Leser schon alle Teilnahme
daran verloren hat, wenn ihnen der Dichter durch den dreifachen gewaltigen Zweikampf auf der Insel Lipadusa die Krone
aufsetzen will. Es gibt aber nichts mehr, was durch diesen Zweikampf zu entscheiden wäre; er ist also eine wahre Spiegelfech-
terei. Überhaupt ist das Gedicht um ein beträchtliches zu lang
geraten. Viele Fäden sind abgelaufen; viele Wunderdinge, der
diamantene Schild, das Horn, der Hippogryph, werden als abgenutzt verabschiedet; die buhlerische Angelika tritt in den Ehe-
stand und zieht nach Haus, Roland ist vom Wahnsinn geheilt,
der Zauberer Atlas, der so viele Knoten schürzte, ist vor Gram
gestorben, die Mohren sind vernichtet: nun bleiben Rüdiger
und Bradamante fast allein auf dem Schauplatze, und die übrigen treten als bloße Zuschauer zurück. Es wäre leicht, zu zeigen,
wie schlecht die neue Verwickelung, welche die Verbindung
der beiden Liebenden verzögert, angeknüpft ist. Man fällt wie
aus den Wolken, wenn Bradamante, die zuvor einer grenzenlosen Unabhängigkeit genoß, den kriegerischen Oberbefehl
über eine Provinz führte und allein auf Abenteuer umherzog,
die doch immer für ihre Jungfräulichkeit bedenklich sind, wie
ein eben aus einer Klosterpension zurückgekommenes Fräulein
ihre Eltern, von denen man bisher kaum etwas gehört, über
ihre Verheiratung als eine Familiensache entscheiden läßt, und

die Paladine, besonders ihr Bruder Reinold und Roland, haben dabei ein klägliches Zusehen. Der Dichter hat durch die gehäuften Schwierigkeiten diese Vermählung, worauf ein so großer Segen, nämlich die Abstammung des Hauses Este, beruht, zu heben gesucht. Die Leidenschaft jenes begünstigten Paares steht an sich nicht über manchen andern geschilderten. Rüdiger hat keine Gelegenheit zur Untreue versäumt, erst mit der Alcina, dann mit der Angelika; und was die unüberwindliche Bradamante für ihn tut, erregt weniger Rührung als die Aufopferung Isabellens für den toten Zerbin und die treue Anhänglichkeit Flördelisens an ihren Brandimarte.

Die abspringende Erzählungsweise, die man zu den anmutigen Seltsamkeiten des Ariosto rechnet, ist nicht von ihm zuerst aufgebracht; sie findet sich schon in den prosaischen Ritterbüchern, namentlich im Amadis, einem damals viel gelesenen Werke, welches als Vorbild einen bedeutenden Einfluß auf ihn gehabt zu haben scheint. Bei der breiten Masse von Dichtung, die diese Ritterbücher gleichzeitig fortzubewegen haben, liegt das Abspringen der Erzählung in der Natur der Sache; dem Ariost ist es aber zur Manier und zum Mittel geworden, die ursprüngliche Planlosigkeit zu verbergen oder mit gefälligem Leichtsinn einzugestehen. Häufig gibt er ganz kleine Ausschnitte von diesem und jenem, bis er endlich bei etwas verweilt. Zwischen den einander unterbrechenden Geschichten sollte wenigstens ein ungefähres Ebenmaß des Zeitraums stattfinden, den sie einnehmen. Ariost bricht aber zuweilen nach wenig dargestellten Augenblicken ab, führt uns anderweitige Begebenheiten vor, welche eine lange Zeit erfordern, und ergreift dann das erste, zum Beispiel ein abgebrochenes Gefecht, wieder. Diese Manier hat Cervantes geistreich parodiert, indem er ebenda eine Lücke in der Handschrift vorgibt, wo Don Quixote und der Biskayer zu gewaltigen Streichen aufeinander ausholen. Wir wollen daher niemanden raten, sich mit der Zeitrechnung des rasenden Roland zu bemühen: mit vielem Kopfbrechen würde doch schwerlich eine synchronistische Harmonie herauszubringen sein. *

Manchmal erregt Ariost Erwartungen, die unbefriedigt bleiben; so treten Sakripant und Ferrau im ersten Gesange weit bedeutender auf, als sie sich nachher zeigen. Andere Male fehlt es an der gehörigen Vorbereitung, und es kommen unerwartete Dinge in das Gedicht wie hineingeschneit. Ganz gegen das Ende wird dem Reinold der bekannte Zauberbecher angeboten, der die Untreue der Weiber durch Verschüttung des Trankes verrät. Reinold bewährt seine Weisheit, indem er die Versuchung des Vorwitzes abweist, um seine Gemütsruhe nicht zu gefährden. Bei dieser Gelegenheit wird es zum ersten und einzigen Male erwähnt, daß er verheiratet ist und daß seine unbedeutende Gattin Clarisse heißt. Da man ihn überall der Angelika nachjagen sieht, so läßt man sich's bis dahin nicht im Traume einfallen, daß er um die Treue seiner Frau sonderlich bekümmert sein werde. So etwas kann nach unsern Begriffen nicht anders als im höchsten Grade kunstlos genannt werden. Wußte denn Ariost im ganzen Umfange seiner Dichtungen keinen verliebten und glücklichen Ehemann aufzutreiben, dem der Becher schicklicher vorgesetzt werden konnte?

Über die Quellen der entlehnten Erfindungen im Rasenden Roland wären noch manche Nachforschungen anzustellen; die

---

* So ist es zum Beispiel offenbar widersprechend, daß Roland (Ges. XII. 17) in dem verzauberten Palast des Atlas früher ankommt als Rüdiger. Dieser hatte wenigstens einen Tag früher die Angelika auf der Insel Ebuda gerettet als jener die Olimpia; er war auf dem Hippogryphen, also in der größten Schnelle, an die Küste von Bretagne gelangt, und sogleich nachdem ihm Angelika verschwunden, begegnet ihm das Abenteuer, wodurch er in den Palast gelockt wird. Roland hingegen kehrte später und zu Schiffe von der Insel Ebuda zurück, ja nach dem Schlusse des elften Gesanges muß man glauben, der ganze Winter sei vor dem Abenteuer verstrichen, wo er Angelika zu sehen glaubt und ihr in den Palast nachfolgt. Vermutlich wußte der Dichter zu Ende des Gesanges noch nicht, wie er den Roland im nächsten verwenden wollte.

berüchtigte Frage des Kardinals Ippolito ist wohl noch immer
nicht vollständig beantwortet. Die zahlreichen Übertragungen
aus der alten Mythologie (ohne dabei noch die allgemeinen
Ähnlichkeiten in Anschlag zu bringen, die in der Märchenwelt
aller Zeiten und Völker natürlich vorkommen), besonders aus
Ovids Metamorphosen, dann aus Virgil und Homer, sind leicht
aufzuzählen. Manches ist fast unverändert aufgenommen, wie
zum Beispiel die verlaßne Ariadne als Olimpia, Andromeda und
Perseus als Angelika und Rüdiger; anderes mit nicht sehr ver-
dienstlichen Abänderungen, wie der Orco nach dem homerischen Zyklopen; noch anderes in seltsamer Zusammenstellung:
so ist es lustig genug, daß der im Mittelalter berühmte Christen-
könig des Morgenlandes, Priester Johann, hier zu dem von den
Harpyien geplagten Phineus wird, und Medor, nachdem er als
Euryalus neben einem ältern Freunde aufgeführt worden, dazu
dienen muß, die Angelika an den Mann zu bringen. Was die
eingeflochtenen Novellen betrifft, so sind die von Giocondo
und dem Hündchen des Pilgrims augenscheinlich fabliaux; ob
die ernsthafteren von Ariosts eigner Erfindung sind, lassen wir
dahingestellt sein. In dieser Gattung kann man ihn wohl einen
Nachahmer des Boccaz nennen, den er in der zierlichen Schalkheit kaum, in der tiefen Darstellung der Leidenschaft aber durchaus nicht erreicht. Den Grundstoff der Ritterfabeln von Karl
dem Großen und seinen Paladinen hat Ariost mehr durch
fremde Zutaten glänzend zu bereichern als aus seinem eigenen
Keime zu entfalten gesucht. Vielleicht stand er dem Zeitalter,
wo die Ritterbücher entstanden, noch zu nahe, um den ganzen
Wert dieser Dichtungen unter ihrer oft unscheinbaren Hülle einzusehen, und so behandelte er sie bloß als rohen, durch seine
Wahl und Willkür schon genug geehrten Stoff. Wir wollen
keine Vergleichung zwischen seinem für klassisch geachteten
Gedicht und manchen namenlosen veralteten Ritterbüchern in
Absicht auf einen gehaltnen Hauptton, auf erregte Teilnahme

und geheimnisvollen inneren Zusammenhang anstellen, um nicht noch mehr als schon oben der Paradoxie beschuldigt zu werden. Allein wir würden bei dergleichen Unternehmungen, eine Dichtung des Mittelalters mit gebildeter Kunst auszustatten, heutzutage strengere Forderungen machen.

Alles Obige zusammengefaßt, möchten wir den Ariost mit einem mehr gelehrten als gefühlvollen Virtuosen vergleichen, der in einer glücklichen Eingebung auf seinem Lieblingsinstrumente phantasiert. Er setzt durch seine gewagten Gänge in Erstaunen; er verstrickt sich geflissentlich in Labyrinthen von Tönen und überrascht in jedem Augenblicke die Hörer und überbietet sich selbst durch den unerschöpflichen Reichtum von Auflösungen, welche neue Verwickelungen herbeiführen und die ihm seine zur Fertigkeit gewordene Wissenschaft des Kontrapunktes wie von selbst an die Hand gibt. Allein so sehr er sich auch bemüht, am Schlusse das bisher Zerstreute und Zerstreuende zu sammeln, so gelingt es ihm doch nicht, einen bleibenden Haupteindruck im Gemüt zurückzulassen, und hierin sind ihm die einfachen, ungelehrten, aber originalen Volksmelodien, die man zu hören niemals müde wird, überlegen. Gegen zwei unserer Poesie nicht fremde Übel, süßliche Empfindelei und träumerische Verschwommenheit, wird sein Beispiel immer ein gutes Gegenmittel sein, so wie man einer Malerschule, die sich durch Nachahmung des Guido Reni und Albano verweichlicht hätte, das Studium des Giulio Romano empfehlen müßte.

DON QUIXOTE

Als vor etwa fünfundzwanzig Jahren ein gelehrter Kenner der spanischen Sprache und Literatur anfing, uns mit der letzten bekannt zu machen, und besonders den noch so gut wie völlig fremden Don Quixote in Deutschland einführte, so schlug er bei diesem Unternehmen, wie der lebhafte Beifall und die schnelle Verbreitung bewies, für die damalige Lage unserer eigenen Literatur und die allgemeine Empfänglichkeit der Lesewelt unstreitig den richtigsten Weg ein. Die eingestreuten Gedichte wurden meist ausgelassen, einige ernste Szenen verkürzt, und eine beträchtlich lange Novelle blieb ganz weg; und, was nach Wegnahme des poetischen Bestandteils notwendig erfolgen mußte, das Komische und Burleske trat stärker hervor und wurde herrschender Charakter des Werkes. Die Anlage des Don Quixote im ganzen ist so einzig glücklich erfunden, und die Hauptbegebenheiten sind daraus mit solcher Sicherheit und Leichtigkeit abgeleitet, daß er von dieser Seite auch denen einen unauslöschlichen Eindruck machen muß, die gar nicht geneigt sein möchten, sich auf das wunderwürdige Detail einzulassen; und die populärsten Züge, die eine sprichwörtliche Gültigkeit in verschiedenen Sprachen erlangt haben, sind gerade von dieser Art. Allein die Dichtung des göttlichen Cervantes ist etwas mehr als eine geistreich gedachte, keck gezeichnete, frisch und kräftig kolorierte Bambocciate (wiewohl sie auch dann gar nicht zu verachten wäre): sie ist zugleich ein vollendetes Meisterwerk der höheren romantischen Kunst. In dieser Rücksicht beruht alles auf dem großen Kontrapost zwischen parodischen und romantischen Massen, der immer unaussprechlich reizend und harmonisch ist, zuweilen aber, wie bei der Zusammenstellung des verrückten Cardenio mit dem verrückten Don Quixote, ins Erhabne übergeht. Indem der Dichter die abgeschmackte und kolossale Romanenwelt der Ritterbücher zerstört, erschafft er auf dem Boden seines Zeitalters und einheimischer Sitten eine neue romantische Sphäre; es ist gleichsam, als wollte er sagen, ‹seht, so muß man es machen, wenn man einmal über das gewöhnliche Leben hinausgehen will›. Es fehlt so viel, daß Cervantes durch Einflechtung der Novellen einem verderbten Zeitgeschmack hätte huldigen wollen (wovon er überhaupt weit entfernt war, denn er war sich, wie man aus vielen Äußerungen sieht, sehr wohl bewußt, er arbeite für die Ewigkeit; und durch Spott über die Ritterbücher zog er eben aufs kühnste gegen ihn zu Felde), daß er vielmehr, wie er ausdrücklich in der Vorrede zu seinen Novellen sagt, diese Gattung in Spanien zuerst aufgebracht hat. Noch weniger wird man sie für den Auswuchs einer üppigen und noch unreifen Dichtungskraft ausgeben können: denn die erste Hälfte des Don Quixote erschien, da Cervantes sich schon den Jahren des Greises näherte, und die Komposition des erst mit seinem Leben vollendeten großen Persiles, den er selbst für das Werk seiner Werke hielt, ist ganz von der Art wie einige ernste und pathetische Stellen in Don Quixote. Den vorzüglichsten Anstoß haben diese wohl durch den vorgeblichen Mangel an Zusammenhang gegeben, ein Einwurf, der besonders beim Curioso impertinente und schon bei Cervantes Zeiten laut geworden ist. Wenn aber ein materieller Zusammenhang gefordert wird, der die Vorfälle wie Ursache und Wirkung, wie Mittel und Zweck untereinander verknüpft, so daß alles darauf abzielt, irgend etwas zustande zu bringen, eine Heirat etwa oder andre tröstliche Dinge, wonach der große Haufe der Liebhaber die letzten Blätter eines Romans begierig umschlägt, so wäre alsdann die Komposition des ganzen Don Quixote äußerst fehlerhaft. Denn er besteht aus Begebenheiten, die zwar aus einem

gemeinschaftlichen Grunde herfließen, deren Folge aber, nach
dem bloßen Begriff betrachtet, zufällig ist, die jede ihre Verwickelung und Auflösung für sich haben und zu nichts weiter
führen. Es scheint, daß man die strengeren Gesetze des Dramas
mit dem weit freieren, dem epischen Gedichte analogen Gange
des Romans verwechselt hat. Wir erinnern uns keines Tadels der
Kritiker über die Geschichte der Liebschaft zwischen Mars und
Venus in der Odyssee, als dem Zusammenhange fremd und gewaltsam aufgedrungen; und doch hat sie nicht mehr mit den
Schicksalen des Ulysses gemein als die Novelle vom Curioso
impertinente mit denen des Don Quixote. Auch die Art der
Einführung ist hier nicht willkürlicher wie dort, denn es macht
doch wohl keinen wesentlichen Unterschied, ob etwas vorgelesen oder gesungen wird. Um es kurz zu sagen, im echten Roman ist entweder alles Episode oder gar nichts, und es kommt
bloß darauf an, daß die Reihe der Erscheinungen in ihrem gau-
kelnden Wechsel harmonisch sei, die Phantasie festhalte und nie
bis zum Ende die Bezauberung sich auflösen lasse. Wenn je ein
Roman dies auf das vollkommenste geleistet hat, so ist es Don
Quixote. Sobald einen der hinreißende Eindruck vom Reich-
tume des Ganzen zur Betrachtung einzelner Teile zurückkehren
läßt, so erkennt man überall den besonnenen Künstler in der
weisesten Anordnung und Verteilung. Gleich beim Eintritte
läßt er die überspannten Ideen des Ritters, um ihnen gar keinen
Schlupfwinkel zur Rettung übrigzulassen, gegen die gemeinste
Wirklichkeit anstoßen; das gibt natürlich heftige Erschütterun-
gen, und hier sind also die unglücklichen und blutigen Abenteuer zu Hause. Manche haben gewünscht, der Geschichtsschreiber möchte seinem Helden einiges von den unendlichen Schlägen, Püffen, Steinwürfen und sonstigen Verwundungen, die er
bekommt, erspart haben. Daß die Dosis zuweilen etwas stark
ist, kann nicht geleugnet werden; indessen wird sie es hauptsächlich durch die schnelle Wiederholung, und doch wäre es

keine gute Maßregel gewesen, die Schläge und übrigen Beschwerden der irrenden Ritterschaft durch die vier Bände gleich
zu verteilen: denn außer daß Don Quixote dabei nie zu einer
heilen Haut gelangt wäre, sollte er einen Stand der Erhöhung
erleben, zu welchem er vorher die Stufen der tiefsten Erniedri-
gung durchgegangen sein mußte. Mitten unter jenen niedrigen
Umgebungen kündigt die tragische Geschichte des Chrysostomus an, daß die Dichtung nicht bloß diese eine Seite des Lebens
fassen, sondern ein allgemeines Bild desselben aufstellen will.
Mit dem Eintritte in die Sierra Morena öffnet sich ein neuer
Spielraum romantischer Darstellungen, die nun immer gedrängter aufeinander folgen und zuletzt zu einer entzückend voll-
stimmigen Symphonie zärtlicher Leidenschaften werden, bis
der Ton der Erzählung wieder zum ruhigeren Gespräche herabsinkt und mit einem sanften Abfalle schließt. Der dritte Band
hebt leise an und geht durch glänzende, jedoch immer mit Un-
glücksfällen untermischte Abenteuer zu Don Quixotes Einführung in die große Welt und den bunten phantastischen Vorspie-
gelungen, wodurch fremder Mutwille seinen Wahn unterhält,
im vierten Teile fort. Die Szenen des höheren Lebens bilden
hier schon einen poetischen Gegensatz, so daß es der ernsten
episodischen Einmischungen, deren Cervantes sich gewiß nicht
aus Rücksicht auf die Pedanterie seiner Kritiker enthielt, weniger bedurfte, wiewohl die Hochzeit des Camacho und die Geschichte der schönen Mohrin wahre Novellen sind. Was aber
die einheimische Natur Reizendes und Bizarres in der Erscheinung, Kühnes und Romantisches im Gehalt und in der Bedeutung herleihen konnte, sei es nun eine gebildete Gesellschaft, die
den Genuß des Landlebens mit einer schäferlichen Verkleidung
dichterisch ausschmückt, oder ein glühendes Mädchen, das im
Anfalle wilder Eifersucht ihren Geliebten umgebracht hat, oder
ein großmütiger Räuberhauptmann, ein wahrhaftiger und mächtiger irrender Ritter: alles ist mit unerschöpflicher Empfindsam-

keit angebracht und vor dem Helden zu mannigfaltiger Berührung, Akkorden und Dissonanzen vorübergeführt. Wie unbillig
erscheint das Urteil, die zweite Hälfte stehe der ersten weit nach,
sobald man sich nur von dem Verhältnisse dieses Teils zum
Ganzen und dem, was nach der Natur der Sache hier zu erwarten war, einige Rechenschaft gibt! Don Quixote konnte und
durfte nicht mehr so heftig gegen die äußere Welt anstoßen wie
zu Anfange, und dies zu vermeiden, hat der Dichter den Umstand trefflich benutzt, daß der erste Teil der Geschichte so viel
früher erschienen war: die Narrheiten des Ritters werden als bekannt vorausgesetzt und daher geschont. Da er sich lange genug
selbst zum besten gehabt hat, so haben ihn nun natürlich andere
zum besten; sowie die Geschichte weiter fortgeht, wird er folglich immer passiver, und um diese Lücke auszufüllen, spielt Sancho mehr die Hauptrolle. Gegen das Ende sieht man am Don
Quixote einen Zustand wie den der Ermattung nach einem
hitzigen Fieber; die neue sanftere Schwärmerei, ein arkadisches
Schäferleben zu stiften (die schon im ersten Teile von der Haus-
hälterin prophezeit wird; so weiß der absichtsvolle Cervantes
vorzubereiten!), ist gleichsam sein Schwanengesang; sein Tod,
der ruhig sein mußte, wenn sich das Werk befriedigend runden
sollte, ist meisterhaft herbeigeführt. Allein wenn man auch
bloß die lustigen Abenteuer vergleicht, was hat jenes mit den
Windmühlen vor der Wassermühle und die Schlacht der beiden
Schafherden vor der Zerstörung der Marionetten voraus,
als daß sie früher vorkommen? Und was ist an Kunst und
Phantasie mit dem Traum in der Höhle Montesinos zu vergleichen? Bei der Notwendigkeit im Tun und Reden der
beiden Hauptpersonen manches wiederkommen zu lassen, hat
sich Cervantes wie ein gelehrter Musiker durch unendliche
Variationen zu helfen gewußt; Sancho Pansa rückt wirklich
vor und ist in der zweiten Hälfte noch um vieles anmutiger als
in der ersten.

Zu einer vollständigen Charakteristik und Beurteilung des Originals, die aber außerhalb der Grenzen dieser Blätter liegt, würden obige Bemerkungen nur ein geringer Beitrag sein: sie stehen hier bloß, um einen Gesichtspunkt anzugeben und den Grundsatz festzusetzen, daß ein solches Werk, ganz wie es ist, übersetzt werden müsse. Das ist die Absicht der gegenwärtigen Verdeutschung. Nur wer mit dem spanischen Originale vertraut ist und aus eigner Erfahrung weiß, was es überhaupt mit poetischen Nachbildungen auf sich hat, kann den ganzen Umfang der diesem Unternehmen anhängenden Schwierigkeiten übersehen. Es ist fast unmöglich, dabei alles auf einmal zu leisten: wie es in diesem Fache nicht anständig ist, irgend etwas anders als Meisterstücke zu übersetzen, so hat man dagegen an diesen immerfort zu tun, um ihre Übertragung der Vollkommenheit näherzubringen, die eigentlich eine unendliche Aufgabe ist. Indessen wird man die vorliegende Arbeit des Herrn Tieck, soweit die Vollmacht unserer Sprache in ihrem jetzigen Zustande zu der Vermittelung hinreicht, sowohl bei der Vergleichung mit dem Text im einzelnen als noch mehr, wenn man sich bei fortgehender Lektüre dem gesamten Eindrucke überläßt, in den meisten Punkten sehr befriedigend finden. Sie ist durchaus von der Art, daß bei ihrer Prüfung nur der höchste Maßstab angelegt werden kann. Wir gehen zum Einzelnen über.

Zuvörderst gibt uns der Übersetzer alles in dem Buche Enthaltene oder dazu Gehörige mit der größten Vollständigkeit, bis auf die vorangeschickten Empfehlungssonette von fabelhaften Personen, die wunderlichen Verse Urgandas der Unbekannten an das Buch mit abgekniffenen Endsilben und die Dedikation; eine Gewissenhaftigkeit, die keinesweges überflüssig ist, da aus einem solchen Geiste nichts kommen konnte, was unbedeutend oder seiner Stelle fremd wäre. Cervantes war so durchaus Dichter, daß selbst seine Vorreden und Zueignungen (wie zum Beispiel die vor der zweiten Hälfte des Don Quixote an den Grafen von Lemos) wahre dichterische Kompositionen sind.

Die eingestreuten Sonette und andere Gedichte sind im Ton
und Geist der Originale und, was hiezu erstaunlich behülflich
ist, auch in den ursprünglichen Silbenmaßen übertragen. Zu
einer Probe in der ernsthaften Gattung mag folgendes Sonett
dienen, welches der über die Verräterei eines vermeinten Freundes verwilderte Cardenio singt:

> Du heil'ge Freundschaft, von uns zu entweichen,
>   Hat dich dein leichter Flug emporgeschwungen,
>   Du bist zu sel'gen Geistern hingedrungen,
>   Zu den gebenedeiten Himmels-Reichen.
>
> Von dort reichst du uns oft als schönes Zeichen
>   Die Eintracht, dicht von Schleiern eingeschlungen,
>   Oft scheint uns dann ein edles Herz errungen,
>   Das Laster weiß der Tugend wohl zu gleichen.
>
> Vom Himmel steige, holde Freundschaft, nieder,
>   Der Trug hat sich dein schönstes Kleid ersonnen,
>   Er tötet schleichend jegliches Vertrauen.
>
> Nimmst du ihm nicht die falsche Zierde wieder,
>   So wird die Welt den alten Krieg begonnen
>   Und Zwietracht wieder als Regenten schauen.

Das kurz vorhergehende Echo, das einem Seufzer verirrter Liebe
gleicht, nähert sich der Zartheit des Spanischen, welches viel
sagen will. Die dem Don Quixote durch Liebespein abgedrun-
genen poetischen Versuche haben bei Beobachtung ihrer Form
auch ihre ganze Drolligkeit beibehalten:

> Hier ist er, der Ort, den erwählet
>   Der Liebende, ewig getreu,
>   Der ihn der Geliebten verhehlet,
>   Hier reißet der Schmerz ihn entzwei,
>   Er weiß nicht recht, was ihn so quälet.

Die Liebe, sie schleppt ihn im Kote,
   Wie keinem es jemals geschah,
   Drum welkt er wie Bohn' oder Schote;
Denn hier bewein' ich, Don Quixote,
   Die Trennung von Dulcinea
   von Toboso.

Daß der Name des Ritters auch in den beiden andern Strophen zum Reimworte dienen muß (welches, beiläufig zu bemerken, an seine richtige Aussprache erinnern kann, die wir doch statt der ungültig aus dem Französischen angenommenen wieder einführen sollten), war selbst im burlesken Stil keine leichte Sache. Sollte ich etwas aussetzen, so wäre es, daß der Reim auf der nicht akzentuierten Endsilbe von ‹Dulcinea› ruht, statt den Namen in ‹Dulcineen› umzubiegen, wo alsdann in obiger Strophe ‹geschah› nur in ‹geschehen› verändert werden durfte. Doch dies kann immer unter den übrigen Lizenzen der kümmerlichen irrenden Muse des Ritters mit durchgehen. An dem erhabnen Todesgesange des Chrysostomus, in welchem alle Laute des Schmerzes versammelt sind und wie aus dem Abgrunde des zerrissenen Innersten gedämpft herauf tönen:

Des wilden Wolfes schreckenvolles Ächzen,
   Gebrüll des Löwen, gift'ger Schuppenschlangen
   Entsetzliches Gezisch, du gräßlich Sausen
Von tausend Ungetüm; prophetisch Krächzen
   Der Krähe, Sturm, wenn du die nassen Wangen
   Der Fluten geißelst unter dumpfem Brausen;

Gegirr der Witwentauben in den Klausen,
   Des Stiers Geröchel, den die Todeswunde
   Zu eitlem Wüten ängstet, dumpf Gestöhne
   Der gattenlosen Eule, Klagetöne
Von jeder Schar im unterird'schen Schlunde:

> O klingt, und helft mir meine Klagen weinen,
>   Daß alle sich zu einem Ton vereinen,
>   In wilder Freundschaft durch die Lüfte brechen,
>   Ein würd'ger Ausdruck meines Schmerzes werden,
>   Denn er darf nur in neuen Weisen sprechen –

hat der Übersetzer etwas geleistet, wovon uns kein Vorbild in der deutschen Sprache bekannt ist, was aber an Kanzonen des Petrarca, Chören aus dem Aminta und Pastor fido usw. reichlich Gelegenheit zur Nachfolge findet. Man kann den Geist der Kanzone, die wir in der Kürze als die über sich selbst reflektierende Ode charakterisieren möchten, nicht ahnden lassen, wenn man nicht ihre eigne Weise zu vernehmen gibt: ihre langen Strophen, weiblichen Schlüsse der Verse und vielfach verschlungenen Reime. Freilich ist der metrische Zwang dabei sehr groß, und er hat hier manchmal Abweichungen veranlaßt, wodurch feine Fugen des Zusammenhanges gelöst werden, wie es zum Beispiel bei der dritten Strophe der Fall ist. Im Originale herrscht eine gewisse besonnene Spitzfindigkeit der Verzweiflung, es ist düster ohne Verworrenheit. Die vorletzte und die zweite Hälfte der letzten Strophe sind vorzüglich gut erreicht; auch der Nachhall am Schlusse:

> Beklagt euch nicht, verzweifelnde Gedichte,
>   Daß ich euch auch mit mir zugleich vernichte,
>   Denn ihr vergrößert wie mein Tod das Glücke
>   Von der, die nur beseligt wird durch Jammer;
>   Drum ohne Klagen geht ins Nichts zurücke. –

Da der Übersetzer einmal in Nachbildung des Silbenmaßes das Unmögliche getan, so wäre zu wünschen, er hätte die vorletzte Zeile jeder Strophe nicht ohne Reim gelassen, da sie im Spanischen den ihrigen in der Mitte des letzten Verses hat, wie wenn zum Beispiel oben statt ‹Jammer› stände ‹Plagen›. Ein solcher eingeschalteter Reim ist in unserer älteren Poesie nicht ohne Beispiel.

Über den im Liede des Hirten Antonio gehaltnen Ton und Weise kann ich mit dem Übersetzer nicht einig sein. Zwar in welchem Silbenmaße eine spanische Romanze in sogenannten Castellanas mit durchgehender Assonanz am besten zu übersetzen sei, darüber läßt sich noch viel hin und her streiten, und inwiefern mit ihren achtsilbigen Versen unsere vierfüßigen Trochäen übereinstimmen, würde hier zu weitläufig zu erörtern sein. Allein der Gang des Liedes ist offenbar zu hüpfend und unstet geworden und die Muse des bäurischen Sängers zu komisch aufgeputzt. Es ist eine Eigentümlichkeit der südlichen Sprachen, daß das Volkslied nicht ins Grobe oder Unedle verfällt, sondern eine gewisse Reinheit, ja Zierlichkeit mit der Poesie höheren Schwunges gemein hat. In der zehnten Strophe ist ein Mißverständnis, das sich ebenfalls in der Bertuchschen Übersetzung findet:

> Dir zuliebe so laß' ich das Tanzen,
> Musizieren und auch Reimerei,
> Da ich sonst immer gesungen,
> Schon vom ersten Hahnenschrei.

> *Dexo el baylar por tu causa,*
> *Ni las músicas te pinto,*
> *Que has escuchado á deshoras,*
> *Y al canto del gallo primo.*

Dexo heißt hier nicht ‹ich unterlasse›, sondern ‹ich übergehe mit Stillschweigen›. Der zweite Vers läßt keinen Zweifel übrig. Er rühmt vielmehr, daß er ihr zuliebe tanzt und Serenaten anstellt, á deshoras, zur Nachtzeit, wenn andere Menschen schlafen.

Doch genug von den Gedichten. Was die Prosa betrifft, so liebt der Castilianer wie der Italiener in seiner sonoren und leicht hingleitenden Sprache, daß das Ohr mit einer tönenden Fülle von Worten und majestätischem Umfange der Perioden befriedigt werde; und dieser goldene Strom der Beredsamkeit ist nicht das, was den einheimischen Leser an seinem Don Quixote am wenigsten entzückt. Vor nichts muß sich also der Übersetzer mehr hüten, als nicht in die zerschnittene Schreibart zu verfallen, die sich zudem weder mit der Ruhe der Darstellung noch mit ihrer gefälligen Umständlichkeit verträgt. Auf der andern Seite schlingen sich bei unserer Wortfügung die Sätze nicht so leicht vermittels der Partizipien und relativen Fürwörter aneinander, daher bei gleicher Länge der Perioden das Schleppende schwerlich zu vermeiden wäre. In gegenwärtiger Übersetzung finden wir hierin meistens das rechte Mittelmaß getroffen. Die Rede der Marcella und Don Quixotes Beschreibung, wie ein irrender Ritter dazu kommt, die Tochter eines Kaisers zu heiraten, können Proben davon abgeben. Ein Beispiel von einem schön gebauten und sonor gebliebnen Perioden ist Seite 259 der, welcher anfängt: «Du merkst, getreuer und redlicher Edelknabe» usw. Freilich bei Stellen wie die, wo Don Quixote die Heere schildert, die er zu sehen wähnt (besonders: En estotro esquadron vienen los que beben las corrientes cristalinas del olivifero Betis usw.), muß unsere Sprache gegen die hochtönende Pracht beinah verstummen und kann über diesen Punkt zu einiger Selbsterkenntnis kommen. – Es bedarf nicht besonders erinnert zu werden, daß ein Werk wie Don Quixote zunächst zum Vorlesen bestimmt ist; und wenn dies gehörig geschieht, so werden auch solchen Lesern, denen es zuerst fremd ist, die Vorteile des periodischen Stils für den stetigen und fortziehenden Gang der Erzählung ins Gehör fallen.

So wahr und lebendig das Mimische im Don Quixote ist, wenn Personen aus den geringeren Ständen redend eingeführt werden, so hat sich doch Cervantes zu diesen Vertraulichkeiten mit zierlichem Anstande herabgelassen: die nachdrücklichen

Reden, eingefädelten Gemeinsprüche und Scherze des unver-
gleichlichen Sancho fallen nie ins Plumpe, sondern konnten
überall den Namen gracias y donayres verdienen; wie es denn
auch billig war, daß die Geschichte des unsterblichen Ritters
nirgends mit einer Feder vom Vogel Strauß geschrieben würde,
was Cervantes den Avellaneda getan zu haben beschuldigt. Da
die Sprecharten des Volkes in unsern nordischen Sprachen aus
beträchtlich gröbern Fäden gesponnen zu sein scheinen und die
Zierlichkeit jener südlichen, wir möchten sagen, eine allgemeinere Mitteilsamkeit hat, so war eine große Sorgfalt hiebei erforderlich. Der Übersetzer hat sie daran gewandt und sich sehr
gehütet, den bescheidenen Farbenauftrag nicht zu verstärken
und die Lokaltinten nicht greller gegeneinander abstechen zu
lassen. Nur um zu zeigen, wie wir es hiemit meinen, mögen
hier ein paar Beispiele stehen, wo ich noch eine kleine Verstär-
kung wahrzunehmen glaube. Seite 129 sagt ein ankommender
Ziegenhirt: «Wißt ihr nicht, Kameraden, was im Dorfe los ist»;
lo que pasa el en lugar, was im Dorfe ‹vorgeht›. Hierauf erzählt
er vom Tode des Chrysostomus: «und das Lustige bei der Sache
ist, daß er im Testamente befohlen hat»; lo bueno es, ‹das beste
dabei ist›. Seite 13: «Darüber ist nun das ganze Dorf in Alarm.»
Im Texte steht alborotado, ein Ausdruck, der selbst in ernster
Poesie vorkommt, was mit dem in der Übersetzung gebrauch-
ten nicht der Fall ist. – Eine eigene Art des Komischen im Don
Quixote machen die Mißgriffe des Sancho und anderer geringen Leute aus, wenn sie Worte gebrauchen, die etwas über ihren
Horizont sind, wobei im Deutschen etwas Entsprechendes an
die Stelle gesetzt werden mußte. In der Erzählung des Pedro
(S. 129 f.) ist dies gleich mehrmals mit Glück geschehen. Ebenso
die drolligen Entstellungen ritterlicher Namen, die dem Sancho
entschlüpfen, wenn er aus dem Balsam des Fierabras einen
‹Trank Fieberfraß› (im Spanischen bebida del feo Blas) und aus
dem Mambrin, dessen Helm Don Quixote erobert zu haben

glaubt, einen ‹Mohren Schandriem› (im Spanischen Malandrino
statt Mambrino) macht. Ungemein lustig ist es, wenn Sancho,
da er den Brief seines Herrn an Dulcinea aus dem Gedächtnisse
wieder herstellen soll, die Überschrift Soberana y alta Sennora,
in Alta y sobajada Sennora verändert. Im Deutschen mußte dabei eine ganz andere Wendung genommen werden. Sancho
bringt nach vielem Sinnen heraus: ‹Erhabene Herrscherin! Mein
Närrchen!› Es hatte gestanden ‹Monarchin!› Nicht alle Wortspiele ließen sich so unverändert übertragen wie das Oyeron á
deshora otro estruendo que les aguó el contento del agua, Seite
258, «sie hörten ein anderes Rauschen, daß ihnen die Freude
über das Wasser verwässerte». Indessen ist Seite 21 bei den tru-
chuelas und truchas, Seite 224 bei den aventuras und desven-
turas und bei den gereimten Redensarten, wie de ceca en meca,
das Mögliche geschehen, sie durch etwas Ähnliches zu ersetzen.
Auch das Spiel zwischen rocines und Rocinante am Schlusse des
allerliebsten Sonetts, worin die Pferde Babieca (nicht Babinza)
und Rocinante sich unterhalten:

> Wem klag' ich wohl, daß ich mich hungrig quäle,
>   Wenn es dem Herrn wie Knappen gleicherweise
>   Noch knapper geht als selbst dem Rozinant?

Wir wollen hier nicht gegen gewisse Kunstrichter, die jedes
Wortspiel als eine ästhetische Todsünde betrachten, die Fragen
untersuchen, warum es nicht erlaubt sein sollte (den möglichen
Mißbrauch eingeräumt), ebensogut wie mit andern Dingen,
zuweilen auch mit Worten zu spielen, da doch die ganze Poesie
ihrer äußern Form nach eigentlich ein Spiel mit Worten ist; ob
hiebei nicht dasselbe Prinzip zum Grunde liegen möchte, welches zum Beispiel dem Reime Entstehung gegeben hat; ob nicht
ein Hang dazu, besonders in der ernsteren Gattung, einen zarten
Bau der Sprachen und eine regsame Phantasie verraten dürfte,

die gern in der sinnlichen Bezeichnung der Dinge Anspielungen auf inneres Wesen findet. Genug, sind einmal Wortspiele im Originale vorhanden, so ist es ein Zug der Untreue und muß eine Lücke verursachen, wenn sie nicht übertragen werden...

In der Erwartung, die man häufig und mit Zuversicht geäußert hat, als müßten die großen politischen Begebenheiten in Frankreich eine schnelle und durchgängige Umschaffung der französischen schönen Literatur hervorbringen, liegt unstreitig viel Überspanntes. Zwar ist der seit jenen verflossene Zeitraum bis jetzt noch viel zu kurz und zu unruhig gewesen, um sie durch die Erfahrung zu widerlegen: aber die Frage ist nicht von der Art, daß nur die Erfahrung zu ihrer Entscheidung berechtigen könnte. Sosehr auch der Geschmack, als ein Teil des Nationalcharakters oder aufs genaueste damit zusammenhängend, den Einflüssen der politischen Verfassung unterworfen sein muß, so ist doch diese nicht die einzige moralische Ursache, welche den Charakter einer Nation bestimmt, und die physischen Ursachen bestehen unmittelbar unter allen Verfassungen. Hiezu kommt, daß jede bis auf einen gewissen Grad gebildete Sprache ihr Volk mehr beherrscht als von ihm beherrscht wird, und daß vermittels einer solchen Sprache, die sich in einer schon festgesetzten Form forterbt, entfernte Menschengeschlechter ihren Nachkommen eine Erziehung geben, welche oft von diesen gar nicht wahrgenommen, oft geradezu geleugnet wird und desto unfehlbarer wirkt. Da die französische Sprache durch die höchste Verfeinerung auf eine zierliche Einförmigkeit beschränkt und bis zur Schwächung abgeglättet und zugespitzt ist, so läßt sich bei ihr ebensowenig als bei einer schon entwickelten Organisation an eine wesentliche Umgestaltung denken, die keine Ausartung wäre. Solange aber die Sprache, von der einen Seite das Medium der geistigen Empfänglichkeit, von der andern das

Werkzeug des Dichtergeistes und Witzes, feinere Ausbildungen abgerechnet, dieselbe bleibt: wie sollten im Reiche des Geschmacks höhere Forderungen als bisher gemacht und wie befriedigt werden können? Wie vieles wird noch geschehen müssen, wenn die französische Nation den so tief eingewurzelten und auf gewisse Art gegründeten Glauben aufgeben soll, daß sie in jeder Gattung unübertreffliche Muster der Nachahmung besitze?

Es gibt indessen Arten der Bildung, die nur in besonderen Verhältnissen des geselligen Lebens gedeihen, und in Ansehung dieser kann man ohne Bedenken sagen, daß in Frankreich eine neue Epoche der Literatur angefangen hat. Da das nächste Zeitalter geneigter sein wird, die Eigentümlichkeiten der geendigten Epoche fremd und klein zu finden, als sie ausschweifend zu bewundern, so ist es verdienstlich, alle noch vorhandenen Schriften, worin sie sich ausspricht, zu sammeln und auf die Nachwelt zu bringen. Sie können nicht nur wichtige Beiträge zur Sittengeschichte liefern, sondern auch durch Vorzüge glänzen, die aus jener erklärt werden müssen und die man, wo sie sich finden, genießen, aber nicht zurückwünschen darf, wo sie ausgestorben sind. Dahin gehört eine gefällige, witzige Frivolität, die nur aus dem Mittelpunkte geschmackvoller Üppigkeit hervorgehen kann. Sie war Chamforts Geiste nichts weniger als fremd; doch hätten wir aller Wahrscheinlichkeit nach in dem, was von ihm verloren gegangen ist, vorzüglich in seinen Erzählungen und in seinen Episteln der Ninon, noch mehr Anlaß gefunden, ihn mit Köpfen wie Hamilton und Boufflers zu vergleichen als in dem Teile dieser Sammlung, worin er seine Kenntnis der Welt und der Menschen niedergelegt hat, und zwar zuweilen als witziger und satirischer, aber meistens als ernster Beobachter erscheint. Seine dichterischen Erzeugnisse zeichnen ihn am wenigsten aus. Sie tragen das allgemeine Nationalgepräge, und die Fesseln der konventionellen französischen Kunstregeln haben seinem originalen Geiste wenig freie Bewegung gestattet. Als Kunstrichter

ist Chamfort Akademist und gläubiger Verehrer des klassischen
Zeitalters unter Ludwig dem Vierzehnten. In seiner Philosophie,
die er immer nur aphoristisch vorträgt, erkennt man den Zeitgenossen von Voltaire, Helvetius und den Enzyklopädisten.
Aber seine Ansichten der Gesellschaft und des Lebens überhaupt sind das reine Resultat seiner Persönlichkeit und seiner
Erfahrung. Sie wurden erst nach seinem Tode in der Sammlung seiner Werke der Welt mitgeteilt und möchten leicht den
anziehendsten Teil seines ganzen schriftlichen Nachlasses ausmachen.

Ein Zug, der Chamfort von vielen witzigen Köpfen seiner
Zeit unterscheidet und den der Herausgeber in das vollste Licht
zu stellen bemüht ist, um ihn dem jetzigen französischen Publikum zu empfehlen, ist die uneigennützige Wärme, womit seine
Denkart der neuen Ordnung der Dinge entgegenkam. Der
ganze Ton seiner Bildung hätte ihn eher davon entfernen müssen, wenn diese Bildung nicht von einem sehr entschiedenen
Charakter begleitet gewesen wäre, in welchem jede Überzeugung sich zur Triebfeder des Betragens und zur Neigung erhob.
Er lebte in der großen Welt; die Art von Glück, welche er gemacht hatte, verdankte er ganz einem literarischen Luxus, der
nur in einer Verfassung der Gesellschaft stattfinden kann, wo
die angesehenste Klasse das Vorrecht hat, sich nicht um das
Nützliche bekümmern zu dürfen, und daher einen hohen und
ausschließenden Wert auf bloß glänzende Vorzüge legt. Er war
in einem Alter, wo man keine neuen Gewohnheiten mehr an-
nimmt, wo die Wünsche und Bestrebungen der meisten Menschen sich auf ruhigen Besitz des Erworbenen beschränken und
wo ihnen alles unwillkommen ist, was diesen Besitz auch nur
entfernterweise zu stören droht. Dennoch hielt ihn weder Einseitigkeit noch Eigennutz noch Eitelkeit ab, seinen Überzeugungen eifrig und öffentlich zu huldigen. Mehrere vorher berühmte Schriftsteller haben sich bloß aus Ehrgeiz auf die Seite

der Revolution geworfen, um sich eine noch glänzendere Existenz zu verschaffen, da sie einsahen, daß ihre bisherige ein Ende nehmen müsse; Chamfort hingegen scheint dabei gar nichts für sich gesucht zu haben. Er fühlte bei seiner schwachen Gesundheit keinen Beruf, sich in die Strudel der politischen Tätigkeit zu stürzen; aber er blieb unter jedem Wechsel der Begebenheiten seinen Grundsätzen treu, und alles, was er für die Revolution sprach oder schrieb, floß aus eignen wahren Gesinnungen. Den stärksten Beweis hievon gab er dadurch, daß er zuletzt selbst ein Opfer seiner Freimütigkeit wurde.

Über den damaligen Zustand der französischen Literatur gibt der Bericht, welchen der gelehrte und einsichtsvolle Herausgeber, Ginguené, von Chamforts schriftstellerischer Laufbahn erstattet, manche Aufschlüsse. Sonst aber haben die Schriften, wodurch Chamfort hauptsächlich seinen literarischen Ruf erwarb, für uns gerade am wenigsten Bedeutung. Sie bestehen großenteils in theatralischen Arbeiten und akademischen Preisschriften, welche ihm im Jahre 1781 eine Stelle in der französischen Akademie verschafften. Der darauf folgende Zeitraum bis in die ersten Jahre der Revolution war die glücklichste und glänzendste Periode seines Lebens. Der Graf von Vaudreuil, ein liebenswürdiger Hofmann, der damals in hoher Gunst stand, war Chamforts genauer Freund und bewog ihn, eine Wohnung in seinem Hause anzunehmen, wo er, frei von aller Abhängigkeit, bald das Schauspiel der großen Welt genoß, bald sich in einen ausgewählteren Zirkel von Freunden zurückzog, bald ruhig seinen Lieblingsbeschäftigungen nachhing. So wie die politische Gärung zunahm, mußten ihn freilich seine Meinungen und selbst seine Warnungen immer mehr von einem Adel entfernen, der den nahen Fall nicht voraussah; er trennte sich daher nicht lange vor dem Ausbruche der Revolution von Vaudreuil. In den ersten Jahren jenes Zeitraums bildete sich auch seine genaue Freundschaft mit Mirabeau, die bis zum Tode des letzten fort-

dauerte. Vielleicht führt den Biographen der Wunsch, seinem
Freunde politische Wichtigkeit beizulegen, zu weit, wenn er behauptet, Chamforts Rat und Leitung habe auf Mirabeaus öffentliche Laufbahn den entschiedensten Einfluß gehabt. Zwar scheinen die seitdem herausgegebenen Briefe Mirabeaus an Chamfort die Behauptung des Biographen zu bestätigen. Mirabeau
eröffnet sich seinem Freunde nicht nur mit großer Innigkeit und
unbegrenztem Zutraun; in den stärksten Ausdrücken erkennt
er dessen Überlegenheit und das Wohltätige seiner Leitung an.
Allein Mirabeaus kühner Geist hatte immer Mühe, von dem
leidenschaftlichen Ungestüm, wodurch er eben so unwiderstehl-
lich wirkte, nicht zu Verirrungen hingerissen zu werden. Er
mußte daher einen großen Wert auf die Reife, auf die Gabe der
kühleren Beobachtung legen, die Chamfort bloß durch Jahre
und Erfahrung vor ihm voraus hatte. Auch gehörte er, wie man
vorzüglich aus seinen Briefen sieht, zu den auf eine edle Art ver-
schwenderischen Gemütern, die andern aus der Fülle ihrer Vorzüge erst leihen, was sie von ihnen zu empfangen scheinen.
Mirabeaus ausgebreitete Aufmerksamkeit sogar auf sehr untergeordnete Menschen, um sie zu seinen Zwecken zu benutzen,
kann wohl nicht hieher gezogen werden. Chamfort war zu tiefer
Menschenkenner und fühlte sich zu sehr, um ein solches Verhältnis nicht zu merken und es sich gefallen zu lassen. Nur freie,
auf Übereinstimmung und Gleichheit gegründete Anhänglichkeit konnte ihn bewegen, so uneigennützig für Mirabeau zu
arbeiten. Er hatte beträchtlichen Anteil an dessen früheren Werken und vorzüglich an der Schrift über den Cincinnatus-Orden.
Noch in späterer Zeit dauerte diese gemeinschaftliche Wirksamkeit fort. Chamfort hatte eine Rede über die Abschaffung der
Akademien ausgearbeitet, welche Mirabeau halten sollte, als ein
plötzlicher Tod ihn hinwegraffte. Auch andern Rednern der
konstituierenden Versammlung stand Chamfort mit seinem
Geiste und seiner Feder bei.

Die ihn betreffenden Folgen der Revolution, welche ihn bald aus gewohntem Überflusse in die eingeschränkteste Lage versetzten, machten ihn in seinem Eifer für sie nicht irre. Man hat ihm im ‹Journal de Paris› nachgerühmt, er habe alle Mißbräuche der alten Regierung sogar an sich selbst leidenschaftlich verfolgt. «Er eiferte gegen die Pensionen, bis er keine mehr hatte; gegen die Akademien, wovon die Einkünfte seine einzige Hülfsquelle geworden waren, bis es keine mehr gab; gegen alles Weihrauchstreuen und Liebedienern, bis niemand mehr sich um sein Wohlgefallen bewerben mochte; gegen den übermäßigen Reichtum, bis er keinen Freund mehr hatte, der reich genug gewesen wäre, um ihm seine Kutsche zu leihen und ihn zum Essen einzuladen; er eiferte endlich gegen die Frivolität, gegen die Schöngeisterei, gegen die Literatur sogar, bis alle seine Bekannten, bloß mit den öffentlichen Angelegenheiten beschäftigt, sich nicht mehr um seine Schriften, seine Schauspiele, seine Unterhaltung bekümmerten.» In den unglücklichen Zeiten, wo die anarchische Partei die Oberhand gewann und mehr und mehr ihre Schreckensregierung gründete, kehrte sich die kühne Offenherzigkeit seiner Reden, die vorher oft von Mund zu Mund gegangen und Sprichwörter geworden waren, gegen sie, und seine beißenden Einfälle wurden ihm als Staatsverbrechen angerechnet. Den Wahlspruch: Brüderschaft oder der Tod! erklärte er: Sei mein Bruder, oder ich schlage dich tot! Auch nannte er es die Brüderschaft Kains und Abels, und da man ihm vorwarf, er wiederhole dies Wort zu häufig, erwiderte er: «Sie haben recht, ich hätte zuweilen zur Abwechselung sagen sollen: die Brüderschaft des Eteokles und Polynices.» Die Tyrannei unter Robespierre hat sich zwar nicht lange genug einwurzeln können, um, trotz allen Spionen, das freie Reden in Paris selbst an öffentlichen Örtern zu verhindern; aber Chamfort war ein zu ausgezeichneter Kopf, um unbemerkt zu bleiben. Die Stelle eines Bibliothekars an der Nationalbibliothek, die er noch von Roland hatte, mußte zum

Vorwande seiner Verhaftung dienen. Man brachte ihn zugleich mit Barthélemy in das Gefängnis der Madelonetten, ließ ihn zwar nach einigen Tagen wieder los, gab ihm aber einen Gendarmen zur Bewachung. Seine Kränklichkeit und das Bedürfnis beständiger Pflege machten ihm ein ungesundes Gefängnis unerträglich, und als ihm der Gendarme eine zweite Verhaftung ankündigte, beschloß er, ihr durch einen freiwilligen Tod zuvorzukommen. Er entfernt sich unter dem Vorwande, Vorbereitungen zu machen, verschließt sich in sein Kabinett, will sich vor die Stirne schießen, aber verletzt nur die Nase und das eine Auge: hierauf verwundet er sich an der Kehle, an der Stelle des Herzens, versucht sich die Adern zu öffnen, hat aber nicht Kräfte genug zu einem tödlichen Streiche. Man läuft hinzu, sucht das Blut zu stillen und bringt ihn auf sein Bett, wo sein erstes ist, daß er eine Erklärung über seinen Entschluß zu sterben diktiert und unterzeichnet. Sein Freund Ginguené, der herbeieilt, findet ihn zwar in einem fürchterlichen Zustande, aber in vollkommener Gemütsruhe und schon wieder gestimmt zu scherzen. «Was ist zu tun?» sagt Chamfort zu ihm: «Da sehen Sie, was es heißt, eine ungeschickte Hand haben. Nichts gelingt einem, nicht einmal, sich selbst umzubringen.» Hierauf erzählt er ihm: «Comment il s'était perforé l'œil et le bas du front au lieu de s'enfoncer le crâne; puis charcuité le col au lieu de se le couper; et balafré la poitrine sans parvenir à se percer le cœur.» – «Endlich», fügt er hinzu, «habe ich mich an Seneca erinnert; dem Seneca zu Ehren habe ich mir die Adern öffnen wollen. Aber er war reich, er hatte alles nach Wunsch, ein warmes Bad, kurz, jede Bequemlichkeit. Ich bin ein armer Teufel, habe nichts von dem allem; ich habe mir entsetzliche Schmerzen verursacht, und da bin ich doch noch. Aber die Kugel sitzt im Kopfe, das ist die Hauptsache. Ein wenig früher oder später macht nichts aus.» – Bald darauf starb Chamfort an den Folgen seiner Wunden und fand im Tode eine Zuflucht vor ferneren Verfolgungen, die ihn sonst ohne Zweifel getroffen hätten.

Chamfort gehörte vielleicht zu den Köpfen, die nicht so sehr durch ihre Talente als durch ihre ganze Persönlichkeit Original sind und die man daher mehr an dem, was sie sagen, als an dem, was sie schreiben, erkennt. Zu einer ausdauernden Anstrengung scheint er eben nicht gemacht gewesen zu sein. Bei seinen früheren Werken, wodurch er seinen Ruhm gründete, spornte ihn fast immer ein äußerer Antrieb; und was er nachher geleistet, wenigstens was noch vorhanden ist, scheint großenteils die Frucht augenblicklicher Eingebungen gewesen zu sein. Hiezu kommt, daß er sich früher als die meisten Menschen von Täuschungen losmachte und die Eitelkeit vieler Dinge einsah. Daher seine Gleichgültigkeit gegen Schriftstellerruhm. «Ist es nicht lächerlich», schreibt er einmal vom Lande, wo er sich hinbegeben hatte, um an den ‹Epîtres de Ninon› zu arbeiten, wegen deren man ihn drängte, «daß man vernünftig zu leben unternimmt, um Torheiten zu schreiben?» Der künstlerische Genius fühlt ein Bedürfnis der Kunst, und wenn Chamfort nicht bloß als witziger Kopf den dramatischen Dichter machte, so ließ er es schwerlich bei so einzelnen, obgleich gelungnen Versuchen bewenden. Daß er seine Lebensphilosophie nicht zum schriftstellerischen Geschäft machte, gereicht ihm eher zum Lobe; die liebste und gefühlteste Wahrheit teilt man nur mit solchen Menschen gern, von denen man sicher ist, ganz verstanden zu werden, und scheut sich am meisten, ein Gewerbe damit zu treiben.

Unter den akademischen Schriften Chamforts verdienen seine Lobreden auf Lafontaine und Molière ausgezeichnet zu werden. Diese bei den Franzosen so beliebte und so häufig bearbeitete Gattung (auch das jetzige Nationalinstitut scheint die Sitte der Lobschriften oder Lobreden aufrechterhalten zu wollen), die unter uns fast gänzlich vernachlässigt worden ist, läßt sich von mehr als einer Seite betrachten. Selbst ein allzu freigebiges Lob, einem Verstorbenen erteilt, wird nicht leicht unreiner Triebfedern verdächtig, und es ist erweckend für andre, wenn das Andenken des Verdienstes feierlich geehrt wird. Mag es sein, daß eine Nation in dieser Galerie verschönerter Bildnisse von Männern, welche ihr angehörten, vor allen Dingen sich selbst sucht; so ist doch viel dadurch gewonnen, daß ihre Eigenliebe sich an wahrhaft große Namen knüpft und nicht bei einem verworrenen Vorurteile von Würde und Überlegenheit stehen bleibt, das auch der roheste Barbar haben kann. Der stille Lebenslauf eines Denkers oder Künstlers bietet dem Biographen selten eine Reihe auffallender Begebenheiten dar; das echteste Leben solcher Männer, hat man mit Recht gesagt, ist in ihren Werken aufbewahrt: aber eine ergründende, ins einzelne gehende Prüfung und Würdigung findet gewöhnlich nur solche Leser, die das Fach, wozu die Werke gehören, vorzugsweise beschäftigt. Das Eloge, ein Gemisch aus freier Beurteilung und biographischen Übersichten, kann auch andre, die mit einer Kunst oder Wissenschaft nicht vertraut sind, auf eine anziehende Art von ihrer Lage und ihren Fortschritten unterrichten und, wenn von Erzeugnissen der schönen Literatur die Rede ist, durch beredten Ausdruck des Gefühls ihre Empfänglichkeit anregen. Aus diesem Bestreben entsteht nun freilich für den Verfasser die Gefahr, an Gründlichkeit zu verlieren, wenn er an Schönheit des Vortrags gewinnt, und die noch schlimmere, übertriebene Lobsucht, ohne eindringende Schärfe des Urteils, durch frostige Emphase des Tons zu verraten. Gegen die gewöhnliche Meinung, die so viele zu unbilligen Urteilen verleitet, um die Stärke ihrer Kritik zu beweisen, ist es viel leichter, mit Verstand zu tadeln, als geistvoll zu loben. Jenes kann man tun und doch bei der Außenseite, gleichsam bei dem technischen Gerüste eines Geisteswerkes, stehen bleiben; dieses setzt voraus, daß man wirklich in das Innere gedrungen und zugleich Meister im Aus-

druck sei, um die dem bloßen Begriffe entfliehende Eigentümlichkeit des geistigen Gepräges zu fassen.

Chamfort hat es in beiden Lobschriften in einem nicht gemeinen Grade geleistet; und doch möchte die Charakteristik Lafontaines in der französischen Poesie wohl eine der schwersten Aufgaben dieser Art sein, wenigstens ungleich schwieriger als die
des Molière. Was der kraftvolle Komiker für seine Kunst getan,
ordnet sich leichter in große, in die Augen fallende Massen;
man bewundert an ihm ebensosehr die Erfindung als die Ausführung, und die Eigenschaften seines Stils gleichen den Zügen
einer stark gezeichneten Physiognomie. Lafontaines bescheidene
Originalität mußte mit großer Vorsicht vor Übertreibung anschaulich gemacht werden. Er hat wenig erfunden, und die
wunderbare Zartheit in der Behandlung eines scheinbar geringen Stoffs, die naive Liebenswürdigkeit, die Grazie des Unvorbereiteten (la grâce de la soudaineté, nach dem eignen Ausdrucke des Dichters), die kunstlose Kunst: alle diese feineren,
sanft verschmolzenen Vorzüge entziehen sich einem nicht sehr
gefühlvollen Kunstrichter während der Untersuchung. Das Einfachste leidet am wenigsten handgreifliche Zergliederung. Eine
der glücklichsten Zusammenstellungen in dem ganzen Aufsatze, unter vielen sinnreichen Gegensätzen, ist es, wenn gegen
Voltaires Vorwurf, Lafontaine habe nicht zu schildern verstanden, die Zeilen, wo dieser Auroren darstellt, wie sie

> La tête sur son bras, et son bras sur la nue,
> Laisse tomber des fleurs, et ne les répand pas,

zugleich als Widerlegung und als ein Bild der freundlichen und
hingegebenen Muse des Fabeldichters angeführt werden.

Daß in Chamforts Lobschrift auf Molière dieser für den größten Komiker aller Zeiten und Völker ausgegeben wird, darf von
einem Kunstrichter seiner Nation nicht befremden. Bei der un-
umschränkten Herrschaft der äußerlichen Anständigkeit über

Natur und Genialität, die in der französischen Poetik hergebracht ist, muß man sich eher wundern, daß dem Aristophanes
noch so leidlich Gerechtigkeit widerfährt. Die Schilderung von
ihm neigt sich zwar ein wenig zur Karikatur, ist aber gar nicht
verfehlt. Ein Irrtum wie der, daß die alte Komödie zu Athen nicht
unter obrigkeitlichem Schutze gestanden habe, mochte in Frankreich, selbst vor einer Akademie, wohl ohne Rüge durchschlüpfen. An der neueren Komödie der Griechen und Römer tadelt
es Chamfort, daß darin durch den Gang der Handlung keine
bestimmte Moral gleichsam ausgesprochen wird. «On ne voit
point qu'une grande idée philosophique, une vérité mâle, utile à
la société, ait présidé à l'ordonnance de leurs plans.» Als ob nicht
eben dadurch die fröhliche Unbefangenheit, der köstliche Mutwille der komischen Darstellung verlorenginge und als ob sie
nicht schon moralisch genug wirkte, wenn sie eine schöne Freiheit des Gemütes in uns nährt! Wenn man wie Chamfort die
ausdrückliche Moral zu einem Gesichtspunkte der Beurteilung
Molières macht, so möchte sein Verdienst doch ebenfalls in
einem zweideutigen Lichte erscheinen und die poetische Gerechtigkeit manchmal sehr vermißt werden. Was Rousseau in
dem Briefe an d'Alembert selbst gegen seine gesittetsten Stücke,
hauptsächlich gegen den Misanthropen, in dieser Hinsicht gesagt hat und worauf Chamfort anspielt, möchte sich dann
schwerlich widerlegen lassen. Rousseau betrachtet, ohne allen
Begriff von schöner Kunst, die Personen des Theaters als wirkliche Menschen und findet dann ihre Zusammenstellung in Molières Komödien ebenso unsittlich als die menschliche Gesellschaft in der Wirklichkeit, deren Bild sie ist. Er hat darin gegen
jeden Theoristen recht, der den unbedingten Wert der Form in
Kunstwerken nicht zu behaupten und ihr den Stoff nicht ganz
zu unterwerfen weiß. Daß die moralische Nutzanwendung
nicht jener angehöre, ist daraus klar, daß wahre Begebenheiten,
ohne alle Zubereitung durch darstellende Kunst, sie in sich ent-

halten können; sie ist im Drama bloßer Stoff, und zwar eine
solche Armseligkeit, daß die schlechteste Sudelei ein Meisterwerk darin übertreffen kann. Chamfort nimmt diese Forderung
sogar in seinen Begriff der Komödie auf, der aber weit mehr
eine Beschreibung von Zufälligkeiten ist, als er ihr Wesen er-
klärend bestimmt.

Eine dritte Lobschrift ist Chamforts Rede bei seiner Aufnahme
in die französische Akademie. Sie ist, um bei den veränderten
Zeiten kein Ärgernis zu geben, mit einigen Auslassungen abgedruckt. Eine ziemlich unnütze Vorsicht: denn wenn die Nachwelt einmal weiß, daß Chamfort Akademiker gewesen, so kann
es ihr auch kein Geheimnis bleiben, daß er bei seiner Aufnahme
dem Kardinal Richelieu und Ludwig dem Vierzehnten den her-
kömmlichen Weihrauch gestreut. Ohne den Zwang der Sitte
hätte Chamfort wohl schwerlich seinen Vorgänger zum Gegenstande einer Lobrede gewählt: aber diese Lobrede ist darum
nicht weniger gelungen. Die Notwendigkeit, in seinem eignen
Geiste Hülfsquellen gegen die Magerkeit des Stoffes zu suchen,
hat den Redner auf eine ungewöhnliche Höhe gehoben. La
Curne de Sainte-Palaye war weder Dichter noch Philosoph noch
Geschichtsschreiber in dem Sinne, worin das Wort eigentlich
historische Kunst in sich faßt. Er war ein antiquarischer Gelehrter: man hat von ihm in der Handschrift ein Wörterbuch der
ältern französischen Sprache und vierzig Foliobände Materialien
zu einem noch viel weitläufigeren der französischen Altertümer.
Sein einziges bis dahin erschienenes Werk waren die Abhand-
lungen über das Rittertum. Hier weiß Chamfort mit einer geschickten Wendung in ein fremdes Gebiet zu streifen: man
glaubt, er rede von dem Buche über das Rittertum, und er redet
doch eigentlich sehr geistvoll und beredt, mitunter auch philosophisch ergründend, von dem Rittertume selbst, von seinem
Wert und seinen Mängeln. Vortrefflich und sehr gefällig vorgetragen sind die Bemerkungen über dessen Einfluß auf die

Wiederbelebung der Poesie. Hierauf kehrt er zum Sainte-Palaye zurück und entwirft ein liebenswürdiges Bild von seinem Charakter und einem hervorstechenden Zuge, seiner innigen, frühen und bis in das höchste Alter ununterbrochenen Freundschaft für einen Zwillingsbruder. Diese seltene Bruderliebe ist in hohem Grade wahr und rührend dargestellt, und selbst das, was auf den Argwohn der Eingeschränktheit und bloß instinktartigen Angewöhnung führen könnte, hat die Kunst des Redners und noch mehr sein Gefühl ehrwürdig zu machen gewußt.

Der nächste Aufsatz, welcher dazu bestimmt war, im Jahre 1791 von Mirabeau als ein Bericht über die Akademien vor der Nationalversammlung vorgelesen zu werden, macht einen schneidenden Abstich gegen den vorhergehenden. Nach einer scharfen Prüfung der angeblichen Verdienste der französischen Akademie trägt der Redner auf ihre Abschaffung an. Zuerst wird das, was einzelne Mitglieder für sich geleistet, von den Werken des Kollegiums gesondert, womit man es häufig zu verwechseln pflegte. Dann werden die Geschäfte der Akademie einzeln durchgegangen, das Wörterbuch der französischen Sprache, die versprochene und nicht gelieferte Grammatik und Rhetorik, die Reden bei der Aufnahme, die Komplimente, welche die Akademie Personen des Hofes machen mußte, die Austeilung von Preisen der Poesie, der Beredsamkeit usw., auch eines Preises der Tugend, womit Leute aus der bedürftigen Klasse für edle Handlungen belohnt wurden. Alles wird in seiner Zwecklosigkeit und Armut gezeigt, und diese lag auch in Ansehung der meisten Produkte ziemlich offen am Tage. Um den Preis der Tugend zu verwerfen, mußte sich der Redner zu reinen Begriffen von Sittlichkeit erheben, aber sie als Wahrheiten des Gefühls aussprechen: er hat dies mit edler Wärme, mit hinreißendem Nachdrucke, ganz Mirabeaus würdig getan. Die Académie des Inscriptions et Belles-Lettres glaubte er noch kürzer abfertigen zu können; die Académie des Sciences wird gar nicht erwähnt; und der Schluß von der Unnützlichkeit der französischen Akademie auf alle gelehrten Körperschaften ist ein wenig übereilt. Für Sprachkunde und Altertumskunde, für die Naturwissenschaften und die Anwendungen der Mathematik darauf scheinen gelehrte Gesellschaften, gehörig eingerichtet, sehr nützlich wirken zu können. Diese Fächer erfordern teils mühsame, sehr ins einzelne gehende Forschungen, teils Erfahrungen und Versuche und den damit verknüpften Aufwand, Reisen, örtliche Besichtigungen usw. Für alles dies wird der vereinzelte Gelehrte durch den Absatz von Druckschriften, die nur wenige wissenschaftliche Leser finden, nicht gehörig entschädigt; ja er kann dergleichen Arbeiten gar nicht unternehmen, wenn ihm nicht auf andere Weise eine sorgenfreie Muße gesichert ist. Der Zunftgeist, der sich bei einer solchen Autorität über die schöne Literatur unfehlbar einschleicht und die freie Selbsttätigkeit des Geistes hemmt, ist dort nicht zu fürchten. Sollte diese Gefahr bei dem jetzigen Nationalinstitut vermieden sein, das in der Tat eine Akademie und, womöglich, eine alles umfassende ist? Wenigstens hat der Dichter Desorgues gewiß unrecht, wenn er in seinem Strafgedichte über den ausgelassenen Preis der Poesie diese Vernachlässigung für sehr schädlich hält. Musikalische Wettkämpfe (im griechischen Sinne des Wortes) können nur vor einem versammelten Volke schicklich gehalten werden, weil der allgemeine Beifall die Beglaubigung eines Künstlers ist, der für die gebildete menschliche Natur überhaupt arbeitet. Sie setzen daher hohe Bildung und Selbständigkeit des öffentlichen Geschmacks voraus. Die Sitzungen des Nationalinstituts sind noch lange keine olympischen Spiele.

Außer ein paar kleineren Aufsätzen enthält der erste Band noch eine Dissertation sur l'imitation de la nature, relativement aux caractères dans les ouvrages dramatiques. Sie erscheint hier zum ersten Male gedruckt und hätte für Chamforts Ruhm, wenigstens im Auslande, immerhin unbekannt bleiben mögen.

Dieses ästhetische Geschwätz ohne Grundsätze, ja ohne Bestimmtheit der Begriffe, mag unter seinen Landsleuten immerhin für de la métaphysique appliquée aux beaux-arts gelten, wir Deutschen können nichts weiter daraus lernen, als daß die Theorie der schönen Künste, und namentlich der Poesie, in Frankreich noch in der unmündigsten Kindheit ist. Wie sollte es anders sein, wenn sie dabei von der ihrigen ausgehen? Die völlig schiefen Ansichten des griechischen und englischen Theaters sind deswegen selbst von einem so guten Kopfe, als Chamfort war, sehr begreiflich. Es wird auf Idealität in der Darstellung der tragischen Charaktere gedrungen, aber aus schwachen Gründen und mit so kahlen Angaben der Verhältnisse zwischen gemeiner und schöner Natur, zwischen dieser und dem Ideal, daß die Forderungen des Kunstrichters durch die êtres gigantesques, boursoufflés et chimériques der französischen Tragödie, wie sie Rousseau ohne Umschweife nennt, vollkommen befriedigt werden. Daß sich Manier in der Kunst niemals zum wahrhaft Idealischen erheben kann und daß das vermeinte Idealische in den Darstellungen französischer Dichter im höchsten Grade maniert ist, scheint der Verfasser nicht einmal von ferne zu ahnden.

Chamforts weitläufige Auszüge aus den Mémoires und der Vie privée du Maréchal de Richelieu können der Lesung dieser widerwärtigen Bücher überheben und sind besser dazu gemacht, den wahren Gesichtspunkt für ihren Gegenstand anzugeben als der fremde Geist, welchen der Herausgeber der erstgenannten, Soulavie, ihnen untergeschoben hatte. Dennoch scheint Chamfort die tiefe Verworfenheit Richelieus, dieses Helden in jeder Gattung von Infamie, nicht völlig abgesondert von dem Glanze, den ihr die Sage und die Macht der Meinung verlieh, beurteilt zu haben. Er spricht noch von der singularité de son caractère et de sa destinée, da ihn doch von keiner Seite etwas anderes merkwürdig macht als die unermüdliche Unverschämtheit, womit er die Verdorbenheit seines Zeitalters benutzte, von der er ein

Denkmal geworden ist. Sogar «sein wirkliches Talent, Weiber
zu verführen», gründete sich mehr auf die verächtliche Schwäche
der Überwundenen als auf die Unwiderstehlichkeit des Siegers
und am meisten auf den bis zur Raserei gehenden Hang seiner
Landsmänninnen, sich dem Götzen der Mode an den Kopf zu
werfen. Und wie leicht war diese Eigenschaft für den zu gewinnen, den Geburt und Zufall begünstigten! Daß er neben jener
Unverschämtheit wahre Vorzüge besessen, wird man deswegen
noch nicht glauben, weil ihn Voltaire «in allen Tönen besungen
hat». Es scheint sogar zweideutig, ob Richelieu in der «Kunst,
das Laster zu schmücken, seine Nebenbuhler übertroffen». Wir
werden weder Witz noch Fröhlichkeit bei ihm gewahr, wie bei
seinem Vorbilde Hamilton, noch irgendeine Spur von wahrer
Anmut des Geistes. Seine Laster stehn in ihrer nackten Häßlichkeit da, und es gibt nicht leicht einen Menschen, von welchem
es so offenbar wäre, daß sich die Menschlichkeit niemals in ihm
geregt hat. Was ihm Chamfort als etwas Bemerkenswertes und
Eigentümliches anrechnet, die dreiste Freimütigkeit, sich der
Nachwelt zu bekennen, ist nur ein Zug, der seine gänzliche
Schamlosigkeit vollendet. Indessen ist hier keiner ausgelassen,
der Richelieu in das gehörige Licht stellt, und jeder wird von
Bemerkungen über den Geist einer Regierung begleitet, unter
welcher so etwas an einem Manne von hoher Geburt gutgehei-
ßen, ja bewundernd angestaunt ward.

Der vierte Teil von Chamforts Werken enthält lustige Anekdoten, scherzhafte Einfälle, aber auch viele Bemerkungen, Erfahrungen und Lehren, die einer sehr ernsten Prüfung wert sind,
und nicht wenige, worin die Tiefe des Gedankens sich unter
einer leichtsinnigen Art, ihn vorzutragen, anziehend verbirgt.
Alle erscheinen jetzt zum ersten Male. Der Herausgeber erklärt
in einem eignen Vorberichte die Entstehung dieser Sammlung
und sein Verfahren bei der Auswahl und Anordnung. Chamfort
hatte die Gewohnheit, täglich Aphorismen, worin er die Resul-

tate seines Nachdenkens zusammenfaßte, Anekdoten und Charakterzüge, die man ihm erzählte oder die er selbst erlebte, witzige Reden von ihm selbst oder von andern auf Zettel zu schreiben und sie durcheinander geworfen in Mappen aufzubewahren, deren er eine beträchtliche Menge auf solche Weise angefüllt hatte. Wie von seinen übrigen Papieren, so wurde auch von diesen ein großer Teil nach seinem Tode entwandt.

Bei der Anordnung ist der Herausgeber den vorgefundenen Rubriken gefolgt: sie ist aber dennoch ziemlich willkürlich. Sonst ist dieses bei weitem der wichtigste und anziehendste Teil von Chamforts Nachlaß.

Ein System der Moral und Lebensphilosophie würde sich schwerlich aus diesen aphoristischen Bruchstücken zusammenbauen lassen, und vielleicht haben die einzelnen Behauptungen dabei gewonnen, daß Chamfort sie unbefangen in ihrer ganzen Stärke hinstellte, ohne sich darum zu kümmern, ob sie gegen seine zu andrer Zeit gefällten Urteile über verwandte Gegenstände anstießen. Ein sehr allgemeiner Satz, in welchen unzählige Erfahrungen zusammengedrängt werden, ist immer in einem gewissen Sinne unwahr: der verständige Leser weiß doch schon, wie er ihn zu nehmen hat, und dem Leser ohne Urteil kann man durch noch so viele schwächende Nebenbestimmungen die richtige Anwendung nicht beibringen. Chamfort war sehr weit von dem Irrtume entfernt, die große Welt, die zum Glück der Ausdehnung nach nur die kleine Welt ist, für das Menschengeschlecht überhaupt zu halten, obgleich viele seiner Sätze, zu wörtlich ausgelegt, veranlassen könnten zu glauben, er sei hierin gewissen, bei allem Scharfsinn höchst einseitigen Beobachtern ähnlich gewesen. So sagt er im sechsten Kapitel den Frauen im allgemeinen viel Übles nach, aber er meint offenbar nur die französischen Frauen, nur die von hohem Stande. Mehrere unter den Anekdoten, welche diese Seite der Sittenverderbnis in ein nur allzu grelles Licht stellen, könnten ihn gegen den

Vorwurf der Übertreibung rechtfertigen, wenn diese Anekdoten nicht für den im Weltlaufe Unerfahrenen wiederum etwas Unglaubliches hätten. Chamfort gehört nicht zu den einsiedlerischen Sittenlehrern, die eine Verkehrtheit schelten, welche sie nicht selbst beobachtet haben und denen in ihrer Ferne nichts deutlich vorschwebt als der Widerspruch zwischen dem, was ist, und dem, was sein sollte. Seine Schilderungen der Gesellschaft sind nicht bloß dem Gegenstande, sondern auch der Person des Urhebers nach ein Erzeugnis der vervollkommten Verfeinerung, und er greift diese mit ihren eignen Waffen an. Auf der andern Seite gleicht er keineswegs jenen philosophierenden Weltmännern, die ihren äußern Erfahrungen eine falsche Allgemeinheit geben, weil sie dieselben in ihrem Herzen bestätigt finden und die ärgste Ausartung gewissermaßen in Schutz nehmen, indem sie behaupten, was gewöhnlich geschieht, könne gar nicht anders sein. Vor dem entschiednen Unglauben La Rochefoucaults an alle uneigennützigen Triebfedern, an Liebe und Tugend bewahrte ihn sein Gefühl, ob er es gleich in dem Talent, geheime Schwächen auszuspähen, mit ihm aufnehmen kann. Er verwechselt niemals die aus fehlerhaften Einrichtungen der Gesellschaft entstandene Mißbildung mit der menschlichen Natur: er verteidigt diese, indem er jener den Krieg macht.

Alles dies muß dem Verfasser als sein eignes Verdienst angerechnet werden. Chamfort hatte es gewiß nicht aus den Lehren der Enzyklopädisten geschöpft; noch weniger aus dem Beispiele der damaligen großen Welt: vielmehr hatte seine Denkart sich hinter dem Rücken beider gebildet.

CORINNE OU L'ITALIE

PAR MADAME DE STAËL-HOLSTEIN

Die Liebhaber ordentlicher Einteilungen sagen, dies Buch sei zugleich ein Roman und eine Reisebeschreibung. Gewöhnliche Leser von einseitigem Geschmack wünschen wohl gar, je nachdem sie für eine der beiden Gattungen Vorliebe hegen, entweder die Geschichte zweier Liebenden möchte nicht durch Beschreibungen unterbrochen werden, oder diese möchten nicht jener zulieb abgekürzt sein. Solche Urteile beweisen nur, daß man die Einheit dieser harmonischen Dichtung nicht gefaßt hat. Allerdings wäre es fehlerhaft, einem Roman Beschreibungen solcher Reisen einzumischen, die auf die Schicksale der Personen keinen Einfluß hätten und wovon die Eindrücke nicht durch deren besondere Gesinnung und Lage bestimmt würden. Sonst aber nehmen Reisen unter den Begebenheiten des Lebens ihre bedeutende Stelle ein und können auf die Entwickelung des einzelnen und seine Verhältnisse zu anderen mannigfaltig einwirken. Wir erinnern uns nicht, daß jemand die neue Heloise ein Gemisch von Reisebeschreibung und Roman genannt hätte, weil das Walliser Tal, die Felsenufer des Genfersees und andere schweizerische Gegenden und ländliche Auftritte ausführlich darin geschildert sind. Wenn die erzählte Geschichte einheimischer Landesart und geselliger Verfassung angehört, so darf man beides als bekannt voraussetzen, und örtliche Natur- und Sittenschilderungen mögen entbehrlich sein. Kommt es aber darauf an, eine außerordentliche und uns fremde Art zu sein darzustellen, so wird es wichtig, die ganze äußere Umgebung so anschaulich und lebendig als möglich vor die Augen des Lesers zu rücken; und da dürfte es immer besser sein, sich an die Wahrheit zu halten und zum Beispiel das wirklich schöne Italien zu schildern als irgendein erträumtes und nie gesehenes, dergleichen in so manchen wunderbaren oder wunderlichen Romanen zum Vorschein kommt. Die historische Treue hierin tut der freien Dichtung sowenig Eintrag, daß diese vielmehr erst rechte Haltung dadurch gewinnt.

Zwei Gegenstände, Corinna und Italien, sind hier in einem Gemälde vereinigt; aber sie sind nicht willkürlich zusammengestellt, sie gehören zueinander, einer erhöht den Reiz des andern. Corinna ist die Lieblingstochter Italiens, und Italien findet an ihr seine Muse. Sie ist Künstlerin und Dichterin, und zwar Dichterin aus dem Stegreife. (Gibt es doch im Deutschen, so fremd ist uns jetzo die Sache, keinen anderen Ausdruck als diese seltsame Umschreibung für Improvisatrice.) Dieses Talent wird in Italien, mitten unter dem Verfall der Literatur, noch immer häufig gepflegt; freilich mit verschiedenem Glück und in mannigfaltigen Abstufungen der Würde und des inneren Wertes. Wir hatten Gelegenheit, manche Proben davon zu hören, die durch Anmut des Ausdrucks, Fülle der Bilder und Leichtigkeit der Wendungen erfreulich waren, ja durch unglaubliche Meisterschaft in den schwierigsten Silbenmaßen und durch schnelle Erfindsamkeit in Erstaunen setzten. Geht man nun hievon aus, um sich eine Vorstellung von ehemaligen berühmteren Improvisatoren zu machen, so entsteht allerdings ein hoher Begriff von der in dieser Kunst möglichen Vollkommenheit. Nicht selten übten ja auch Männer, die in anderen Künsten das Höchste leisteten, diese als Liebhaber, wie Vasari von Leonardo da Vinci sagt, «cantava divinamente all'improviso». Bei dem allen muß man doch wohl gestehen, daß Corinna eine idealische Improvisatrice bleibt, wie es vielleicht nie eine gegeben hat. Allein dies ist das Vorrecht der Poesie, Eigenschaften in einer Person zu vereinigen, die oft einzeln bewundert worden sind, die sich nicht widersprechen, sondern gegenseitig unterstützen und also

sehr wohl durch eine seltene Gunst der Natur sich beisammen-
finden können. Persönliche Anmut ladet ein, das Schöne jeder
Art zu lieben; Anlagen zur Musik, zur Tanz- und Schauspiel-
kunst sind der Gabe augenblicklicher dichterischer Eingebungen
nahe verwandt; diese können nur dann wahrhaft sein, wenn sie
aus der Tiefe des Geistes und Gemütes hervorgehen und dem
Schwunge hoher Gesinnungen zur Sprache dienen. Das alles
denke man sich in der Hülle zarter Weiblichkeit, und das hinreißende Bild ist vollendet. Wer will mit der edlen Verfasserin darüber rechten, daß sie das Geschöpf ihrer Phantasie mit Vorzügen ausstattet, die sie selbst besitzt? Insofern ein schönes Wunder der Natur überhaupt begreiflich gemacht werden kann, ist
Corinnas Entwickelung zu einer so herrlichen Blüte befriedigend erklärt. Ein heiterer Himmel; eine bald reizende, bald erhabene, aber immer milde Natur; der beständige Anblick der
edelsten Kunstwerke; eine im Ohr und Sinne des Volkes lebende
Musik; eine wohllautende dichterische Sprache; eine mehr in-
brünstige als strenge und in den Gebräuchen prächtige Religion;
die Erinnerungen an eine große Vorwelt, neben der heutigen
träumerischen Untätigkeit; endlich die sorglose südliche Lebensweise: wie alles dies das Gefühl und die Phantasie mannigfaltig
berührt und anregt und einen reichbegabten Geist nicht auf bestimmte äußere Zwecke richtet noch in sein Inneres versenkt,
sondern ihn einladet, überströmend von Jugendfülle und Le-
benslust, seine glühenden Ausstrahlungen fast unwillkürlich um
sich her zu verbreiten: das wird nicht bloß gesagt und gerühmt,
sondern man fühlt es, man atmet gleichsam in derselben berauschenden Luft. Weil aber Corinna, wiewohl ganz Italienerin,
dennoch in Gedanken und Empfindungen sich über die Sphäre
ihrer Landsleute erhebt: so mußte auch dies durch besondere
Umstände ihres Lebens gerechtfertigt werden, welche die Verfasserin mit dem gründlichsten Scharfsinne erfunden hat. Corinna ist in Italien erzogen, aber früh mit fremden Sprachen und

Sitten bekannt geworden; die Widerwärtigkeiten, die sie aus-
wärts durch einengenden Familienzwang erfährt, führen sie zu
ernsterem Nachdenken, geben ihrem Charakter mehr Bestand
und bewegen sie endlich, ihrem Namen und Stande entsagend,
in ihr Vaterland zurückzukehren. Hiedurch ist zugleich das Mittel gefunden, ein unabhängiges Künstlerleben außerhalb der
bürgerlichen Verhältnisse mit weiblicher Würde zu vereinbaren.
Kurz, alles ist schicklich und wahrscheinlich, wiewohl außer-
ordentlich, ja bewundernswürdig.

Dem Leser wird nicht zugemutet, Corinnas Gabe zu improvisieren auf Glauben anzunehmen; es werden glänzende Proben
davon mitgeteilt. Nicht in Versen: der Geist der beiden Sprachen ist allzu verschieden und die französische Gebundenheit
am wenigsten geeignet, der italienischen Poesie eine freie lyrische Ergießung nachzutönen. Aber die kurzen fliegenden Sätze
in strophischen Abteilungen, die Farbenglut der Ausdrücke und
Bilder, die kühnen Übergänge bringen ganz die Täuschung
hervor, als ob alles einem improvisierten Original nachgebildet
wäre. Dieser eingestreuten Gesänge sind drei: der erste verherr-
licht festlich stolz den Ruhm und das Glück Italiens; der zweite,
auf dem Vorgebirge Misenum im Anblick einer wollustatmenden Landschaft und zweier entzückender Meerbusen gedichtet,
ist schon von dunkeler Vorahndung durchdrungen; der dritte
endlich ist der feierliche Schwanengesang, dem kein Leser von
Gefühl seine Tränen versagen wird.

Die Art, wie Corinna zuerst eingeführt wird, nämlich bei dem
Feste ihrer Bekränzung auf dem Kapitol, ist neu und einzig. So
erscheint unter allen von Dichtern besungenen Frauen nur Bea-
trice im Paradiese des Dante auf ihrem himmlischen Triumph-
wagen. Und dennoch ist diese ebenso glänzende als glückliche
Erfindung keineswegs der Wahrscheinlichkeit zuwider oder den
italienischen Sitten fremd. Man weiß, daß die berühmte Improvisatrice Corilla (auf deren Namen übrigens der hier gewählte

nur anspielt, ohne daß sonst irgendein historischer Zug von ihr entlehnt wäre) der Ehre, auf dem Kapitol gekrönt zu werden, noch vor nicht vielen Jahren teilhaftig ward. Eine bei dieser Gelegenheit erschienene Flugschrift schildert den ganzen Hergang der Feierlichkeit.

Die Wirkung der tragischen Schicksale Corinnas wird durch diesen heiteren, ja frohlockenden ersten Eintritt um so unfehlbarer. Man begleitet sie von der blühenden Fülle des edelsten Lebensgenusses an, durch alle Stufen der Leidenschaft und des daraus entsprungenen Seelenleidens hindurch, bis zu dem Erlöschen des göttlichen Funkens im Tode mit immer steigender Teilnahme.

Wie der Leser Italien fühlen muß, um ein Wesen wie Corinna zu verstehen, so konnte auf der anderen Seite ein Geist von solchem Umfange, ein so allempfänglicher Sinn sich nur an großen und mannigfaltigen Gegenständen vollkommen entfalten. Hiezu war es erforderlich, und mit nichten, um eine Reisebeschreibung im Roman anzubringen, daß Corinnas Gespräche aus dem engen Kreise der persönlichen Verhältnisse herausgingen und sich über das Altertum, die Natur, die Kunst und Poesie, endlich über alle Quellen und Richtungen des Enthusiasmus verbreiteten. Dies ist ohne Zwang und Anmaßung durch den einfachen Umstand veranlaßt, daß sie eine Neigung für einen Ausländer faßt, und durch den Wunsch bewogen, ihn zugleich an sich und an ihr Vaterland zu fesseln, seine Führerin unter den Herrlichkeiten Italiens wird.

Wir Deutschen besitzen so manche durch den Zauber der Phantasie erhöhte Darstellungen dieses Landes, wo Winckelmann das Heiligtum der Antike auftat, wo Goethe unter südlichem und klassischem Anhauch dichtete, wo Moritz liebenswürdig und sinnig ahndete und schwärmte, wo Heinse, ungeachtet seiner stürmischen wilden Roheit, wenigstens das vielgestaltete feurige Leben zu ergreifen wußte, daß wir schon mit großen Forderungen zu einer neuen Schilderung hinzutreten. Gerade deswegen werden die Vorzüge der hier gegebenen unter uns um so besser erkannt werden. Sie ist zugleich treu und idealisch, eigentümlich ohne Einseitigkeit, glänzend ohne Prunk, beredt ohne Übertreibung und sinnreich ohne spielende Gegensätze. Nichts ist schwerfällig ausgemalt, aber alles seelenvoll angeregt und wie von selbst gefällig geordnet. Eine liebevolle betrachtende Stimmung schwebt über dem Ganzen und verschmelzt die warmen und lebhaften Farben des Gemäldes. Der Enthusiasmus, wenn er aus der feinsten geselligen Bildung unversehrt wieder hervorgeht, gewinnt eine Ruhe, Klarheit und Mäßigung, welche seine ersten Aufwallungen nur selten haben.

Den Ruinen und Denkmälern des Altertums, dann den Naturszenen ist unter den Schilderungen billig am meisten Raum gegönnt: denn bei diesen Gegenständen, die im großen gesehen sein wollen, vermögen Worte, die ein musikalischer Widerhall des Eindrucks sind und ihnen gleichsam ihr Geheimnis ablocken, mehr als verkleinerte Abbildungen, durch die man sich von den Werken der Malerei und Bildhauerei einigermaßen eine Vorstellung machen kann. Wiewohl Rom immer noch die Hauptstadt der Künste bleibt, so schienen uns doch bei dem Aufenthalte dort die historischen Erinnerungen und die Entrückung in die Vorzeit durch sie, wenigstens beim ersten Eintritt, sogar den Zug zu den großen Meisterwerken zu überwiegen. Dieser vertrauliche Umgang mit der Vergangenheit gewährt eine träumerische Lust, die mit den Einflüssen des südlichen Himmels so gut zusammenstimmt. Die Schilderung von Terracina, wo sich die glückseligen Gefilde Kampaniens öffnen, atmet wirklich den berauschenden Duft jener üppigen Landschaft. Weniger angenehme, ja furchtbare Gegenstände, wie die Pontinischen Sümpfe, der Vesuv in einer Lava-Ergießung, sind in ihrer ganzen Eigentümlichkeit, jedoch immer mit Anmut beschrieben und mit

großer Gewandtheit zu mancherlei Beziehungen auf die Stimmung und Lage der Personen benutzt.

Der ersten unter den bildenden Künsten, der Architektur,
wird bei Gelegenheit der Peterskirche würdig gehuldigt. Einzelne Statuen oder Gemälde sind fast gar nicht beschrieben. Solche Beschreibungen verfehlen auch meistens den Zweck, eine
angemessene Vorstellung zu erwecken, oder sie sind überflüssig,
da die großen Meisterwerke dem Gedächtnis der Freunde des
Schönen durch den wirklichen Anblick oder durch Abgüsse
und Kupferstiche eingeprägt sind. Wo sie erwähnt werden, da
geschieht es in besonderen Beziehungen. So wird die Madonna
della Scala zu Parma von Correggio (vielleicht die schönste,
wiewohl nicht die berühmteste Hervorbringung dieses Meisters)
einer der Hauptpersonen der Geschichte verglichen, einer unschuldigen Mutter, die mit ihrem Kinde davor steht, und es
wird dadurch das einnehmendste Bild von dieser gegeben. Zart
und treffend ist die Bemerkung, Correggio sei der einzige Maler,
der niedergeschlagenen Augen einen so eindringlichen Ausdruck zu geben wisse, als wären sie gen Himmel erhoben. Die
Propheten und Sibyllen des Michelangelo in der Sixtinischen
Kapelle erscheinen hier in der Dämmerung des Abends und
Weihrauchs als schweigende Riesengebilde über den verhallen-
den Seufzern des Miserere am Karfreitage. Der allgemeine Eindruck der Antike und das Wesen der Plastik ist in der Kürze
gründlich gefaßt. Bei der Malerei sind die beiden Ansichten, die
rednerisch-moralische, die in neueren Zeiten herrschend geworden, und die dichterisch-religiöse, die ehemals galt und jetzt nur
von wenigen unter uns anerkannt wird, sehr gut in aller Stärke
gegeneinander gestellt, ohne gerade etwas zu entscheiden; doch
gibt die Prüfung einiger der gerühmtesten Kompositionen
neuerer Künstler beinahe für die letztere den Ausschlag. Hinreißend ist, was über die Wirkungen der Musik ebenfalls bei
Gelegenheit eines persönlichen Anlasses gesagt wird: es läßt un-

seres Bedünkens die beredtesten Zeilen von Rousseau hierüber
weit hinter sich.

Von der italienischen Poesie ist vornehmlich in dem ersten
improvisierten Gesange die Rede. Dante wird vor allen glor-
reich gepriesen. Die hier aufgestellte Ansicht dieses im vorigen
Jahrhundert so mißkannten und unbegriffenen Dichters ist für
Frankreich ganz neu und ebenso tief gedacht als unnachahmlich
ausgedrückt. Ein Gespräch über das italienische Theater unter
Mitredenden verschiedner Nationen rügt dessen Schwächen
und würdigt einsichtsvoll die Verdienste eines Metastasio, Alfieri, Goldoni, Gozzi. Zusammengenommen mit der Schilderung, wie Corinna auf gesellschaftlichen Bühnen einmal als
Julia auftritt, in Shakespeares gleichsam nach seiner Heimat
Italien zurückgeführten Romeo und Julia (ein äußerst glück-
licher Gedanke!), dann als die Tochter der Luft in einem Schauspiele mit Gesang von Gozzi nach Calderon, gibt jenes Gespräch
Aussichten, wie die dramatische Kunst in Italien auf einer freieren Bahn gedeihen könnte. Statt der verfehlten leblosen Nachahmungen der alten oder gar der französischen Tragödie, womit man sich dort nun schon so lange plagt, sollte nach dem
Beispiele der Engländer und Spanier dem ernsten Schauspiel
romantischer Wechsel und Umfang verstattet werden. Die
Opera seria ist einschläfernd durch die Einförmigkeit ihrer Bestandteile; der Opera buffa fehlt es an Bewegung und Handlung: warum schmelzt man sie nicht zu einer Mittelgattung zusammen, worin das Lustige neben dem Wunderbaren, ja Abenteuerlichen Platz fände und wovon deutsche Komponisten
einige vortreffliche Beispiele gegeben? Mögen diese geistreichen Winke in einer so vielgelesenen Schrift die etwa in Italien
schlummernden dramatischen Talente zu wecken dienen!

Die gesellige Verfassung und der Geist des Volkes, von den
obersten bis zu den untersten Ständen, ist mit scharfer Beobachtung aufgefaßt; aber die viel andeutenden Züge des Bildes sind

im mildernden Lichte des Wohlwollens und einer Einbildungskraft, die sich in die Mitte eines fremden Daseins zu versetzen
weiß, entworfen. Nicht leicht hat irgendein anderer Schriftsteller außer Winckelmann in seinen Briefen und sonst dem Verstande und Charakter der heutigen Italiener so vollkommene
Gerechtigkeit widerfahren lassen. Allein Winckelmann war einseitig und parteiisch für sein neues Vaterland; hier ist ein höherer
Standpunkt der Beurteilung genommen und auch die entstel-
lende Rückseite nicht verhehlt. Die Darstellung des allgemein
äußern Lebens und der Volksfeste ist im höchsten Grade anschaulich und ergötzlich: man sehe zum Beispiel die gedrängte
Beschreibung des Karnevals und Pferderennens zu Rom; und
wie meisterhaft ist die verschiedene Eigentümlichkeit von Nea-
pel und Venedig bezeichnet!

Wir müssen uns mit diesen wenigen Anführungen aus dem
reichen Gehalt des Buches von dieser Seite begnügen, um auch
dem in seiner Art ebenso ausgezeichneten Roman unsere Aufmerksamkeit zu widmen. Der wahre Maßstab ist bei der unge-
heuern Menge von Schriften, welche sich den Namen dieser
Gattung anmaßen, so wenig anwendbar, daß er dem größten
Teil des lesenden Publikums gänzlich abhanden gekommen ist.
Nur in Deutschland hat es neuerdings wieder verlauten wollen,
daß ein Roman poetisch und insbesondre romantisch sein müsse.
Einerseits verlangen ernsthafte Männer, ein Roman solle ein
nützliches Exempelbuch sein und unter der Einkleidung einer
Geschichte Erfahrungen aus der Wirklichkeit vortragen, welche
die Jugend über das verständigste Betragen im bürgerlichen und
häuslichen Leben belehren können. Andere hingegen, Leser und
Leserinnen, betrachten die Romane als Legenden der Liebe und
wollen ihre Andacht an dem Vorbilde so mancher Märtyrer des
Herzens nähren. Wie sich eine Neigung allmählich entspinnt,
wie sie sich kundgibt, wie endlich ein Herz gewonnen wird und
was alles weiter daraus erfolgt, hierauf ist einzig ihre unerschöpf-

liche Neugierde bei jedem der vielen hundert Romane, die sie
lesen, von neuem gerichtet, und wird ihnen nur das genügende
Maß von Liebe und Leidenschaft zugeteilt, so sind sie in allen
übrigen Stücken sehr nachsichtig. Sie lesen wie jene Liebende
beim Dante:

> Noi leggevamo un giorno per diletto
> Di Lancilotto, come amor lo strinse.

Die Wahl solcher zärtlichen Herzen, denen ein großer Dichter,
der selber ihr Abgott war, irgendwo in spottendem Übermut
schuld gibt, «ein Pfuscher vermöge sie zu rühren», ist dennoch
der echt poetischen Ansicht weit näher verwandt als die Forderung der moralisierenden Kritiker. Jene verlangen wenigstens
keine Nutzanwendung, sondern überlassen sich den unmittelbaren Eindrücken. Und war es nicht immer die Darstellung
eines einzigen ausschließenden Gefühls, dessen Allgewalt sich in
treuer Beharrlichkeit oder kühnem Ungestüm offenbart, was in
allen Dichtungen, von Homers Gesängen an, immer die lebhafteste Teilnahme erweckte? Unter den menschlichen Gefühlen
führt aber unstreitig die Liebe die unwiderstehlichsten Bezaube-
rungen für die Erinnerung oder Vorahndung mit sich. So war
es überall und zu allen Zeiten: die Liebesschwärmereien wurden
im züchtigen ritterlichen Europa ebensosehr vergöttert als die
des Medschnun im wollustatmenden Orient. Wenn aber das Romantische vornehmlich aus dem Zusammenstoß eines idealischen Enthusiasmus mit der prosaischen Wirklichkeit hervorgeht, so wird die Liebe, welche alle Widersprüche der menschlichen Natur und Bestimmung in Bewegung setzt, mit Recht
für die vorzugsweise romantische Leidenschaft gehalten.

Corinna ist die Geschichte einer unglücklichen Liebe, und
zwar einer Liebe, die nicht bloß durch zufällige Hindernisse gestört wird, sondern wo der Keim des unglücklichen Ausganges
schon im Wesen der Sache selbst liegt. Diese Sterblichkeit der

schönsten Gefühle ist hier so treffend und wahr geschildert, daß sie in trauernde Betrachtung versenken muß. Corinnas Wahl ist unglücklich; nicht als ob sie auf einen unwürdigen Gegenstand fiele, sondern weil die Entgegensetzung der Charaktere, wovon man recht gut begreift, wie sie die Entstehung gegenseitiger Neigung sogar begünstigt, entweder eine frühe Trennung herbeiführen muß oder doch keine dauernd glückliche Vereinigung hoffen läßt. Da Corinna, wiewohl keinesweges mit einer kalten fehlerlosen Vollkommenheit begabt, außer allem übrigen Zauber, den sie besitzt, auch in ihrer Liebe durch unbefangene Hingegebenheit so unendlich liebenswürdig erscheint, so war der Mann, der sie verläßt und aufopfert, freilich nicht ganz zu retten. Indessen hat die Verfasserin bewundernswürdige Kunst aufgewandt, um ihn dennoch anziehend und seinen Wankelmut begreiflich zu machen. Oswald, ein englischer Lord von den edelsten Eigenschaften, hat durch einen jugendlichen Fehltritt gegen seinen Vater, den er aus zarter Gewissenhaftigkeit bei sich selbst übertreibt, ein schüchternes, trübes, sich und andern mißtrauendes Wesen angenommen. Da er zuvor zu Hause und auf Reisen bloß der sittlichen und geselligen Ausbildung gelebt hat, eröffnet Corinna ihm auf einmal die Welt der Phantasie und zieht ihn unwiderstehlich in ihren magischen Kreis. Aber Corinna hat in näheren Verhältnissen mit seinem Vaterlande und seiner Familie gestanden, als er weiß oder vermutet, und ihre Jugendgeschichte, die sie nach langem Widerstreben ihm endlich offenbart, erregt ihm Zweifel an der Möglichkeit eines häuslichen Glückes mit ihr nach seinem Sinne. Der Krieg ruft ihn nach England zurück, und hier ist vortrefflich entwickelt, wie nationale Denkart und Gewöhnungen, mit einem Worte, alle die Wurzeln, woran das Dasein pflanzenartig hängt, sich der freien Bewegung eines begeisterten Gefühls, welches über diesen Kreis hinausgeht, widersetzen und es endlich bemeistern. Wir können die erfinderisch zusammengestellten Umstände und Zufälle, welche gegen Corinnas Liebe sich gleichsam verschwören, hier nicht einzeln angeben, ohne denjenigen unserer Leser, die das Buch noch nicht kennen, vorzugreifen und den Reiz der Neuheit zu schwächen. Nur dies: in Lucilen, der jungen Engländerin, die Oswald Corinnen vorzieht und zur Gattin erwählt, ist ein Bild eingezogener verschleierter Jungfräulichkeit und strenger sittlicher Reinheit mit so zarter Anmut umkleidet, daß es in der Sinnesart mancher Leser Corinnens hinreißenden Reizen die Waage halten mag; gar nicht nach der Weise gewöhnlicher Romandichter, die alles an ein Schoßkind ihrer Phantasie verschwenden und für die übrigen Personen nichts übrig behalten.

Corinna handelt nach einem entschiedenen Gefühl, kühn und offen im Vertrauen auf ihren hohen Genius. Oswald hingegen schwankt vom Anfange an, ohne alle Selbständigkeit, was ihm nebst einer fast weichlichen Regsamkeit des Gefühls ein etwas unmännliches Ansehen gibt. Es ist wahr, er vernachlässigt sein Leben aus Edelmut bei jedem Anlasse: er wagt sich, um Notleidende aus dem Feuer oder Wasser zu retten; er wagt sich im Kriege; er wagt sich auch für Corinna bei einer tödlichen und ansteckenden Krankheit, die sie befällt. Wir überlassen dem Gefühl der Leserinnen, zu entscheiden, wieviel dies auf eine weibliche Einbildungskraft wirken mag. Corinnens Neigung ist vielleicht dadurch erklärt, aber Oswalds Wert wenig gehoben. Ihr Leben wagen viele, aus guten, gemeinen oder schlechten und erbärmlichen Antrieben; aber echte Männlichkeit beruht auf unerschütterlicher Treue und mutiger Unabhängigkeit der Gesinnungen. Wie unmündig erscheint Oswald oft anderen Personen gegenüber! Er läßt sich ebensowohl durch die steifen Sittenpredigten der Lady Edgermond als durch die schlaue Eitelkeit der Madame d'Arbigny beherrschen und besseren Entschlüssen abtrünnig machen.

Die Jugendgeschichte Corinnas schildert mit unübertrefflicher Wahrheit, wie ein strebender Geist durch die geordnete Mittel-

mäßigkeit seiner Umgebungen eingeengt wird und wie aus
lauter kleinen Hemmungen seiner Wirksamkeit ein unleidlicher
Druck erwächst. Wer je etwas Ähnliches gefühlt hat, wird es
nicht ohne die innigste Teilnahme lesen.

Die nicht zahlreichen Nebencharaktere sind sämtlich nach
ihrem Zweck und der Stelle, die sie einnehmen, mit großem
Verstande angelegt und mit Sorgfalt ausgeführt. Der ausgezeichnetste ist der Graf d'Erfeuil, ein französischer Emigrierter
von gewandtem leichtem Weltton, der sich als ein Mann von
Ehre beträgt und sogar einen gewissen Edelmut besitzt, ohne
alle Tiefe des Gemüts und bei völliger Unfähigkeit zum Enthusiasmus. In dieser Charakteristik ist eine ganze Gattung erschöpft, und dennoch sind die Züge feiner, als man sie von einzelnen Originalen leicht aufsammeln könnte.

Das Ganze der Komposition ist einfach und wohlgeordnet:
die Teile stehen in schönen Verhältnissen zueinander. Anfangs
herrscht die Phantasie, ihre farbigen Erscheinungen haben Raum,
sich zu entfalten, bis sie vor der steigenden Leidenschaft in den
Schatten zurücktreten und zuletzt alles sich mehr und mehr in
ein einziges Gefühl der Trauer zusammenzieht. Der Knoten ist
künstlich und fest geknüpft; dem Zufall ist nur selten der Eintritt verstattet und alles soviel möglich durch innere Notwendigkeit bestimmt. Die Katastrophe ist ergreifend. Natur und
Kunst haben gewetteifert, Corinna zu schmücken; sie hat einen
friedlichen Triumph des Ruhmes errungen, alle ihre Kränze
legt sie der Liebe zu Füßen: ihr Opfer wird verschmäht, sie muß
darüber zugrunde gehen. Ihr Schicksal erweckt die innigste
Rührung ohne alle Bitterkeit. Man möchte diese Zeile Filicajas
in seinem berühmten Sonett, worin er die Unfälle Italiens be-
klagt, über Corinna ausrufen:

> Deh fosti tu men bella, o almen più forte!

Aber die mildernden Aussöhnungen, welche vorhergehen, die

Ruhe, welche ihre letzten Augenblicke umschwebt, lassen auf
sie anwenden, was der Dichter von Clorindens Tode sagt:

> ---- in questa forma
> Passa la bella donna, e par che dorma.

Eine Vergleichung zwischen den beiden Romanen der berühmten Verfasserin anzustellen, würde ein anziehendes Geschäft
sein, aber uns hier zu weit führen. An Adel der Gesinnung, be-
redtem Ausdruck der Leidenschaft, rührender Kraft und Aufforderung zur Teilnahme steht Delphine der Corinna gewiß
nicht nach. Vielleicht sind nur in jener die Lagen zu gewaltsam
und die Spannungen zu schmerzlich. Zwar ist auch dort schon
in den Charakter der Liebenden, in Delphinens unvorsichtige
Güte und Großmut und Leonces äußerst verletzbares Ehrgefühl,
der Keim des Unglücks gelegt; doch um sie zu trennen, sind die
Tücken des Zufalls und Hinterlist und Verleumdung feindseliger
Menschen vielfältig zu Hülfe genommen, was nicht ohne eine
störende Einmischung von Unwillen in das Mitleiden abgehen
kann. Der Gesamteindruck der Corinna dünkt uns harmonischer
und milder. Zum Teil muß man dies wohl der bedeutenderen
Stelle zuschreiben, welche die Einbildungskraft hier einnimmt,
weil diese überall, wo sie sich anschmiegt, die geraden sich kreu-
zenden Richtungen des Verstandes in Wellenlinien abrundet und
die getrennten Bestandteile des menschlichen Daseins untereinander bindet. In der Delphine ist nur die Phantasie des Herzens
mächtig und scheint alle übrige Phantasie verschlungen zu haben.
Die in der Corinna gewählte erzählende Form ist unstreitig der
Abfassung eines Romans in Briefen vorzuziehen. Erstlich ist sie
weit gedrängter, ferner ist der durchgängige Gebrauch der Brief-
form vielen Unbequemlichkeiten unterworfen: die Personen
sollen in ihrer jedesmaligen Lage befangen sein, und doch muß
ihnen eine damit unverträgliche Beobachtung ihrer selbst und anderer verliehen werden, um den Leser über sie und ihre Täuschun-

gen ins klare zu setzen und die Zukunft vorzubereiten. Die Erzählung hingegen darf mit einer gewissen dichterischen Allwissenheit ruhig und unparteiisch auf die Mithandelnden herabschauen.

Wenn wir nicht sehr irren, so wird Corinna der Sinnesart der
deutschen Leser noch in höherem Grade zusagen als die früheren
immer mit großer Wärme aufgenommenen und bewunderten
Schriften der Frau von Staël. Rezensent hatte Gelegenheit, die
erste Wirkung dieses neuesten Werkes in Frankreich zu beobachten, wo es außerordentliches Glück macht und seit dem
Augenblicke der Erscheinung das Publikum auf das lebhafteste
beschäftigt. Genialische Überlegenheit darf sich nur zeigen, wie
sie ist, um alle Versuche kalter oder eigenliebiger Persönlichkeit, die den hohen Begriff ableugnen möchte, niederzuschla-
gen. Indessen haben die französischen Journalisten, welche nach
der Sitte sogleich in dem literarischen Anhange der politischen
Blätter Bericht erstatten mußten, mit wenigen Ausnahmen,
eine ziemlich belustigende Rolle dabei gespielt. Gezwungen zu
loben, um nicht zu sehr gegen die öffentliche Meinung anzu-
stoßen, und doch unfähig, den Geist des Ganzen auch nur von
fern zu ahnden, hängen sie sich an Einzelheiten. Sie beschweren
sich über ‹métaphysique du sentiment› und Dunkelheiten, wo
wir unsererseits eine fast strahlende Klarheit finden. Daß sie bei
ihrer Unwissenheit und ihrem Mangel an Kunstsinn über den
Teil des Werkes, der Italien betrifft, nichts zu sagen haben, versteht sich von selbst. Sie bleiben also bei dem Roman stehen und
sind in Verlegenheit darüber, daß sich kein bares Resultat ergeben will, das heißt keine triviale Sitten- oder Klugheitslehre, um
die sich die ganze Geschichte drehte. Daß dieselbe Person in
ihren Meinungen und ihrer Handlungsweise zuweilen recht, zuweilen unrecht hat, ohne daß es dem Leser ausdrücklich kund-
getan wird; daß einem zugemutet werden kann, einen Roman
so zu lesen, wie man in einen Kreis ausgezeichneter Menschen
tritt, wo der scharfe Beobachter die feinsten Beziehungen wahr-

nimmt, während der Ungewitzigte weggeht, wie er gekommen ist: das ist durchaus über ihren Horizont. Einige setzen den Grafen d'Erfeuil unwissend fort, nämlich sie beurteilen eine echt poetische Komposition gerade so wie er, oberflächlich und nach gesellschaftlichen Konventionen. Andere, da sie in der Charakteristik des Grafen d'Erfeuil etwas Unheimliches verspüren, wollen zu üblem Spiel eine gute Miene machen: sie erkennen ihn also an und erklären ihn dreist für liebenswürdiger, gefühlvoller, verständiger und in alle Wege vortrefflicher als den Engländer Oswald, ja für das eigentliche Muster eines gebildeten Mannes. Den Grafen Raimond, einen wahrhaft edlen und ritterlichen französischen Charakter, lassen sie aus guten Gründen unerwähnt. Das Ausland so günstig zu schildern, wie hier geschieht, England in Ansehung der sittlichen und bürgerlichen Ordnung, Italien von seiten der künstlerischen Anlagen, scheint ihnen auch ein seltsamer Eigensinn des Geistes; und bei einigen literarischen Ketzereien, die nur leicht hingeworfen und einer oder der anderen Person in den Mund gelegt sind, trauen sie kaum ihren Augen, daß man wagen könne, so etwas auszusprechen.

Überhaupt ist dieses Buch für ein europäisches Publikum bestimmt und ganz dazu eingerichtet, mehrere Nationen verschiedentlich anzuregen. Die Engländer und Italiener werden mit ihrem Anteil ohne Zweifel besser zufrieden sein. In Italien besonders wird Corinna einen freudigen Enthusiasmus erwecken. Die Italiener fühlen es mit Bitterkeit, daß ihre Nation, die den übrigen in allem vorgeleuchtet, seit geraumer Zeit unter dem Drucke der Meinung Europas steht. Sie sind sehr dankbar dafür, und es wirkt wohltätig auf sie, wenn sie einer wohlwollenden und gerechteren Beurteilung begegnen. Wir Deutschen sind nur in den Noten mit Lobe bedacht. Wenn wir anders nicht für eine unromantische oder ganz und gar unpoetische Nation zu achten sind, so möchten wir die berühmte Verfasserin ersuchen, uns das nächstemal in den Text aufzunehmen.

ANMERKUNGEN

zension als einen ‹sehr bekannten Schriftsteller, der in beträchtlicher Entfernung von Jena lebt›. Es war Ludwig Ferdinand Huber (1764–1804), 1798–1803 Redaktor der Cottaschen ‹Allgemeinen Zeitung› in Tübingen, hilfreicher Freund Schillers, als Dichter von Dramen, insbesondere Lustspielen, allerdings ohne Bedeutung.

42   *Versuch über die dramatische Kunst.* Vgl. Einleitung S. 30.

ÜBER KRITISCHE ZEITSCHRIFTEN

45   1798 im ‹Athenäum› (siehe Einleitung S. 23) erschienen.

48   *Allgemeine deutsche Bibliothek.* Ein von Friedrich Nicolai, dem Berliner Aufklärer und Widersacher der Frühromantiker, von 1765–1803 geführtes kritisches Unternehmen, das eine Zeitlang über hervorragende Mitarbeiter, wie Herder, Knigge, Musäus, verfügte.

ETWAS ÜBER WILLIAM SHAKESPEARE
BEI GELEGENHEIT WILHELM MEISTERS

51   In dem 1796 erschienenen Essai vereinigen sich die Hauptinteressen des jungen A. W. Schlegel und des Kreises, dem er angehört: die Verehrung für Goethes soeben erschienenen Roman, den Friedrich Schlegel mit Fichtes ‹Wissenschaftslehre› und der Französischen Revolution zu den größten Tendenzen des Zeitalters zählt, die Verehrung für Shakespeare und der Entschluß, eine poetische Shakespeare-Übersetzung zu schaffen.

52   *I could a tale* ... Hamlet, I. Akt, 5. Szene, in A. W. Schlegels Übersetzung: ‹Ich höbe eine Kunde an, von der
Das kleinste Wort die Seele dir zermalmte ...›

52   *Pope,* Alexander (1688–1744), Dichter, Hauptvertreter des englischen Klassizismus, Verfasser des ‹Lockenraubs›, des Lehrgedichts ‹Essay on Man›, einer Homer-Übersetzung, von Schlegel immer wieder wegen seiner aufklärerischen Gesinnung angegriffen.

Warburton, William (1698–1779), Bischof von Gloucester, Herausgeber von Popes und Shakespeares Werken. 52

Gottsched, Johann Christoph (1700–1766), Professor in Leipzig, mit moralischen Wochenschriften, einer ‹Kritischen Dichtkunst›, dem Sammelwerk ‹Deutsche Schaubühne› ein höchst einflußreicher Förderer des deutschen Bildungswesens im Geiste der Aufklärung, um seiner Rechthaberei und oft trivialer Ideen willen schon von Lessing verspottet. 52

Johnson, Samuel (1709–1784), der große englische Schriftsteller, Kritiker, Schöpfer des ‹Dictionary of English Language›, von Schlegel wegen seiner klassizistischen Urteile oft befehdet. 53

Bruce, James (1703–1793), englischer Afrikareisender. 58

Vor mehr als dreißig Jahren. Gemeint ist die 1762–1766 erschienene Shakespeare-Übersetzung Wielands. 64

‹*Von deutscher Art und Kunst.*› Verfaßt von J. G. Herder (1744 bis 1803). 66

Geschmackvollsten Literatoren. J. J. Eschenburg (1743–1820); seine Shakespeare-Übersetzung erschien 1775–1782. 66

Schröder, Friedrich Ludwig (1744–1816), Schauspieler, Theaterdirektor in Hamburg; Goethe hatte ihn im Sinn, als er die Gestalt Serlos im ‹Wilhelm Meister› schuf. 66

His life was gentle… Shakespeare: ‹Julius Cäsar›, V. Akt, 5. Szene, in Schlegels Übersetzung: 67
‹Sanft war sein Leben, und so mischten sich
Die Element' in ihm, daß die Natur
Aufstehen durfte und der Welt verkünden:
Dies war ein Mann!›

Gibbon, Edward (1737–1794), englischer Historiker; Hauptwerk: ‹History of the decline and fall of the Roman empire›. 67

Jones, William (1746–1774), englischer Jurist und Orientalist, einer der Begründer des Sanskritstudiums, Übersetzer von Kalidasas ‹Sakontala›. 69

73 *Malone,* Edmond (1741–1812), Shakespeare-Forscher, veröffentlichte 1778 ‹Attempt to ascertain the Order in which the
Plays of Shakespeare are written›. ‹Was ihr wollt› gilt heute als
ein Stück aus den mittleren Schaffensjahren.

75 *Engel,* Johann Jakob (1741–1802), Verfasser des seinerzeit viel
gelesenen Zeitromans ‹Herr Lorenz Stark›. 1783 erschienen
seine ‹Anfangsgründe einer Theorie der Dichtungsarten›, 1785
f. die ‹Ideen zu einer Mimik›.

76 *Syrus,* Publius, einstiger Sklave aus Antiocheia, ein Hauptvertreter des Mimus (einer derb realistischen, volkstümlichen Art
des komischen Nachspiels zu Tragödien) in Cäsarischer Zeit.

76 *Laberius.* Um 106–43 v.Chr., trat 46 in den von Cäsar gefeierten Spielen als Mime auf. Die von ihm verfaßten Stücke erinnern an die gepflegtere Art des Terenz.

76 *Populares vincentem*... ‹den Lärm des Pöbels besiegend›.

80 *Le Babillard.* Von Louis de Boissy (1694–1758), 1725 geschrieben, hielt sich lang im Repertoire der Comédie Française.

86 *Hunc socci cepere*... Horaz, De arte poetica, v. 80 ff., in R.A.
Schröders Übersetzung:
‹Seiner bemächtigten dann der Soccus und der Kothurn sich,
Weil er, zu Wechselreden geschickt, den lärmigen Schauplatz
Hallend besiegt und dünkt von Natur für die Bühne geschaffen.›

88 *Dryden,* John (1631–1700), Dramatiker, Lyriker, Kritiker, Verfasser von Lehrgedichten, vor allem durch formale Vollendung
ausgezeichnet.

88 *Spenser,* Edmund (1552–1599), galt als erster Dichter seiner Zeit
und wird an dichterischer Begabung nur von Shakespeare übertroffen.

ÜBER SHAKESPEARES ROMEO UND JULIA

92 1797 entstanden; an der Studie hat Caroline mitgearbeitet; vgl.
Einleitung S. 11.

Steevens, George (1736–1800), Shakespeare-Kommentator, gab   93
mit Johnson zusammen 1773 ‹The works of Shakespeare with
the Corrections and Illustrations of various Commentators›
heraus.

Malone. Vgl. S. 348.   93

Porto, Luigi da (1485–1529), geb. in Vicenza, in seinen ‹Rime›   93
Nachahmer Petrarcas, schrieb die Novelle ‹Giulietta e Romeo›
nach einer ähnlichen älteren Erzählung, gab dem Stoff aber als
erster künstlerische Gestalt.

Bandello, Matteo (1485–1562), Dominikaner, wegen seiner   93
Novellen als ‹lombardischer Boccaccio› gepriesen.

Belleforest, François de (1530–1583), französischer Historiker,   93
gab 1580 die ‹Histoires tragiques› Bandellos heraus.

Boaistuau, gest. 1566; seine ‹Histoires prodigieuses› erschienen   93
1560 und wurden später von Belleforest und andern ergänzt.

‹*Sein Geist, so wie der reiche…*› Nach Shakespeare, ‹Julius Cäsar›,   93
I. Akt, 3. Szene:
‹His countenance, like richest alchemy,
Will change to virtue and to worthiness.›

Garrick, David (1716–1779), englischer Schauspieler, als Shake-   96
speare-Darsteller berühmt durch sein naturgetreues Spiel.

Amor' al cor… Dante, Inferno V, 100.   97

Johnson. Vgl. S. 347.   107

ist schlichte Einfalt… Shakespeare, ‹Was ihr wollt›, II. Akt, 4. Sz.   110

SALOMON GESSNER, VON JOHANN JAKOB HOTTINGER

Die von Schlegel rezensierte Biographie erschien 1796 in Zürich.   114

Hottinger, Johann Jakob (1750–1819), gehört zum Kreis der   114
Zürcher Aufklärung. Er war Professor am Carolinum und verfaßte auch Satiren gegen Goethes ‹Werther› und das Geniewesen.

114   *Johnson.* Vgl. S. 347.

114   *Hirzel,* Johann Caspar (1725–1803), Zürcher Arzt und Men-
        schenfreund, pries im Kleinjogg den Musterbauern und ‹So-
        crate rustique› und verfaßte zahlreiche Biographien.

114   *Steinbrüchel,* Johann Jakob (1729–1796), als Nachfolger Brei-
        tingers Professor für Griechisch und Hermeneutik, übersetzte
        Sophokles, Euripides und Pindar.

114   *Schultheß,* Johann Georg (1724–1804), Herausgeber von Bod-
        mers Gedichten und der ‹Bibliothek der griechischen Philoso-
        phen›.

114   *Heidegger,* Heinrich, Schwager Geßners, Mitinhaber der Buch-
        handlung Orell, Geßner & Co., auch als Schriftsteller gelegent-
        lich hervortretend.

115   *Brockes,* Barthold Heinrich (1680–1747), Hamburger Senator,
        bedeutender Lyriker des Spätbarocks, am bekanntesten durch
        die neun unter dem Titel ‹Irdisches Vergnügen in Gott› 1721
        bis 1748 erschienenen Gedichte.

116   *Hempel.* Gestorben vor 1786, gehörte zum Freundeskreis Gleims,
        malte die Bildnisse Gleims, Ramlers, E. v. Kleists und Gellerts.

117   *Sulzer,* Johann Georg (1720–1779), geb. in Winterthur, Lehrer
        der Mathematik in Berlin, Verfasser der weitverbreiteten ‹All-
        gemeinen Theorie der schönen Künste›.

117   *Ramler*, Karl Wilhelm (1725–1798), Lyriker, gewandt in schwie-
        rigen, zumal antiken Formen, der Beckmesser seines Jahrhun-
        derts.

117   *Hagedorn,* Friedrich (1708–1754), anakreontischer Lyriker, neben
        Haller das bedeutendste Talent der ersten Jahrhunderthälfte,
        auch Verfasser populärphilosophischer Schriften.

118   *Dancourt* (1725–1801), Schauspieler und Theaterdichter, Ver-

fasser einer seinerzeit berühmten Antwort auf Rousseaus ‹Lettre
à d'Alembert› über das Theater.

Aminta. Schäferspiel von Torquato Tasso (1538–1612).   119

Uz, Johann Peter (1720–1796), anakreontischer Lyriker.   120

Gleim, Johann Wilhelm Ludwig (1719–1803), Dichter, bekannt   120
vor allem durch seine ‹Kriegslieder eines preußischen Grena-
diers› und anakreontische Tändeleien; mit aller Welt befreundet.

Kleist, Ewald von (1715–1759), Verfasser des liebenswürdigen   120
Gedichts ‹Der Frühling›, Freund Lessings, in der Schlacht von
Kunersdorf tödlich verwundet.

Principis urbium… Horaz, Oden IV, 3   121
‹Fürstin der Städte, dein
Nachwuchs würdiget dich, unter der Dichter Schar,
Der holdseligen, einzugehn› (deutsch nach R. A. Schröder).

Guarini. Vgl. S. 352.   123

Berghem, Nicolaes (1620–1683), holländischer Maler, malte vor   124
allem Gebirgs- und Flußlandschaften mit Schäferstaffage.

‹*Evander und Alcimna.*› Ein Schäferspiel, das die ganz undrama-   125
tische Natur Geßners erweist.

nach Graff von Lips. Gemeint ist der aus dem Weimarer Kreis   126
bekannte Zürcher Maler und Kupferstecher Johann Heinrich
Lips (1758–1817), der nach dem Gemälde von Anton Graff
(1736–1813) den Kupferstich angefertigt hatte.

BÜRGER

Über A. W. Schlegels persönliche Beziehungen zu Bürger siehe   127
Einleitung S. 8. Die große, auch als Antwort auf Schillers
scharfe Kritik gedachte Darstellung des Dichters ist 1800 entstanden.

Heyne, Christian Gottlob (1729–1812), klassischer Philologe in   130

Göttingen, Mitbegründer der allgemein-kulturgeschichtlichen Würdigung antiker Autoren, von ungeheurem, oft unterschätztem Einfluß auf die ganze Goethe-Zeit und ihr Verhältnis zur Antike.

130 *Lichtenberg,* Georg Christoph (1742–1799), Physiker und Schriftsteller, einer der größten Aphoristiker der Weltliteratur.

131 *Kästner,* Abraham Gotthelf (1719–1800), Professor der Mathematik und Physik in Göttingen, vor allem als Epigrammatiker bekannt, Mitarbeiter an dem ersten Göttinger Musenalmanach.

133 *Schiller.* Über die persönlichen Beziehungen zu Schlegel siehe Einleitung S. 27 ff.

137 *Guarini,* Giovanni Battista (1538–1612), Schöpfer des Schäferspiels ‹Il Pastor fido› und der formvollendeten ‹Rime›, von größtem Einfluß auf die Dichtung des italienischen Barocks.

137 *Homers Rhapsodien.* Von Rhapsodien spricht Schlegel gemäß der damals noch neuen und sensationellen Auflösung der ‹Ilias› in Einzelgesänge durch F. A. Wolf.

140 *Engels.* Vgl. S. 348.

140 *Batteux,* Charles (1713–1780), französischer Ästhetiker, von großem Einfluß auf die Poetik der Aufklärung.

142 *Johnson.* Vgl. S. 347.

142 *Chevy-Jagd.* Die in Percys (vgl. S. 353) ‹Reliques› überlieferte, von Herder übersetzte Ballade aus dem englischen Mittelalter.

143 *Shenstone,* William (1714–1763), regte Percy (vgl. S. 353) zur Sammlung seiner ‹Reliques› an.

143 *Collins,* William (1721–1759), englischer Lyriker; Schlegel denkt vermutlich an seine 1750 gedichtete ‹Ode on the Popular Superstitions of the Highlands›.

143 *Mallet,* David (1705–1765), schottischer Dichter, Schöpfer der für Bürgers ‹Lenore› bedeutsamen Ballade ‹William and Margaret›.

Goldsmith, Oliver (1728–1774), englischer Dichter; seine Lust- 143
spiele zählen zu den Meisterwerken ihrer Art. Sein Roman
‹The Vicar of Wakefield› hat Goethe in Straßburg tiefen Eindruck gemacht.

Percy, Thomas (1729–1811), Geistlicher, zuletzt Bischof, Dich- 143
ter und Volkskundler, gab 1765 die ‹Reliques of ancient English
Poetry› heraus, die von entscheidender Bedeutung waren für
die Neubelebung der volkstümlichen, zumal der Balladendich-
tung durch Herder, Bürger und Goethe.

im Deutschen. Beispiel der Bürgerschen Strophe: 145
‹Knapp’, sattle mir mein Dänenroß,
Daß ich mir Ruh’ erreite!
Es wird mir hier zu eng im Schloß;
Ich will und muß ins Weite!› –
So rief der Ritter Karl in Hast,
Voll Angst und Ahnung, sonder Rast.
Es schien ihn fast zu plagen,
Als hätt’ er wen erschlagen.

Kunstrichter. Wieland hatte im ‹Teutschen Merkur› 1778 eine 148
sehr lobende Kritik von Bürgers Gedichten veröffentlicht, aber
alles noch allzusehr nach den Maßstäben der Aufklärung beurteilt.

Tormes, Lazarillo de. Ein 1554 erschienener spanischer Schel- 153
menroman.

Graf zu Stolberg, Friedrich Leopold (1750–1819), Dichter, be- 158
freundet mit den Mitgliedern des Göttinger Hains, Klopstock,
Claudius und Goethe, Übersetzer der ‹Ilias›, erregte später Aufsehen durch seinen Übertritt zum Katholizismus.

Hogarth, William (1697–1764), englischer Maler, Zeichner und 164
Kupferstecher, vor allem Schöpfer von Sittenbildern (darunter
die Bilderfolge ‹The Rake’s Progress›, die den Stoff für Stra-
winskys Oper lieferte). Lichtenberg (vgl. S. 352) verfaßte ‹Erklärungen der Hogarthschen Kupferstiche›.

164   *Walpole,* Horace (1717–1797), Schriftsteller und Kunstsammler, Verfasser des vielgelesenen Schauerromans ‹Das Schloß von Otranto›. Seine Briefe sind von großem kulturgeschichtlichem Wert.

164   *Wie ich dem Herkules.* Zitat aus ‹Hamlet›, I. Akt, 2. Szene.

170   *Fabliau.* Von Spielleuten vorgetragene Erzählung meist derben Inhalts, im französischen Hochmittelalter verbreitet.

170   *Stolberg.* Vgl. S. 353.

176   *Pope.* Vgl. S. 346.

177   *Ramler.* Vgl. S. 350.

178   *Nachtfeier der Venus.* Pervigilium Veneris, gilt heute als Werk eines unbekannten Verfassers aus der Zeit um 150 n. Chr.

179   *Polyklet.* Sein ‹Speerträger› galt schon im Altertum als Urmaß der Proportionen des männlichen Körpers.

180   *Der Refrain des Originals* lautet:
      Cras amet, qui, numquam amavit,
      Quique amavit, cras amet.

      Bürger übersetzt schließlich:
      ‹Morgen liebe, was bis heute
      Nie der Liebe sich erfreut!
      Was sich stets der Liebe freute,
      Liebe morgen wie bis heut’!›

186   *Macduff.* In Shakespeares ‹Macbeth›, IV. Akt, 3. Szene.

188   *Ariost.* Vgl. S. 358.

189   *Heroide.* So heißen zumal die von Ovid gedichteten Briefe mythischer Männer und Frauen.

189   *Boufflers,* Stanislas, Chevalier de (1738–1815), Sohn der Marquise de Boufflers und des Königs Stanislaus von Polen; Verfasser beliebter Verserzählungen.

TERPSICHORE VON J. G. HERDER

Herder braucht den Namen der Muse in etwas willkürlicher 191
Weise für einige Studien über lyrische Poesie. Die erste, die
von Schlegel hier einzig gewürdigt wird, enthält Übersetzungen lateinischer Gedichte Jakob Baldes (1604–1668). Allein
schon um des pietätvollen Bildnisses willen, das Schlegel von
Herder entwirft, verdient die Rezension mitgeteilt zu werden.

Tarpa, Metius. Eigentlich Maecius Tarpa, bei Horaz, Serm. 1, 194
10, 38, und De Arte Poetica 387 erwähnter Kunstrichter.

Opitz, Fleming. Vgl. S. 360. 195

Tristibus imperiis... Balde Lyricorum IV, 36. Von Herder, ziem- 196
lich frei, so übersetzt:
‹Muß ich im Kerker dann, in diesem traurigen Lande
Öde verblühn und frühe verwelken?›

DIE HOREN

1796 erschienene Rezension. Die von Schiller 1794 begründete 197
Zeitschrift, die zuerst als das führende Organ der deutschen
Klassik erschien, vermochte sich nicht lange zu halten; sie
wurde schon nach dem dritten Jahrgang sistiert.

Boileau, Nicolas (1636–1711), Wortführer des französischen 199
Klassizismus, zumal durch sein Hauptwerk ‹L'art poétique›
(1674).

Pope. Siehe S. 346. 199

Das Antike war... Erste Fassung eines Verses aus Goethes 13. 200
Elegie.

Properz, Tibull, Ovid galten als die Triumvirn der römischen 202
Liebesdichtung; sie werden von Goethe in den ‹Römischen
Elegien› mit vollem Bewußtsein nachgeahmt, zumal Properz,
der bis in Einzelheiten nachwirkt.

Nos Venerem tutam... Ovid, Ars amatoria, I, 33: 203

‹Sichere Liebe besingen wir, gestatteten Diebstahl;
Und es findet sich nichts Arges in meinem Gedicht.›

205   *Mimnermus* aus Kolophon oder Smyrna, um 600 v.Chr. Einige
      Elegienfragmente, darunter Klagen über das Alter, sind erhalten.

206   *Quidquid delirant…* Horaz, Episteln II, 14:
      ‹Was der Könige Wahnwitz beginnt, das büßen die Griechen.›

207   *Imbelles elegi…* Ovid, Amores III, 15; v. 19:
      ‹Lebt wohl ihr friedlichen Verse, du heitere Muse.›

208   ‹*Natur und Schule*› in endgültiger Fassung ‹Der Genius›.

209   ‹*Elegie*› in endgültiger Fassung ‹Der Spaziergang›.

209   *erhalten aus dem modrigen…* Freies Zitat aus ‹Natur und Schule›.

218   *Heinrich Stillings Leben.* Gemeint ist die wundersüchtige Lebens-
      geschichte von Goethes Jugendfreund Johann Heinrich Jung,
      genannt Stilling, die 1777 erschien.

219   *Landsleute der Irrlichter.* Irrlichter kommen in Goethes ‹Märchen›
      vor; mit ihren Landsleuten meint Schlegel offenbar die Fran-
      zosen.

HERMANN UND DOROTHEA

223   *scharfsinnige Kritiker.* Friedrich August Wolf, der in seinem ‹Pro-
      legomena ad Homerum› die ‹Ilias› in Einzelgesänge auflöste.

225   ῥαπτὰ ἔπη. Fortgesponnene Lieder.

226   ‹*Im Roman sollen…*› Wilhelm Meister, V. Buch, 7. Kap.

227   *das Ruhende in Fortschreitendes.* Schlegel folgt den von Lessing im
      ‹Laokoon› aufgestellten Thesen.

231   *Apollonius,* von Rhodos, um 250 v.Chr. bedeutendster Epiker
      der alexandrinischen Zeit, Schöpfer der ‹Argonautica›.

237   *rhyparographisch,* den Schmutz beschreibend.

Ἔνθεν ἑλών. Von da anhebend. 241

Dionysius von Halikarnaß. Griechischer Gelehrter, lebte unter 247
Augustus in Rom, Verfasser der ‹Antiquitates Romanae›, einer
von den Anfängen bis zum Beginn des ersten Punischen Krieges reichenden römischen Geschichte.

Wolf. Vgl. S. 356. 247

HERZENSERGIESSUNGEN EINES KUNSTLIEBENDEN
KLOSTERBRUDERS

Wilhelm Heinrich Wackenroder (1773–1798), der frühverstor- 253
bene Freund Tiecks, gilt mit Recht als Mitbegründer der deutschen Romantik. Das von Schlegel rezensierte, 1797 erschienene Buch hat bei aller Anspruchslosigkeit mit seiner Kunstandacht und seinem Preis der Musik und der Stimmung sowohl
die Literatur wie die Malerei entscheidend beeinflußt. Von
Wackenroder führen die Linien weiter zu Eichendorff, Ph. O.
Runge und C. D. Friedrich.

Vasari, Giorgio (1511–1574), Maler und Kunstkritiker, Verfasser 255
der ‹Vite de’ più eccellenti pittori, scultori ed architetti italiani›
(1551).

Malvasia, Carlo Cesare (1616–1693), schrieb 1657 ‹Le pitture di 255
Bologna›, 1678 ‹Felsina pittrice›, worin das Leben der bolo-
gnesischen Maler mit einer Fülle von Details und Anekdoten
erzählt wird.

die ungeführten Worte… Sie lauten: ‹Da man so wenig schöne 257
weibliche Bildungen sieht, so halte ich mich an ein gewisses
Bild im Geiste, welches in meine Seele kommt.›

LUDWIG TIECKS VOLKSMÄRCHEN VON PETER LEBERECHT

Ludwig Tieck (1773–1853), der heute fast vergessene, zu seiner 260
Zeit hochgepriesene, ja Goethe gleichgestellte Dichter, Übersetzer, Herausgeber und Dramaturg, der den poetischen Mit-

telpunkt der Berliner Frühromantik bildete und auf die gesamte Romantik bis zu Mörike und G.Keller eine vielleicht nicht tiefe, aber um so unwiderstehlichere Wirkung ausübte, veröffentlichte 1798 märchenhafte Dichtungen, zu denen er als Verfasser einen in seinem teils schlichten, teils ironischen Wesen schwer faßbaren Peter Leberecht erfand.

261   *Mutter Gans.* ‹Les contes de ma mère l'oye› von Charles Perrault (1628–1703).

261   *Schikaneder,* Emanuel (1751–1812), Textdichter der ‹Zauberflöte›.

263   *Argos.* Der Hund des Odysseus, der seinen nach zwanzig Jahren zurückkehrenden Herrn gerade noch erkennt und stirbt.

265   *Märchen.* In Goethes ‹Unterhaltungen deutscher Ausgewanderten›.

267   *William Lovell.* Ein früher Roman Tiecks, der einen von Nihilismus angewandelten Verführer in düstern Farben malt.

267   *Karl von Berneck.* Frühes Trauerspiel Tiecks, in der Nachfolge der Ritterdramen des Sturm und Drangs, reißerisch, aber stimmungsstark.

267   *Shakespeare.* Gemeint sind die Ratschläge, die Hamlet den Schauspielern gibt.

BRIEFE ÄSTHETISCHEN INHALTS

268   Der Anlaß, eine 1797 erschienene Schrift eines gewissen C. F. von Schmidt – Phiseldeck über Kant –, ist gleichgültig. Der hier einzig wiedergegebene Eingang der Rezension spricht für sich selbst.

LUDOVICO ARIOSTOS ‹RASENDER ROLAND›

270   Ludovico Ariosto (1474–1533), Schöpfer des romantischen Epos ‹L'Orlando furioso›, war schon für Wieland bedeutungsvoll

und wurde durch den begabten Übersetzer I. D. Gries (1775 bis 1842) weiteren Kreisen in Deutschland bekannt. Die Übersetzung erschien 1804–1808.

Werthes, Friedrich August Clemens (1748–1817), Mitredaktor 270 an Wielands ‹Teutschem Merkur›, Professor der Ästhetik und Literat, zuletzt Hofrat in Stuttgart, verfaßte auch Romane und Dramen.

Schmitt. Vermutlich der 1766 geborene Kreuznacher Advokat 270 Stanislaus Sch., der als Lyriker und Epiker hervortrat.

Werder, Dietrich von dem (1584–1657), eine Zeitlang Ober- 271 hofmarschall und Geheimer Rat in Kassel, unter dem Namen ‹der Vielgekörnte› Mitglied der ‹Fruchtbringenden Gesellschaft›, von Gustav Adolf mit einem Kommando betraut, Übersetzer und Lyriker.

Gottschedische Periode. Vgl. S. 347. 271

Meinhard, Johann Nikolaus (1727–1767), befreundet mit Gel- 271 lert, Winckelmann und Gleim, in seinen letzten Lebensjahren in Erfurt als Erzähler und Übersetzer tätig.

Lessing. Im 332. ‹Brief, die neueste Literatur betreffend›. 272

Heinse, Wilhelm (1746–1803), Verfasser des Künstlerromans 272 ‹Ardinghello›.

Mauvillon. Französischer Sprachmeister in Leipzig, von Lessing 272 mit Achtung erwähnt.

Lütkemüller, Samuel Christoph Abraham (1769–1833), lebte 272 von 1793 an als Wielands Freund in Weimar, Mitherausgeber des ‹Teutschen Merkurs›; ‹Orlando der Rasende› erschien 1797 f.

Gries. Vgl. S. 358. 272

Idris. Gemeint ist ‹Idris und Zenide›, ein romantisches Gedicht 273 in fünf Gesängen von Wieland, 1767.

273   *Harsdörfer,* Georg Philipp (1607–1658), Nürnberg; sein ‹Poetischer Trichter› erschien 1648–1653, die von Schlegel erwähnte Übersetzung der ‹Diana› Francesco Loredanos 1634.

273   *jedoch lehrte uns zuerst Goethe.* Schlegel verschweigt oder weiß nicht, daß es gerade die Stanzen im Anhang zu Heinses ‹Laidion› waren, die Goethe bewogen, sich gleichfalls in dieser Reimart zu versuchen.

274   *Opitzens Zeitalter.* Martin Opitz (1597–1639) wurde besonders durch sein ‹Buch von der teutschen Poeterei› (1624) zum Reformator des deutschen Verses.

274   *Bürger.* Vgl. S. 127 ff.

275   *Abhandlung.* Von Joh. H. Voß in der ‹Jenaischen Allgemeinen Literaturzeitung›.

275   *Fernow,* Karl Ludwig (1763–1808), bekannt vor allem aus dem Kreis von Goethes Weimarer Kunstfreunden, Herausgeber der Werke Winckelmanns.

276   *Weckherlin,* Georg Rudolf (1584–1653), aus Stuttgart, brachte es bis zum Parlamentssekretär und Vertrauensmann der englischen Könige Jakob I. und Karl I., als Lyriker Vorläufer von Opitz.

278   *Moritz,* Karl Philipp (1757–1793), Verfasser des autobiographischen Romans ‹Anton Reiser›. Sein ‹Versuch einer deutschen Prosodie› (1786) wurde auch für Goethe bedeutsam. Den hier erwähnten Lehrern der Metrik schließt sich A. W. Schlegel als einer der rigorosesten an.

278   *Zesen,* Philipp von (1619–1689), einer der größten Romanciers und Lyriker des deutschen Barocks.

280   *Athenäum.* Vgl. Einleitung S. 23. Den hier erwähnten Vorschlag hat A. W. Schlegel selbst gemacht.

280   *rime tronche,* stumpfe Reime.

rime sdrucciole, Reime mit dem Ton auf der drittletzten Silbe.   281

Aristipp. Um 400 v.Chr., Schüler des Sokrates.   284

S'io valessi a dir. Dante, Paradiso, 31. Gesang, v. 136ff. Das genaue   286
und vollständige Zitat lautet:
‹E s'io avessi in dir tanta divizia
Quanto ad immaginar, non ardirei
Lo minimo tentar di sua delizia.›

verliebten der ‹Orlando innamorato› von Bojardo.   288

Frage des Kardinals. Ippolito d'Este fragte Ariosto: ‹Messer Lodo-   292
vico, dove trovaste mai tante coglionerie?› – Herr Ludwig, wo
habt Ihr all das tolle Zeug her?

fabliaux. Vgl. S. 354.   292

Don Quixote

Tiecks (vgl. S. 357) Übersetzung erschien 1799.   294

ein gelehrter Kenner. Friedrich Johann Justin Bertuch (1747 bis   294
1822), Wirtschaftsunternehmer, Legationsrat, Verwalter der
herzoglichen Schatulle in Weimar, übersetzte 1775–1777 den
‹Don Quixote›.

Bambocciate. Grotesk-komische Darstellung der niedern Stände,   294
benannt nach dem Maler Pieter van der Laer, der wegen seiner
Mißgestalt den Namen Bamboccio (Knirps) erhielt.

Persiles. ‹Trabajos de Persiles y Sigismunda›, ein Reiseroman.   295

Curioso impertinente. Die in den ‹Don Quixote› eingelegte ‹No-   295
velle der unbesonnenen Neugier›.

gracias y donayres, Reiz und Anmut.   305

Avellaneda, Alonso Fernandez, ein sonst unbekannter Verfasser   305
eines unechten zweiten Teils des ‹Don Quixote›.

Chamfort

Die Rezension erschien 1796.   308

Hamilton, Anthony, Graf von (1646–1720), französischer Schrift-   309
steller, hier vor allem als Verfasser der ‹Contes de féerie› erwähnt.

Boufflers. Vgl. S. 354.   309

Roland de la Platière, Jean Marie (1734–1793), französischer Poli-   313
tiker, Girondist, 1792 Innenminister.

Desorgues, Joseph Theodor (1763–1808), wegen seines Gedichts   321
‹Hymne à l'être suprême› (1794) als erster Lyriker der Revolution gefeiert.

Soulavie, Jean Louis (1752–1813), Diplomat und Historiker,   322
veröffentlichte 1780–1784 ‹Histoire naturelle de la France méri-
dionale›; die von Schlegel erwähnten ‹Mémoires de Richelieu›
erschienen 1790–1792.

Corinne ou l'Italie par Madame de Staël-Holstein

Über die persönlichen Beziehungen Schlegels zu Frau von Staël   326
vgl. Einleitung S. 29f.

Vasari. Vgl. S. 357.   327

Moritz. Vgl. S. 360.   330

Heinse. Vgl. S. 359.   330

Metastasio. Vgl. S. 345.   333

Alfieri. Vgl. S. 345.   333

vortreffliche Beispiele. Das vortrefflichste ist zweifellos Mozarts   333
‹Don Giovanni›.

Noi leggevamo. Inferno V, 127f.   335

ein großer Dichter. Goethe in den ‹Venetianischen Epigrammen›:   335
‹Ach, die zärtlichen Herzen! ein Pfuscher vermag sie zu rühren.›

Medschnun und Leila. Liebespaar der orientalischen Poesie; vgl.   335
Goethes ‹Divan›.

Filicaja, Vincenzio da (1642–1707), italienischer Dichter, Sena-   338
tor und Sekretär der Regierung in Volterra und Pisa.

in questa forma... Tasso ‹Gerusalemme liberata›, 12. Gesang, 69.   339
Stanze.

BIBLIOGRAPHIE

STRAUSS, David Friedrich: August Wilhelm Schlegel, 1862

HAYM, Rudolf: Die romantische Schule, 1870

MUNCKER, Franz: August Wilhelm Schlegel, 1890

KÖRNER, Josef: Romantiker und Klassiker, 1924

BESENBECK, Alfred: Kunstanschauung und Kunstlehre August Wilhelm Schlegels, 1930

ZEHNDER, Hans: Die Anfänge von August Wilhelm Schlegels kritischer Tätigkeit, 1930

BRENTANO, Bernhard von: August Wilhelm Schlegel, Geschichte eines romantischen Geistes, 1943

BORCHERDT, Hans Heinrich: Schiller und die Romantiker, 1948

WELLEK, René: Geschichte der Literaturkritik 1750–1830, 1959

TEXTGESTALTUNG

Zugrundegelegt wurden die Bände VII–XII der ‹Sämtlichen Werke›, herausgegeben von Eduard Böcking, Leipzig 1846–1847, und zwar in der Regel die Lesarten, die der von Schlegel selbst veranstalteten Ausgabe der Kritischen Schriften von 1828 entsprechen. Auch in den Kürzungen richtet sich unser Text im allgemeinen nach Schlegels eigenen Maßnahmen. Eine gewichtige Ausnahme bildet die Studie ‹Etwas über William Shakespeare...›, die selbstverständlich in dem vollen Wortlaut von 1796 mitgeteilt werden mußte. Weggelassen wurden einige Anmerkungen ausschließlich gelehrten, sowohl für den Liebhaber wie für den modernen Fachmann belanglosen Inhalts. Andere Kürzungen werden im Text durch Punkte (...) markiert. Die Orthographie wurde unter strikter Schonung des Wortlauts, die Interpunktion mit der gebotenen Behutsamkeit dem heutigen Stand angeglichen. Fehler in der Schreibung von Namen, die Schlegel gelegentlich unterlaufen, werden stillschweigend im Text, die ziemlich häufigen Fehler in den Zitaten in den Anmerkungen berichtigt.

INHALTSVERZEICHNIS